D0051925

La Tentación de un Duque

JILLIAN HUNTER

LA TENTACIÓN DE UN DUQUE

Titania Editores

ARGENTINA - CHILE - COLOMBIA - ESPAÑA
ESTADOS UNIDOS - MÉXICO - PERÚ - URUGUAY - VENEZUELA

Título original: *A Duke's Temptation*
Editor original: Signet Select, Penguin Group (USA) Inc., New York
Traducción: Isabel Murillo Fort

1.ª edición Enero 2014

Aribau, 142, pral. – 08036 Barcelona
www.titania.org
atencion@titania.org

ISBN: 978-84-92916-56-6
E-ISBN: 978-84-9944-668-4
Depósito legal: B-159-2014

Fotocomposición: Montserrat Gómez Lao
Impreso por: Romanyà-Valls, S.A. – Verdaguer, 1
08786 Capellades (Barcelona)

Impreso en España - *Printed in Spain*

Para Mel Berger
Agente perfecto.
Caballero perfecto.
Eres una persona increíble
y no sé qué habría hecho sin ti.

Gracias

Agradecimientos

Mi especial agradecimiento para Graham Jaenicke, de William Morris Endeavor, por tu diplomacia y tu trabajo entre bambalinas. Has hecho que el final del año sea magnífico.

Prólogo

En sus correrías por Europa, Lord Anónimo había seducido a más mujeres de lo que un hombre de discreción estaría dispuesto a reconocer. Pese a que las fechas de sus romances habían caído en el olvido, había cuidado de anotar con orgullo el nombre de sus amantes en una libreta de tafilete rojo que guardaba cerrada bajo llave. Siempre había intentado dejar a sus damas con buen sabor de boca.

Pero, a veces, el hombre se ve obligado a marchar a la conquista de otros retos.

Le había robado la virtud a una *comtesse* francesa el día de su boda, ayudándola a escapar de su cruel prometido una hora antes de pronunciar sus votos. Le había hecho el amor a una princesa alemana en la Selva Negra y la había custodiado en una choza hasta que los traidores que ansiaban su encantadora cabeza fueron apresados. Había habido duendes de por medio, recordaba. Y había acabado con todos y cada uno de ellos.

Pero con todo y con eso, y dependiendo de su estado de ánimo, podía ser considerado no solo un héroe épico, sino también un villano clásico. Entre sus actos menos galantes, había secuestrado a una dama inocente y la había mantenido encarcelada en su castillo durante siete meses. Su intención era despojarla de todos sus bienes, y lo había conseguido.

Estaba además anotado, por su propio puño y letra, que la dama se había negado a ser rescatada cuando sus hermanos irrumpieron en el patio de armas.

Estaba mancillada de por vida, proclamó desde la torre donde había tenido lugar aquella depravación. Tan esclavizada se había visto por aquel secuestrador sin escrúpulos, que le había ordenado asesinar a sus hermanos si se atrevían a intervenir de nuevo. No tenía ningún deseo de ser rescatada y estaba incluso dispuesta a apuñalar en el corazón a los suyos antes que abandonar al oscuro noble que la había deshonrado.

Capítulo 1

Londres, 1818
Baile de disfraces literario de lord Philbert

Era de todos conocido en el mundo de la alta sociedad que Samuel St. Aldwyn de Dartmoor, cuarto duque de Gravenhurst y noveno baronet, era un joven truhán de ideología radical y un defensor de las causas impopulares. Samuel sabía que la sociedad lo consideraba una de sus figuras más carismáticas y controvertidas. Y hacía lo posible para darles la razón. Era uno de los primeros en ser invitado a cualquier acto. Y solía ser también el primero en ser invitado a marcharse por declararse muerto de aburrimiento.

Su aparición esta noche en el baile de disfraces de lord Philbert garantizaba que los demás invitados se marcharían contentos a casa.

Tanto amigos como rivales coincidían en este punto: el duque era un hombre de lo más divertido.

Podría incluso decirse que *vivía* para divertirse.

Hablaba poco, y cuando lo hacía se dirigía solamente a un selecto grupo, pero siempre decía lo que pensaba y le traía sin cuidado la posibilidad de molestar a alguien con ello.

El duque era joven, peligrosamente atractivo y escurridizo como un ángel oscuro, y por ello salía airoso pese a proferir ofensas que habrían expulsado de la sociedad a cualquier otro hombre. Pero aun así, la alta sociedad no conocía más que la mitad de quién era Samuel cuando no estaba en Londres. Confiaba en que siguiera así. Valoraba mucho su vida privada y pasaba la mayor parte del año en su aislada propiedad de Dartmoor, rodeado de personas de su total confianza.

Su impertinencia enfurecía a determinados miembros de la aristocracia y fortalecía a otros, que acogían de buen grado aquel soplo de aire fresco. Pero esta noche, al menos, estaba entre los suyos, entre mecenas de las artes y artistas agradecidos por su generosidad.

Acababa de ocurrírsele que tal vez encontrara una amante inteligente en un lugar como aquel. Había roto con su última querida hacía ya varios meses. El máximo interés que le había demostrado aquella mujer por la literatura había sido arrojarle un libro de Milton desde la puerta cuando él le había anunciado que la dejaba.

Estar a la altura de lo que exigía su reputación resultaba extenuante. Los excesos le agotaban energías que podría destinar a cosas mejores.

Disfrazado de su personaje literario favorito, Don Quijote, Samuel hizo caso omiso a las miradas que lo identificaron al hacer su entrada. No se detuvo hasta alcanzar el salón, casco mellado, escudo y lanza en mano, y hacer una reverencia antes de regalar su atención a los presentes. Que el mundo lo considerara frío y distante. Aquel peto estaba matándolo. Se le clavaba en las costillas como el cuchillo de un carnicero.

—Un trabajo muy competente el de esta mañana, su excelencia —dijo alguien, recordándole el falso duelo que había librado al amanecer.

—Un buen espectáculo, Gravenhurst.

Espectáculo. Sonrió para sus adentros. Todo era espectáculo. Para impulsar la profesión que desarrollaba en secreto. Y para ser fiel a la promesa que le había hecho a su anfitrión y socio en crímenes literarios, el editor londinense lord Aramis Philbert.

—Os merecíais ganar —declaró un caballero situado al final de la cola, alzando la voz por encima de los demás—. ¿Cómo se atreve la gente a desafiar vuestra decadencia a esas horas de la mañana?

—Yo pienso desafiarla esta misma noche, si su excelencia accede a ello —dijo una voz sensual entre el gentío.

La mirada de Samuel atravesó la brillante maraña de invitados hasta dar con una dama que agitaba lánguidamente un abanico estampado a mano con una amplia variedad de improbables posturas sexuales.

—Señora —dijo—, soy un aristócrata, no un acróbata.

Tras su sorprendida carcajada, obsequió a los reunidos con una diabólica y despreocupada sonrisa y se retiró a la antecámara que lord Philbert tenía reservada para uso privado de Samuel. En otros tiempos, habría pedido una cita a la dama. Pero no daba la impresión de ser mujer por la que mereciera la pena tomarse la molestia de despojarse de la armadura. De hacerlo, no volvería a ponérsela durante toda la fiesta. ¿Por qué los intelectuales perpetuaban el mito de que la lujuria solo atontaba a las clases inferiores?

—A decir verdad —murmuró, dirigiéndose al altísimo ayuda de cámara que le sirvió una tonificante copa de borgoña en el instante en que Samuel se dejó caer en un sillón—, cualquiera pensaría que he erradicado el cólera del mundo en vez de haber desafiado a un amigo a un duelo entre borrachos. Resulta vergonzoso, Wadsworth. ¿No te sientes avergonzado por mí? Estoy convirtiéndome en una maldita tortuga.

El ayuda de cámara esbozó una tentativa sonrisa.

—Sentaos un poco hacia adelante, excelencia, para que pueda ajustar otra vez los engarces de este peto. Lo único que tenéis en común con una tortuga es vuestro amor por la lechuga. Ya está. Don Quijote puede inclinarse de nuevo. Al mundo le encantan los héroes.

Samuel resopló.

—¿Aun cuando el héroe no es real? ¿Cuántos de nuestros queridos ilusos tenemos por aquí esta noche?

—Bickerstaff piensa que más de trescientos, excelencia. —Bickerstaff era el mayordomo de Samuel—. Esta tarde aún se seguían subastando entradas en los clubes de la ciudad.

—Imagino que habremos comprado una buena parte.

—Ciento veinte, según los últimos cálculos.

Samuel se rascó el pómulo, sonriendo.

—Mientras sea por una buena causa. ¿Cuál *es* nuestra actual causa?

—Un jurisconsulto contra los charlatanes que venden bonos de guerra, excelencia. ¿Os gustaría leer lo que cuentan los periódicos sobre vos?

—¿Para qué? Seguramente lo escribí yo mismo.

El duque apuró el vino de un trago, dejó la copa en la mesa y se levantó. Cogió el maltrecho escudo que Wadsworth había dejado en un rincón y observó con mala cara su reflejo en el abollado metal.

—¿De quién sería la idea de disfrazarme de Don Quijote para esta fiesta?

Con la manga de la chaqueta, el ayuda de cámara sacó brillo a la esquina derecha del escudo.

—Creo que fue Marie-Elaine quien lo sugirió, sabiendo que os gustaría representar el papel de caballero andante.

—Recuérdame en el futuro no seguir más los consejos de una criada. Y... —Samuel miró debajo del sillón—. ¿Supongo que no sabrás dónde he dejado la lanza?

—Tal vez el mayordomo la haya guardado a buen recaudo. Ah, no, me equivoco. La dejasteis en esa maceta de helechos al entrar.

Samuel cogió la fútil arma y la remetió bajo su brazo izquierdo.

—Si Don Quijote tenía aspecto de loco, creo que yo debo de parecerlo también. Dale instrucciones a Emmett para que tenga el coche a punto en una hora. Dudo que consiga controlarme por más tiempo.

Capítulo 2

Era una noche concebida para hacer los sueños realidad.

Cuando estuviera a punto de tocar a su fin, la señorita Lily Boscastle de Tissington, Derbyshire, podría compartir el secreto que, desde principios de año, había mantenido tan primorosamente contenido como el corsé de su tía abuela. Sus días de fingir andar buscando marido y de hacer de comparsa en reuniones campestres caerían en el olvido. En el transcurso del desayuno que seguiría a una fiesta literaria que se prolongaría durante toda la noche, Lily y su querido amigo, el capitán Jonathan Grace, anunciarían tranquilamente su intención de contraer matrimonio y permitirían que sus respectivas familias respiraran aliviadas antes de cerrar la fecha de la boda. Al fin y al cabo, un compromiso, incluso siendo tan atinado como el de Jonathan y Lily, nunca podía darse por hecho.

Ni siquiera Nostradamus hubiera sido capaz de predecir un resultado nefasto para la atractiva y joven pareja. Lily era alegre y coqueta de nacimiento y había aceptado todas las bendiciones que sin ningún esfuerzo se habían cruzado en su camino. El capitán Grace había salido de las guerras prácticamente igual que se había metido en ellas: fácilmente influenciable, pero tan bondadoso y tan consagrado a Lily como el primer día, cuando ella le pegó en el cuarto de los niños y le mordió después la oreja. Seguía defendiendo a Lily siempre que un familiar sacaba la historia a relucir en el transcurso de alguna reunión en Tissington.

—Es una muchacha íntegra, mi Lily —decía—, aun siendo algo exuberante a veces. Sé que cuando me mordió lo hizo como prueba de su afecto. Por suerte, con los años, ha aprendido que existen otras formas de demostrar su estima.

Otro caballero se habría sentido incómodo relatando a amigos y familiares la historia de su salvajismo infantil. Pero Jonathan lo contaba como si fuese un recuerdo cariñoso. Lily se preguntaba si después de tantos años se habrían acomodado en exceso el uno al otro. De hecho, ella se cuestionaba a veces si el afecto que sentía hacia él llegaría a intensificarse hasta transformarse en algo parecido a la pasión romántica.

Amigos del alma. ¿Acaso no era suficiente? Confiaba en Jonathan.

Además, Jonathan nunca le había dado motivos que le hiciesen sospechar que albergara sentimientos apasionados hacia otra mujer. Y tampoco ella se los había dado a él. A menos que contaran los personajes de ficción de los libros que devoraba, un detalle que cualquier lectora consagrada sabía que para nada contaba. Las fantasías que despertaban las obras románticas eran propiedad intelectual privada.

El baile de disfraces literario de esta noche era ya un sueño hecho realidad. En el transcurso del último mes, Lily había asistido a una obra de teatro, visitado el museo y el anfiteatro real construido por Astley. Había disfrutado con aquellos entretenimientos, pero lo de esta noche era de esos acontecimientos que solo se producían una vez en la vida. La noche no se había iniciado con el baile tradicional, con debutantes y solteros preparándose para la batalla mortal.

Los asistentes habían sido invitados a escuchar uno de los tres conciertos de violín que tendrían lugar durante la velada, a picotear las exquisiteces de importación que se servían en los comedores de la planta superior o a quedarse en uno de los salones del primer piso, donde la conversación emulaba las *soirées* parisinas que tanto habían animado el siglo pasado.

Lily se encontraba en su elemento, codeándose elegantemente con invitados disfrazados de personajes de obras literarias y con algunos de los escritores que los habían creado. Aunque no por ello esperaba reconocer a alguno de sus autores favoritos detrás de intrigantes disfraces. La alta sociedad había forzado el exilio de lord Byron. Percy Shelley estaba en Italia. Pero para una joven dama de campo cuya obsesión por la lectura sacaba de quicio a su familia, aquello era una experiencia vertiginosa.

Sus padres insistían en que de una chica lectora no podía salir nada bueno. Quedarse despierta hasta medianoche para terminar un relato romántico acabaría desequilibrándole la cabeza. ¿Cómo pretendía progresar en sociedad si se sumergía de aquella manera en las ideas de perfectos desconocidos?

Nunca lograría hacerles entender que tenía escasas aspiraciones sociales. O que a veces no quería tanto progresar como divertirse, sentirse arrastrada hacia un mundo distinto.

Y de pronto, esta noche, se había sentido arrastrada, con la excepción de que aquel mundo era real. Había escuchado sin querer tantas conversaciones excitantes que había perdido el hilo y ya no sabía si se decía que tal escritor se acostaba con la hermana de su esposa o con su propia hermana, o si había excedido su capacidad de absorción de champán para lo que quedaba de noche o para todo el año. A pesar de que en Tissington también había quien se movía con perversidad, era una perversidad tranquila. Pero aquí se sentía consumida por la curiosidad y abrumada, aunque agradablemente.

Pero lo mejor estaba por llegar. A media noche, los invitados se quitarían las máscaras. Se anunciarían los ganadores del concurso. Todo aquel que hubiera acudido disfrazado tenía prometido un premio por participar. A Lily le importaba un pimiento el concurso, o la obra de teatro que se prestrenaría después en el salón de baile antes de hacerlo en Drury Lane. Lo que quería era que todo transcurriera muy rápido hasta que llegara el momento del clímax: el paseo antes del amanecer por los jardines literarios de lord Philbert.

Todo lo que precedía aquel evento no era en su imaginación más que una puesta en escena.

Ninguno de los invitados había sido autorizado a salir para echar un vistazo. Pero era un secreto a voces que un ejército de maestros jardineros e ingenieros había estado conspirando durante meses para diseñar un paraíso de pérgolas donde se representarían escenas de obras de ficción. El parterre del lado noroeste se había transformado en un patio italiano para recrear *Romeo y Julieta*. La escena de la boda de *La tempestad* se representaría en un belvedere próximo. Si se desplazaban hacia el este del jardín, los invitados podrían cruzar las puertas del *Infierno* de Dante, con tufaradas de sulfuro y algún que otro trueno ocasional para ambientar la producción. Se decía incluso que habría un claro que serviría de escenario de *Los viajes de Gulliver* y donde aparecería la gigantesca niñera Glumdalclitch.

Pero por lo que Lily vendería su alma era para saber lo que había al fondo del jardín. Según su prima y carabina Chloe, vizcondesa de Stratfield, habían construido una gruta enorme en honor del último niño mimado de la literatura popular, el autor al que se conocía simplemente como lord Anónimo. Había escrito varios libros de oscuros cuentos de hadas y media docena de novelas sobre las andanzas de fornidos guerreros ambientadas en la Escocia medieval.

Lily las había devorado. Era incluso capaz de recitar de memoria determinadas páginas. Pero no fue hasta que publicó el primer libro de la serie titulada *Los cuentos de Wickbury* que fue denunciado por inmoral y su obra se convirtió de inmediato en un éxito de ventas.

Sus historias eran un hervidero de aventuras de capa y espada que guiaban al jadeante lector hasta la última página, una vez a bordo de un carruaje en plena huida, otras hasta el borde de un precipicio a lomos de un veloz semental. Los libros de la serie seguían siempre una trama básica: el héroe, un conde en el exilio, libraba una batalla contra un malvado hechicero, que era, además, hermanastro del héroe. Se enfrentaban no solo por sus dispares ideas políticas, sino también por el corazón de la misma dama.

Pero lo que más intrigaba a Lily era que, después de seis libros, la dama seguía sin tener claro si decantarse por el noble lord Wickbury o por el tremendamente malvado sir Renwick Hexworthy. Las bibliotecas de préstamos vivían acaloradas discusiones para debatir el tema cada vez que aparecía un nuevo libro.

Los caballeros solían mostrarse a favor del conde exiliado, puesto que luchaba justamente y representaba el orden de las cosas correcto. Sir Renwick era un villano de cabo a rabo, un malhechor impredecible, según su punto de vista, que no se detendría ante nada por conquistar a su amada. En opinión de Lily, ella era una mozuela tibia y sin mérito alguno que no se merecía ni a uno ni a otro hombre.

Por desgracia, Lily no era la única dama de la fiesta enamorada de lord Anónimo. Los criados montaban guardia junto a las puertas acristaladas que daban acceso al jardín para impedir que los curiosos arruinaran la sorpresa de lord Philbert. Lily estaba planteándose recurrir al flirteo descarado para poder ser la primera en ver los jardines. Si había alguna posibilidad de conocer al escritor... Oh, *era* un ganso.

Ni siquiera estaba segura de querer saber cómo era. O de descubrir si el escritor era en realidad un hombre. Lo más probable es que se llevara un desengaño al conocerlo. Se quedaría destrozada si al final resultaba ser un petimetre engreído.

Nada le estropearía la noche.

Un capitán respetable pretendía casarse con ella. Jamás en su vida se había creado un enemigo o dado un paso en falso. Cierto, era una malcriada, y a veces se aprovechaba de su posición. No para hacer nada ilegal o malévolo, sino simplemente porque le gustaba salirse con la suya. ¿Y qué? No era culpa suya haber nacido privilegiada. O que la peor decisión que hubiera tomado fuera disfrazarse de Ganso de oro de los hermanos Grimm. Tres semanas antes, cuando se le había ocurrido a Chloe, le había parecido una idea tentadora.

Pero ahora se arrepentía de su elección. ¿Cómo iba a enterarse la gente de que debajo de aquel plumaje tan poco atractivo llevaba un vestido de brillante seda de color dorado? No tenía para nada la sensación de ser un personaje de cuento de hadas. De hecho, sin despojarse del disfraz, se necesitaría ser un verdadero genio para comprender que pretendía ser una princesa.

Y ese genio, por desgracia, no era su futuro prometido, el capitán Jonathan Grace, el cortés acompañante de siempre. No daba la impresión de que el disfraz fuera de su agrado. Acababa de verle abriéndose paso para alcanzar la cola en la que estaba ella. Imaginaba que era para subir a uno de los comedores de la planta superior. En la parte delantera de la cola había visto a su prima Chloe, que le había hecho distraídamente señas para que se acercara mientras mantenía una animada conversación con sus amistades.

Jonathan, alto y desgreñado, luchaba por llegar a su lado.

—¿Por qué estás aquí sola?

—Porque no puedo moverme. Ya me han dado bastantes empujones. Tengo las plumas partidas y se caen como hojas. Me resulta imposible seguir el ritmo de Chloe. Desaparece cada vez que me giro.

—Es una carabina espantosa —dijo Jonathan, separando las piernas como si aspirara a protegerla con esa pose.

Pero por mucho que fanfarroneara, era de carácter apacible y Lily no le había visto jamás buscar confrontación. En todo caso, permitía que los demás le dieran órdenes. A ella no le gustaba nada verlo dudando para mantenerse firme en sus posturas.

—Chloe me tiene encantada —dijo.

—El encanto es cosa de familia —observó él con una sonrisa reacia—. Pero preferiría que no aprendieses las lecciones de tu prima. Ya me cuesta mi trabajo que te acepten tal y como eres ahora.

—Eso —replicó Lily— es porque eres un caballero. Por mucho que tus amigos de la ciudad no lo sean.

—Tampoco son tan malos. La vida en Londres es distinta.

—Ya me he dado cuenta. —Le sacudió una miga que tenía pegada en la manga, preguntándole—: ¿Qué has comido?

—Una de las criadas me ha pasado un bollo. Me muero de hambre. ¿Le pido que te traiga algo?

—Por supuesto que no.

—Creo que deberías comer algo antes de debilitarte en exceso.

—No pienso comerme ningún bollo mientras hago cola. Sería de lo más vulgar.

La cola hasta el bufé iluminado por las velas avanzó unos pasos. Lily oyó que la pareja que tenía detrás mencionaba *Los cuentos de Wickbury* y casi se le detuvo el corazón. Sabía que no era correcto meterse en los asuntos de los demás y fingió no estar escuchando, pero cuando la dama susurró: «Y Philbert ha dicho que lord Anónimo podría hacer una aparición para reconocer el tributo que se le rinde esta noche», Lily no pudo contener la curiosidad.

Se inclinó hacia un lado, superando a Jonathan e ignorando el tirón en la manga que este le dio al ver que la cola volvía a avanzar.

—Discúlpenme por interrumpir, pero no he podido resistirme. ¿Es cierto eso de que vendrá lord Anónimo?

La dama suspiró.

—Es muy posible que incluso haya venido y se haya marchado ya.

¿Venido y marchado? El corazón de Lily dio un vuelco.

¿Era posible que le hubiera pasado por alto tan fácilmente?

¿Le habría rozado el brazo sin darse cuenta?

—¿Ha comentado alguien cómo era?

—Nadie…

—Tal vez sea anónimo por alguna razón —dijo en voz alta Jonathan, devolviendo a Lily a su lugar en la cola—. Tal vez esté escondiendo alguna cosa.

—¿Cómo qué? —preguntó ella.

Jonathan frunció el entrecejo.

—No lo sé ni me importa. Pero tengo que confesarte algo antes de subir a jugar a las cartas.

—Le reconocería si lo viera —dijo ella distraídamente—. Lo que es improbable, mientras siga en esta horrorosa cola.

—¿Cómo demonios lo reconocerías si nadie lo ha reconocido? —preguntó él en tono de broma.

—Lo adivinaría por su manera de hablar. —Hizo un gesto con la mano—. Por sus palabras. Diría cualquier cosa y lo reconocería al instante.

—Tonta Lily —dijo él, haciendo una mueca—. Me pondría celoso si fuera cualquier cosa, pero no un escritor. —Ladeó la cabeza hacia ella—. ¿Quieres oír mi confesión?

Se le veía tan serio y cautivador con su corona de rey Lear de papel maché bajo el brazo, que se sintió casi malvada por tener ganas de echarse a reír. Por muy amigos que se hubieran hecho con el paso de los años, dudaba que lo que pretendiese confesarle fuera tan intrigante como conocer a un misterioso y famoso escritor. Además, Jonathan y ella tenían toda una vida por delante para hacerse confesiones.

—Vamos, canta —susurró—. ¿Qué has hecho? ¿Romper un jarrón?

Él dudó un momento.

—Nunca acabé de leer *El rey Lear*. De hecho, ni siquiera conseguí pasar del primer acto. La gente no hace más que soltarme cosas sobre hijos desagradecidos y no tengo ni idea de qué quieren decir. He tenido que quitarme la corona para que no me reconozcan.

—Oh, Jonathan. ¿Qué voy a hacer contigo?

La obsequió con una sonrisa impotente.

—Responder por mí la próxima vez que alguien me pregunte sobre la trama. Yo fingiré que no oigo bien.

Lily se obligó a recordar todas las buenas cualidades de Jonathan. No bebía. La consideraba la mujer más bella del mundo, y a veces le creía incluso. Siempre se había comportado como un caballero en su presencia y, evidentemente, la necesitaba.

—Tendrías que habérmelo dicho antes —le susurró—. Ahora ya es demasiado tarde para preocuparse por ello. Y no creo que Shakespeare vaya a presentarse por aquí para pedirte tu opinión.

Se mostró completamente indiferente al comentario.

—No habría venido aquí esta noche de no saber lo mucho que amas tus libros. Disfruta de la velada, Lily. Pero que sepas que estoy contando las horas que faltan para compartir lecho contigo. Dame un beso de buena suerte antes de marcharme.

—¿Adónde vas? —preguntó exasperada.

—Acabo de decírtelo. Kirkham y yo hemos sido invitados a jugar una partida de cartas arriba.

Levantó la cabeza con disimulo y la bajó de inmediato, consciente de la presencia de un atractivo hombre que permanecía de pie, apoyado en la pared. Iba disfrazado de caballero medieval, y pese a que estaba demasiado lejos para escuchar la conversación que mantenían Jonathan y ella, su insolente mirada le daba a entender que aquel encuentro le hacía cierta gracia.

¿Cuánto tiempo llevaría observándolos?

Le recorrió el cuello un escozor caliente, que se adentró rápidamente en su corpiño de plumas blancas. Se obligó a mirar de nuevo el reconfortante rostro de Jonathan.

—No llegues tarde al momento en que tocará despojarse de los disfraces. Y ponte la corona antes de volver.

Él asintió.

—Hasta entonces, permanece donde Chloe pueda vigilarte. Te prometo que no tardaré. Y, Lily... no permitas que te rapte ningún libertino durante mi ausencia.

Capítulo 3

Lily sonrió a regañadientes cuando Jonathan se marchó. Podía ser excesivamente protector a veces y tremendamente despreocupado otras. Ni que ella tuviera intenciones de que cualquier libertino le aguara la fiesta. Para empezar, los únicos caballeros que había conocido durante la velada habían mostrado más interés por las bellas artes que por las amorosas. Que, al fin y al cabo, era lo que cabía esperar en un acto literario.

Además, para ir detrás de una dama con una compañía de élite como la que ella llevaba, se necesitaba ser un calavera sin escrúpulos. De suceder lo impensable y verse abordada por un libertino, su prima acudiría en su rescate.

La vizcondesa había sido la carabina oficial de Lily en Londres durante los últimos dos meses y le había confiado abiertamente y sin reparos sus experiencias pasadas con el sexo opuesto. Consagrada madre y esposa en la actualidad, Chloe reconocía sin el menor problema que en sus tiempos no solo había causado algún que otro escándalo, sino que además lo había buscado. Era como si su penitencia fuese evitar que un familiar de la campiña como Lily sucumbiera a las mismas tentaciones que ella.

Aunque las tentaciones eran algo sobre lo que Lily solo podía elucubrar. Sospechaba que la mayor de ellas había sido Dominic Breckland, el pensativo vizconde de Chloe.

Lily divisó a su prima hablando con otro par de caballeros, ninguno de ellos su esposo, que se había negado a disfrazarse.

—¡Lily! —gritó alegremente—. ¡No te quedes ahí sola como un patito extraviado! Ven a conocer a dos de mis más queridos amigos.

Lily se encogió de hombros sin poder contenerse. Los invitados le impedían el paso por todos lados. Se enderezó para otear un hueco por donde escapar y recibió un empujón de la persona que la precedía en la cola. Ella no era menuda. Tiraba con fuerza cuando jugaba a las bochas y comía generosamente. Podría haberle atizado a aquel grosero invitado un buen golpe con el trasero que le habría enviado a varios metros de distancia. Pero se limitó a estirar el cuello e intentó llamar la atención de Chloe para indicarle que no podía moverse.

—¿Sería alguien tan amable de...?

Se interrumpió. Nadie le prestaba atención excepto el indiferente sinvergüenza que seguía apoyado en la pared y que parecía estar pasándoselo en grande con su dilema. Lo miró entre los tricornios, los sombrerillos con volantes y las pelucas que se agitaban por delante de ella.

Llevaba una especie de lanza. Aunque supuestamente era un caballero, parecía más malicioso que caballeroso. Su ágil figura emitía una atrayente energía que ella percibía incluso desde aquella distancia. Lo vio mover afirmativamente la cabeza en respuesta a lo que alguien estaba diciéndole.

Pero sus ojos brillantes la miraban desde las rendijas de su máscara de seda negra. Una mano femenina surgió entre la multitud para posarse en su hombro. Lily observó asombrada la ausencia de reacción ante tal falta de decoro. El gesto no le había provocado en lo más mínimo. Aunque tampoco parecía haberle complacido. También ella, de hecho, había permitido que Jonathan le estampara un beso en la mejilla y había fingido no percatarse de ello con la esperanza de que nadie más lo hubiera visto.

«No permitas que te rapte ningún libertino durante mi ausencia.»

¿Y quién querría raptarla a ella?

No era de las que levantan grandes pasiones, ni siquiera las de un libertino.

Entonces pestañeó. ¿Qué le pasaba? No pensaba beber ni una copa más de champán. Al menos hasta que comiera alguna cosa. Y no lanzaría ni una mirada más a aquel hombre, cuyos ojos le abrasaban prácticamente la piel.

Levantó la vista. Una última mirada, se prometió. No le haría ningún daño hacerlo. Nadie lo sabría. Una. La última. Una mirada.

Con alivio, aunque algo decepcionada, se dio cuenta de que había dejado de mirarla. Se dijo que mejor así. Era como si aquel hombre llevara el desconsuelo grabado en la frente. No era de extrañar que el grupo de invitados que había reunido a su alrededor estuviera integrado por mujeres.

Pero con todo y con eso, su manera de aparentar parecer perdido y afectado por un aburrimiento letal era una habilidad que ella no podía más que admirar desde su protegida distancia. Su negligente elegancia anunciaba al salón su aceptación de la influencia que ejercía y que no se sentía en absoluto culpable por ejercer ese don a su antojo.

Lily no habría reconocido esa arrogancia innata de no haber poseído también ella ese armamento. Aunque ni mucho menos de aquella magnitud. Pero adoraba la emoción del flirteo secreto. Y...

Ahora no estaba simplemente mirándolo, sino que estaba estudiándolo como una obra de arte en un museo. ¿Cómo demonios lo conseguía? Parecía un dios enmascarado que se había dejado caer por aquella fiesta con la única intención de que el mundo de los mortales pudiera venerar su sombra.

¿Formaría parte de su disfraz aquel aire de oscura indolencia? Tal vez fuera actor y de ahí el público que se deleitaba con su presencia. Le gustaba la idea. Cuanto más lo evaluaba, más se preguntaba si aquella cohorte de admiradoras formaría parte de una representación perfectamente ensayada.

Demonio, actor o niño mimado de la sociedad, resultaba además cautivador, a juzgar por el furtivo análisis que había hecho de su persona. Y entonces cayó en la cuenta de que el arma que tenía a su lado era una lanza oxidada y que no era un caballero andante normal y corriente. Era Don Quijote de la Mancha, loco y autoproclamado protector de los desamparados.

—¡Lily!

Se giró a regañadientes al oír el sonido de la voz de Chloe, sus divagaciones interrumpidas. Y entonces volvió a suceder. Inesperado, cortándole la respiración. Como ver una estrella caer del cielo a medianoche.

El desconocido levantó la cabeza y la miró, como si hubiera estado esperando para volver a cogerla desprevenida. El momento perfecto. Enderezó su esbelta figura. Sus dibujados labios esbozaron una mueca.

¿Una despedida a su breve flirteo o una invitación a algo mucho más peligroso? Lily no lo sabía.

Apartó la mirada. Sabía que era mejor no fomentar tonterías de aquel tipo. Un hombre que miraba a una dama de aquella manera y que no le importaba que lo vieran hacerlo solo auguraba problemas. Pero de repente, se vio superada por el afán de cometer una travesura. Ella también sabía flirtear, y el hecho de que fuera disfrazada le proporcionaba una falsa sensación de anonimato.

Solo por aquella noche no era la poco sofisticada señorita Lily Boscastle, de Tissington, que en cuestión de un mes contraería matrimonio e iniciaría una vida respetable como esposa del capitán Grace.

Jamás volvería a ver a aquel caballero andante. La desvergonzada atención que estaba prestándole merecía una respuesta. Pero ¿de qué tipo? ¿Una seductora sonrisa para reconocer que se sentía intrigada? ¿O tal vez un leve gesto de encogimiento de hombros para indicarle que a pesar de sentirse adulada, no estaba dispuesta a corresponderle con nada más arriesgado que aquello?

¿Sería excesivamente pícaro por su parte? Aunque aquel hombre no podía dar un salto y abalanzarse sobre ella ante tantísimos testigos.

Le devolvió la sonrisa, una sonrisa juguetona y coqueta, por encima del hombro, proyectándola directamente hacia su atractiva cara.

Ya está.

Toma esa.

Y lo hizo, inclinó la cabeza en una clara muestra de aprobación, el demonio reconociendo sus hechos. Pero ¿qué acababa de hacer? Inspiró hondo, petrificada, al ver que con la mano separaba el casco de su cabeza en un tributo que la tentó e inmovilizó en aquel mismo y delirante momento.

Varias personas del grupo que lo acompañaban volvieron la cabeza para identificarla. El gesto no había sido en absoluto sutil. Lily ni siquiera se percató del empujón que le propinaba la persona que la seguía en la cola. Esta vez estaba demasiado distraída como para ofenderse.

De hecho, estaba tan trastornada que el golpe la impulsó directamente hacia un hueco que se abría en la cola, hacia el camino de la tentación, y solo Dios sabe hasta dónde habría llevado el escandaloso intercambio aquel desvergonzado de no haberla sujetado en aquel instante una mano firme y de no haberle susurrado una voz apremiante al oído:

—Lily.

Volvió a pisar la tierra en cuanto reconoció a la hechicera de cabello negro como ala de cuervo que intentaba reinstaurarle el sentido común.

—¿Qué te ha ocurrido? —preguntó en voz baja Chloe—. Pero ¿qué estás haciendo?

—No estoy haciendo nada.

Nada que estuviera dispuesta a admitir.

—Voy a darte un consejo tardío —prosiguió Chloe, hablando en tal susurro que Lily tuvo que aguzar el oído para escucharla—. Supongo que ya que coqueteas tan bien, comprendes totalmente que puede ser un juego muy peligroso.

Lily se mordió el labio. Por el rabillo del ojo vio que hacía su entrada en el salón un caballero mayor de aspecto distinguido que era recibido con un coro de cariñosos vítores.

—No tengo ni idea de qué me hablas —dijo mintiendo—. Aunque me parece que deberías echarme el sermón más tarde. ¿No es nuestro anfitrión, lord Philbert, el que acaba de hacer acto de presencia?

Pero Chloe no estaba dispuesta a dejarse disuadir. Miró fijamente la atractiva criatura que seguía apoyada en la pared. Lily no estaba del todo segura, pero le daba la impresión de que lord Philbert se estaba abriendo paso entre la muchedumbre que rodeaba a aquel ser tan carismático, lo que indicaba que por muy libertino que fuera aquel hombre, era, como sospechaba, un libertino importante.

Al menos, no le había sonreído a un donnadie. Pensarlo le sirvió de consuelo.

Chloe aflojó la presión que había estado ejerciendo sobre la mano de Lily.

—¿Tienes una mínima idea de quién es ese caballero?

—¿Qué caballero? El salón está lleno de caballeros.

—Yo solo te he visto sonreír a uno de ellos.

Lily comprendió que engañar a una dama tan observadora como su prima era contraproducente.

—No he podido evitarlo, Chloe. En serio, no he podido evitar fijarme en él. He hecho mal.

—Todo el mundo se fija en él —prosiguió Chloe en tono conciliador—. Es inevitable. Pero el problema es que él se está fijando en ti. Y por eso es tan importante que te ponga sobre aviso. Es el duque de Gravenhurst.

Lily comprendía que aquel anuncio debería asustarla.

—¿Acaso este título implica algo inherentemente malvado? —preguntó con cautela.

Chloe enderezó la diadema dorada que presionaba los rizos negros de su flequillo contra la frente.

—No es que sepa mucho sobre él. Se dice que lo heredó después de una tragedia familiar que tuvo lugar siendo apenas un niño. Por lo que cuenta la historia, se descontroló un poco al alcanzar la edad adulta. Sus seguidores atribuyen su carácter rebelde a las responsabilidades que se vio obligado a asumir siendo muy joven.

—¿Seguidores? —preguntó Lily, enarcando la ceja.

—En la Cámara de los Lores. Por lo visto da convincentes discursos por causas cuya existencia ignoran los demás. —Chloe la estudió con preocupación—. Es *muy* convincente, por lo que cuentan.

—Pero eso no es ningún crimen, ¿no?

—Depende de a quién se lo preguntes. El partido opositor así lo cree. Y también diversos padres cuyas hijas han formado una sociedad para seguirlo por la capital con telescopios siempre que está por aquí. Sus enemigos lo consideran un traidor a la nobleza.

—La verdad es que no entra en mis planes unirme en un futuro próximo a ninguna sociedad de admiradoras, y dudo que Jonathan acabe algún día en la Cámara de los Lores. Sobre todo teniendo en cuenta que es incapaz de tomarse la molestia de terminar un libro y que será su hermano quien heredará el título familiar.

Chloe se calmó un poco.

—Al menos, tu capitán es una persona decente.

—¿Y el duque no? —dijo Lily antes de que le diera tiempo a silenciar la pregunta.

—Un hombre tan atractivo, al que le basta con sonreír para hipnotizar, no puede ser ignorante de sus encantos.

—¿Y es acaso su culpa ser tan guapo?

—Se rumorea que repasa con la mirada a las mujeres como si fuesen... caballos de carreras.

Lily se quedó traspuesta ante tan horrible imagen.

—Es repugnante. Y en absoluto agradable.

Chloe soltó el aire, claramente apaciguada al ver la reacción de Lily.

—*Si* acaso es cierto —añadió, en una aparente apuesta por ser justa—. La verdad es que no he tenido ningún tipo de experiencia personal con ese hombre. Pero creo recordar un chismorreo... Oh, Dios mío.

—Oh, Dios mío, ¿qué?

—Creo que leí que se despierta a medianoche con una mujer y sale corriendo a recorrer las calles hasta el amanecer con su cabriolé en compañía de otra. Y que ha estado presente en tres alborotos en una sola hora.

—No me extraña que esté delgado.

—Lily, *escucha*. Cuando otros caballeros llegan a casa para ponerse su camisón de noche, él está quitándose el suyo. ¿Te das cuenta de lo que eso significa?

Podía significar cualquier cosa, pensó ella. Podía ser una persona nocturna por naturaleza. Podía ser alérgico a la luz del día o a la niebla de la ciudad. Podía significar que prefería la intimidad de la noche. Tal vez fuera simplemente uno de esos hombres que cobra vida en cuanto se pone el sol. Lo único que sabía Lily era que su presencia iluminaba la estancia y que ahora mismo podía ser de día o medianoche y no habría notado la diferencia.

Pero un hombre que se vestía de Don Quijote en un baile de disfraces *tenía* que tener un intenso sentido del humor. Un disfraz que se burlaba de la belleza en lugar de realzarla. A menos que, como Lily, estuviera llevando uno que alguien más ingenioso le hubiera sugerido.

Temía que su desbocada imaginación estuviera superándola una vez más. Era perfectamente posible que el duque fuera tan caballero desorientado como Jonathan un rey de tragedia.

Capítulo 4

Samuel se irguió al reconocer al caballero de barba blanca y fornida constitución que acababa de abrirse paso entre el grupo. La mayoría de la gente sabía que él y lord Philbert eran amigos y aliados políticos. Pero pocos se imaginaban que entre ellos existía un vínculo más fuerte. Lord Philbert publicaba los libros de Samuel y él obtenía un porcentaje del negocio. Agradeció que Philbert lo apartara del gentío.

—Excelencia —anunció con su voz tempestuosa y autoritaria—, tengo en la galería privada un distinguido personaje a quien le agradaría conoceros. Si vuestro público nos disculpa unos instantes…

Samuel esbozó una débil sonrisa, lanzó un beso a los reunidos en general y siguió al hombre más corpulento hacia la puerta.

—Esperad un momento. ¿Es esto un rescate o hay realmente alguien a quien debería conocer? No soy una condenada marioneta, es evidente.

—Estabais acorralado, Gravenhurst, y parecíais peligroso con esa lanza a vuestro alcance. He pensado que apreciaríais unos minutos de soledad para apaciguar los nervios.

—A mis nervios no les pasa nada.

—Pues creo que sí. Vuestro libro tenía que estar listo el pasado lunes y habéis conseguido cambiar de tema cada vez que os lo he mencionado. Estoy tirándome de los pelos.

Samuel giró sobre sí mismo, negándose a dar un paso más hacia la puerta.

—He visto a alguien en el salón a quien sí *me gustaría* conocer.

—Ya estáis de nuevo, cambiando de...

—En privado. Me gustaría ver a esa dama en privado. Aunque estoy seguro de que hacerlo estaría considerado de mala educación, razón por la cual me decanto por una presentación formal.

—Me tenéis preocupado, Samuel. ¿Qué sucede con la novela? No intentéis engañarme, reconozco los síntomas. No habéis escrito ni una palabra, ¿no es eso? Sabía que algún día ocurriría. Yo...

—No me siento cómodo con el último capítulo. Necesito una extensión del plazo.

Philbert dio la impresión de estar a punto de derrumbarse de alivio.

—De acuerdo, pero permitidme leerlo y ser vuestro juez. Ya os he dicho que yo mismo podría escribir el final.

Samuel resopló.

—Y yo os dije que deberíamos haber adquirido los derechos de la *Enciclopedia Británica* cuando nos fueron ofrecidos. Con los beneficios que habríamos obtenido podríamos habernos retirado ambos.

—Eso duele —reconoció Philbert—. Los escoceses se llevaron la palma con eso, no cabe la menor duda. Pero es la editorial de esos James y John Harper de Nueva York la que me gustaría comprar. Uno nunca puede fiarse de los colonos.

Samuel sonrió.

—Conociendo sus orígenes, creo que no puedo estar más de acuerdo.

Philbert dejó transcurrir un momento.

—Deberíamos estar editando ya vuestro próximo libro.

—Recordad lo poco que me gusta hablar de libros inacabados.

—No debería deciros esto, y que Dios me perdone si se os sube a la cabeza, pero acabo de recibir una petición de Ennis Desmond para escribir la nueva versión escénica de la serie.

Samuel se volvió para mirarle.

—Rotundamente, no. Desmond escribe como si tuviera un martillo en la mano.

—*Vuestra* versión solo se representó una semana.

—Nueve representaciones.

—Al menos, él entiende de dirección escénica.

Samuel miró de nuevo el apelotonamiento de invitados disfrazados. Con la llegada de Philbert había perdido momentáneamente de vista a su hermosa conquista. Pero no tardó mucho en localizar su curvilínea figura, cubierta de suaves plumas blancas desde sus inmaculados hombros hasta sus pies calzados con altos tacones. Un racimo de rizos cobrizos se derramaba tímidamente por su espalda, cubriendo una intrincada celosía de encaje dorado. Se le secó la garganta. Con aquel vestido resultaba insoportablemente vulnerable.

—Parece que esté esperando que la desplumen —dijo sin pensar.

Philbert levantó la cabeza, alarmado.

—¿Perdón?

—¿Es vuestro vino falazmente fuerte o es esa joven dama de blanco terriblemente encantadora?

Lord Philbert cedió por fin y siguió la dirección del intenso escrutinio del duque. Suspiró.

—Así de pronto, diría que ambas cosas.

—Eso es lo que pensaba. —Samuel le entregó el casco a Philbert y se colocó bien la máscara—. Este salón está abarrotado. ¿De dónde ha salido tanta gente?

—Me han dicho que en Piccadilly han estado repartiendo entradas gratuitas —fue la chistosa respuesta—. No podéis ni imaginaros la cantidad de chusma que hemos tenido que rechazar.

Samuel pestañeó en un convincente gesto de inocencia.

—Pero ¿no se trataba de fomentar la lectura entre la chusma?

—No me vengáis con política a mi fiesta, Gravenhurst. Si tan consagrado estáis a vuestros lectores, os sugiero que les ofrezcáis el próximo libro de la serie. ¿Cuándo pensáis terminar esa condenada cosa?

—En tres semanas.

—Maldición, hombre...

—En dos días si me la presentáis antes de que pierda más plumas.

Lord Philbert negó con la cabeza.

—Ni siquiera sé quién es.

—Pues alguien debe de saberlo.

—Tal vez se trate de alguna de esas varias dependientas que tan espléndidamente invitasteis abusando de la bondad de mi cartera.

—De ser eso cierto —replicó Samuel, siempre imperturbable ante la mención del dinero—, mi destino es conocerla. Y si resulta tan misteriosa como parece, os estaré en deuda durante mucho tiempo.

—Ya estáis en deuda conmigo, bribón. No pienso avanzaros ni un chelín más hasta tener en mis manos el próximo Wickbury.

—Solo os pido que me la presentéis —dijo Samuel, mirando más allá de Philbert con una decidida sonrisa—. No me habría desplazado a Londres de no tener el libro casi terminado. Habría permanecido escondido en algún lugar donde jamás pudierais encontrarme.

—Vuestros lectores no son los únicos que están pendientes de vuestra imaginación. Permitidme que deje una cosa muy clara, Samuel: el libro siete está retrasado.

—He reescrito el final casi cincuenta veces.

—Cielo santo, ¿y qué sucede?

—Mis personajes están lanzando una rebelión contra mi trama. Tengo la sensación de que intentan decirme alguna cosa, y no sé qué es.

—Tal vez estén diciéndoos que les deis uno de vuestros provocadores finales. Y pronto.

A regañadientes, Samuel se enfrentó a la mirada de preocupación del anciano.

—Esta fiesta *fue* idea vuestra. La visita de los jardines, el erudito y el frívolo, el lugar de encuentro del *beau monde* con el universo de los libros, etcétera. No creo que ninguno de los dos esté aquí por cuestiones de salud.

—Hablando de lo cual...

—Mejor no —dijo Samuel—. ¿La habéis visto sonriéndome?

Las venas que entrecruzaban las mejillas de lord Philbert se congregaron en diversas manchas moradas.

—No puedo decir que lo hiciera.

—A *mí*, Philbert, de entre todos los malos caballeros del salón. Plumas blancas de pureza con un rubor de malicia a la espera de ser revelada.

—Dios mío. Otra no.

—Alguien debe protegerla de calaveras como yo.

—He perdido ya la cuenta. No debéis volver a hacerlo. ¿A cuántas de ellas puede confiárseles vuestro secreto?

—Calmaos, Philbert, antes de que a alguno de los dos acabe dándonos un ataque de apoplejía. No es necesario que me tratéis de...

—¿De caballero engañado? Vos y vuestros peligrosos conceptos de caballerosidad.

Samuel hizo una pausa mientras su apurado editor y amigo se servía de su monóculo para examinar a la dama que había provocado aquel enfrentamiento.

—Oh, por el amor de Dios. ¿Cómo puede pareceros misteriosa si lo único que se ve de ella son plumas? Exquisitamente adornada, cierto. Un rostro encantador. Pero nada que ver con el tipo de flagrante tentadora que soléis elegir. Parece más un polluelo de lechuza que una amante en ciernes.

Samuel rió encantado.

—A veces pienso que os creéis las mentiras que perpetuamos. Pero no importa. Es la chica ganso, efectivamente. Y debajo de este disfraz estoy seguro que se esconde una princesa dorada a la espera de que llegue el hombre que descubra su valía.

—Otro cuento de hadas —dijo lord Philbert con un pronunciado suspiro de resignación—. Debería habérmelo imaginado. Vuestros sueños acabarán matándonos.

Capítulo 5

No conseguirás arruinarme la fiesta —declaró Lily con total convicción—. Nada lo conseguirá.

—Lo que está en juego es tu ruina —dijo Chloe de mal humor—. Flirtear con un hombre con la reputación de Gravenhurst. Tú, que pareces tan recatada y que...

Se miraron, intentando ambas no sonreír.

—... mañana serás la envidia de Londres —concluyó Chloe a regañadientes—. Recortaremos todos los artículos de los periódicos que hablen sobre ti y los guardaremos para cuando seas vieja.

—Es una suerte que Jonathan no lea.

—Es una suerte que no estuviera aquí para ser testigo de tu amistoso intercambio con Gravenhurst. Mañana por la mañana, el desayuno sería solo para una persona, y no para todos los aquí reunidos.

—¿Qué más ha hecho este duque que lo hace tan prohibitivo? —preguntó Lily en voz baja—. Rápido, rápido. Vuelve a mirar hacia aquí. Creo que tal vez me ha leído los labios.

Chloe resopló.

—Si el duque está mirándote la boca, dudo que lo haga para leer lo que dices.

—Pero ¿qué ha hecho? —insistió Lily.

—De todo.

—¿Qué?

—No lo sé, Lily. Nada. De todo. Depende de lo que quieras creer. Seguramente se trate de rumores sin fundamento. La familia Boscastle ha sido acusada de todo tipo de fechorías. Deberías haber oído las cosas que se dijeron de mí.

Lily contuvo una carcajada.

—¿Por qué dejar entonces que los rumores que corren sobre su reputación influyan tus opiniones?

Chloe le lanzó una mirada apenada.

—Algunas de las cosas que se dijeron acerca de mí eran ciertas. Y no me preguntes cuáles. No tengo ganas de confesar todos y cada uno de mis pecados. No serviría para desalentarte y sí te daría ideas. Y... santo cielo, viene hacia aquí. Escóndete detrás de mí. No. No te muevas. No respires. Ni siquiera pestañees.

Lily se aventuró a mirar hacia donde estaba el duque. Y era cierto. Parecía estar abrasando un camino directo hacia ella. Y decir *abrasar* no era exagerado. El ambiente echaba humo a su paso. Carecía del valor suficiente para volver a mirarlo a la cara, pero cuanto más se acercaba, más se le aceleraba el corazón, preso de una excitación horrorosa.

—Viene a hablar contigo, Chloe —dijo con completa certidumbre.

—Nadie sabe si las historias que cuentan sobre él son ciertas —murmuró Chloe.

—Entonces, hablar con él no puede ser malo.

—Nadie sabe tampoco que *no* sean ciertas —contraatacó Chloe. Frunció la frente—. Pero oí comentar algo más. Algo oscuro y... ojalá lo recordara.

—Sea lo que sea que haya hecho, no puede ser tan malo como los actos de depravación que empiezo a imaginarme.

—Eres un ratoncillo de campo —dijo Chloe después de un afligido silencio—. Lo poco que sabes bastaría para meterte en problemas. Y me atrevería a decir que el duque te metería en ellos sin pensárselo dos veces.

—Pero tus pequeñas diabluras acabaron bien, ¿verdad?

Chloe esbozó una media sonrisa.

—Por lo que a mi esposo se refiere, las diabluras son cosas nocturnas.

—Continúa.

—No pienso hacerlo.

—Eres cruel, prima —susurró Lily—, hablándome de tus deliciosas diabluras y privándome a mí de cometer siquiera una.

—Mejor privarte de ello ahora que condenarte a una vida de... depravación.

—Hablas como una institutriz vieja y rancia.

Chloe se mordió el labio.

—Lo sé. ¿Quién lo habría soñado? La joven dama que fue exiliada a un estanque de patos por dejarse besar por un desconocido en el parque.

—¿Un desconocido?

—Tenía nombre —dijo Chloe, la risa apoderándose de su voz—. Aunque olvidé preguntárselo antes de dejarle que me besara.

—Hipócrita —dijo Lily, más fuerte de lo que pretendía.

—Inocente —replicó Chloe, como queriendo desafiar a Lily a cruzar una línea invisible.

—Eres peor que maliciosa —dijo ella—. Te has vuelto... sosa.

Chloe se llevó una mano al pecho.

—En absoluto.

—Me han contado —dijo Lily en voz baja—, que escondiste a Dominic en tu vestidor antes de casaros.

Las envolvió un silencio letal.

Chloe miró inexpresiva a Lily.

—Lo siento —dijo esta con voz compungida—. Jamás debería haberme hecho eco de ese horrible chismorreo.

—¿Por qué no? —Chloe estalló en una sonrisa de satisfacción—. Es la pura y maravillosa verdad.

Se inclinaron ambas en una profunda reverencia, el duque tan cerca de ellas que de pronto Lily se encontró engullida por su sombra. Chloe le cogió la mano a su prima para incorporarse con elegancia, a la vez que reunía la serenidad suficiente como para susurrar un comentario más al oído de su protegida:

—Por su aspecto diría que tu diablura está a punto de empezar.

Capítulo 6

Samuel se resistió a mirarla directamente. Por un lado, su acompañante le había lanzado ya una ojeada mortal. Y, por otro, ya había revelado lo bastante sus intenciones para tratarse de una primera impresión. La máscara servía para camuflar el aspecto externo de cualquier hombre, pero tendía a acentuar su verdadero carácter. Y Samuel estaba tratando de controlar sus instintos. Saludó con una reverencia, su mirada estudiando con disimulo a la dama vestida de blanco.

Consiguió fingir su habitual pose indiferente, aunque cortés, mientras Philbert efectuaba las presentaciones. Lo presentó en primer lugar a la dama de cabello oscuro. La vizcondesa Stratfield. El título le recordó a Samuel alguna cosa que no logró ubicar hasta que ella, y no Philbert, le reveló la identidad de la otra dama.

Boscastle. Reconoció enseguida el apellido. La señorita Lily Boscastle, prima de la antigua Chloe Boscastle. Empezaba a comprender.

No le extrañaba que la vizcondesa lo mirara con franco recelo. Bastaba un pecador para reconocer a otro. Las escapadas de lady Stratfield rivalizaban con las suyas. Aunque él estaba solo y los Boscastle eran un clan entero. Pero con todo y con eso, no era lady Stratfield quien le atraía, sino la dama más joven que tenía a su lado, cubierta con una máscara de plumas blancas y un manto a juego. La dama que le había obsequiado con una cautivadora sonrisa.

Lily. El nombre le encajaba, evocaba una pureza necesitada de protección. Se preguntó si sería un lirio de importación como la belladona o la especie híbrida de color sangre que se había marchitado en su invernadero. ¿O acaso se encendería como un lirio antorcha en cuanto el contacto se volviera más osado?

—Excelencia —entonó Philbert, que parecía tonto con el casco de Samuel en la mano—, el cuarto duque de Gravenhurst, noveno baronet...

—No es necesario que recitéis la lista completa —dijo Samuel, repitiendo su reverencia frente a Chloe y luego, por fin, levantando la vista, con una mirada perfeccionada para que tuviera su máximo impacto, hasta encontrarse con un par de fascinantes ojos azules que le cortaron la respiración. Por suerte, estaba acostumbrado a fingir y pudo disimular su intensa satisfacción.

—Soy Don Quijote de la Mancha —dijo sin alterarse, entregando escudo y lanza al contrariado Philbert—, el caballero andante —añadió— en busca de aventuras.

—Caballero andante, efectivamente —replicó la vizcondesa, mirándolo con franqueza—. ¿Cuál fue vuestro último acto caballeresco, o tal vez no debiera preguntároslo?

Samuel captó la sonrisa que acechaba detrás de los carnosos labios de Lily Boscastle.

—Esta mañana libré un duelo en Hyde Park.

Lord Philbert lo miró consternado.

—¿No os parece una conversación provocadora? ¿Qué tiene esto que ver con actos honorables?

Samuel y él llevaban tantos años representando los papeles de granuja incauto y asesor discreto que no solo los habían perfeccionado, sino que además los vivían muy en serio.

—El honor no tiene nada que ver. Mi oponente es un buen amigo.

—¿Y por qué motivo os retasteis en duelo? —preguntó Chloe después de un breve momento de duda.

—Me desafió a que no era capaz de hacer saltar de un tiro una bota colocada en lo alto de su cabeza —respondió Samuel—. Y luego él me disparó a mí. Fue una broma. No invité a la prensa.

Aunque sí les había enviado una carta anónima anunciando el duelo. Aquel mismo día, había publicado también un editorial en el que hablaba sobre el sistema de alcantarillado de Londres, y sabía que su notoriedad llamaría la atención de los que, de lo contrario, jamás habrían leído el artículo.

Lord Philbert se ruborizó como si estuviera a punto de ebullición.

—Si pretendéis contar la historia, mejor haríais empezando por el final. Ambos fallaron.

—Al menos no tuvo nada que ver con el honor de una dama —observó Chloe lanzándole una intencionada mirada a Lily.

Samuel sonrió. Estaba haciendo todo lo posible por no volver a mirarla. ¿Por qué se sentiría tan necesitado de explicar que el duelo no había sido más que una travesura de chiquillos? Su reputación estaba en riesgo. Jamás antes había reconocido un motivo inocuo como explicación de sus bufonadas. Aunque tampoco había intentado nunca impresionar a una dama en tan poco tiempo. ¿Qué posibilidades tenía de volver a verla si su guardiana lo declaraba enemigo de la virtud?

Y aquella guardiana, con su intensa belleza, daba la impresión de haberse enfrentado a algún que otro bribón en tiempos pasados. Chloe. Chloe Boscastle. Frunció entonces el entrecejo, observándola con renovado respeto.

—Lady Stratfield, *he oído* hablar de usted.

—Oh, Dios mío —dijo Chloe con una sonrisa insegura—. No delante de mi prima, por favor.

—Nunca he tenido el placer de ser presentado —prosiguió, su admiración sincera—. Pero conozco vuestro trabajo en la penitenciaría de mujeres.

Aunque Chloe se quedó sorprendida, pero sus ojos brillaron

encantados a continuación. Soltó la mano de Lily que hasta entonces había sujetado a la defensiva. Samuel observó aliviado el gesto. Un común denominador. Su instinto había acertado una vez más.

—Eso fue hace ya un tiempo —confesó Chloe—. Qué memoria debe de tener vuestra excelencia. A nadie le importa ese segmento de la sociedad.

—¿Acaso no nos importa a nosotros? —cuestionó con un tono de voz peligrosamente insinuante—. Admiro vuestra valentía.

—¿De verdad? —preguntó ella, el cinismo regresando a su voz—. Vos sois también un valiente.

Se olía a victoria y no tenía el más mínimo sentimiento de culpa que le impidiera el avance. Un caballero andante estaba obligado a hacer cualquier cosa con tal de conseguir a su dama. Esperó la llegada de una nueva oportunidad. Que llegó cuando un criado de lord Philbert se aproximó al cuarteto y le dijo en voz baja a su señor:

—Disculpadme, milord, pero en la fuente principal hay una dama haciendo travesuras.

—Pues sácala de allí —murmuró Philbert, extrayendo un pañuelo del bolsillo de su chaleco, los accesorios caballerescos de Samuel dando golpes por todas partes—. Podría sorprenderle la muerte a estas horas de la noche.

El criado hizo una reverencia, sus palabras casi inaudibles.

—Sobre todo teniendo en cuenta que está en cueros y gritando para que el duque de la Mancha acuda a su rescate.

Lily levantó la cabeza.

No podía dejar de mirar aquellos ojos azules, aun sabiendo que no era conveniente. La boca de Lily era tentadora como una ciruela. Tenía que hacerla suya. Se encogió de hombros.

—No tengo nada que ver con esto.

Lord Philbert se volvió hacia el criado.

—Tendrán que disculparme un momento, señoras. Gravenhurst, confío en que mantengáis *cortésmente* entretenidas a nuestras encantadoras invitadas.

—Tengo una idea brillante —dijo Samuel, su mirada cruzándose con la de Lily—. ¿Por qué no acompañar a las damas a realizar una visita privada a los jardines? Durante el acto formal estarán abarrotados.

Lord Philbert negó con la cabeza.

—No están todavía debidamente iluminados. Poco podréis ver en la oscuridad.

—Mucho mejor —dijo Samuel, riendo entre dientes—, si tenemos una noble dama desnuda de por medio.

—Una idea maravillosa —dijo Chloe después de que Philbert desapareciera para encargarse de su traviesa invitada—. A Lily y a mí nos encantaría poder ver a hurtadillas los jardines. Y a mí me encantaría también otra copa de champán.

—Si me permitís —dijo Samuel, llamando con un gesto a un par de criados emplazados en una pequeña alcoba iluminada con velas.

Solo ver el sutil movimiento, uno de los criados desafió a la multitud para abrir paso al otro hombre y permitirle avanzar portando en equilibrio una bandeja con tres copas del burbujeante líquido. Lily no podía creerlo. ¿Tendría el duque su propio personal en la fiesta o le había asignado lord Philbert algunos criados para que le atendieran personalmente? Fuera como fuese, estaba más impresionada a cada instante que pasaba.

Desde el otro lado del salón, le había llamado la atención mostrándose como un indiferente rufián. De cerca, contrarrestaba la imagen con un ingenio que resultaba irresistible tanto para Chloe como para ella. La belleza era una cosa. Y el magnetismo personal otra muy distinta. Con qué facilidad las había convencido para salir a los jardines. A ella se le hacía difícil pensar con sensatez estando cautivada por su encanto. Y *estaba* bellamente formado, su cuerpo ágil y esbelto. Se habría sentido desgarbada de no superarla él por varios centímetros.

Su rostro, o lo que podía adivinarse del mismo bajo su media máscara, la fascinaba. Sus ojos castaños hervían con emociones insondables por encima de unas mejillas hundidas que otorgaban a su cara una cincelada simetría. Su fuerte barbilla equilibraba lo que a primera vista parecía un atractivo angelical, marcándolo como un macho puro y peligroso. Volvió a reconfortarse pensando que en la fiesta representaba escaso peligro para ella.

Pero ansiaba retirarle la máscara y poner en perspectiva el resto de sus facciones. Las partes de la cara que no podía ver tal vez sirvieran para explicar qué era aquello que tanto la confundía. Que no lograba localizar. Definitivamente, *no* era un hombre sencillo.

—Vamos, Lily. Excelencia —dijo Chloe—. No podemos quedarnos aquí mirándonos eternamente. Contemplemos esos jardines que tan entusiasmado tienen a todo Londres. Don Quijote, ¿seriáis tan amable de mostrarnos el camino?

Se enderezó, sonriendo al oír el crujido del peto de la coraza.

—Encantado. Ruego disculpen cualquier sonido inadecuado que emita mi disfraz.

Lily contuvo una carcajada al presenciar otra encantadora sonrisa. Se había propuesto divertirla. ¿Debería sentirse adulada o ponerse en guardia?

—En el salón principal hay una antesala privada que conduce al comedor —explicó, inclinando la cabeza entre las dos mujeres.

Lily captó una bocanada de su colonia de lima. Divina.

—Desde allí —prosiguió—, la última puerta a la derecha se abre a una galería privada que domina el jardín.

Chloe soltó una de sus desinhibidas carcajadas.

—¿Su excelencia es también arquitecto?

Sonrió él con naturalidad.

—¿Señora?

—¿Cómo si no conocéis tan bien las salidas secretas?

—Me he visto obligado a utilizarlas para huir un par de veces.

—¿Solo?

—Vuestra señoría es muy pícara formulando esta pregunta.

Chloe inclinó la cabeza en señal de reconocimiento.

—Vuestra excelencia es muy pícaro no respondiéndola. Comprended que estoy preocupada por mi sobrina.

—Y con razón —concedió el duque—. Sería negligente por vuestra parte confiarla a un… granuja.

Lily escuchó el intercambio con envidia. Su prima podía bromear hasta hartarse como vizcondesa y pecadora regenerada que era. Una lástima que ella no hubiera viajado antes a Londres para recibir lecciones de picardía. Eran encantadores. Pero ¿quién estaba embelesando a quién? Le resultaba difícil decidir si era Chloe o el duque el ganador del encuentro. ¿Sería posible que ella, una chica de campo desconocida, fuera el premio?

No, sin duda alguna. Los caballeros como Gravenhurst consideraban las damiselas —bajó la vista hacia su disfraz— como plumas que añadir al sombrero. Pero igualmente estaba disfrutando con su atención. Su energía la atraía mucho más que todas las diversiones de Londres juntas.

—Vamos a los jardines —dijo Chloe con una animada carcajada.

Y la velada habría terminado inocentemente, con los tres fugándose juntos, de no haberlos interceptado un grupo de antiguos admiradores de la vizcondesa cuando se aproximaban al candelabro dorado de la esquina.

—¡Chloe, Chloe, *Chloe*! —gritó un coro de seductoras voces—. No os marchéis todavía. ¡Hace años que no os vemos!

Chloe se detuvo, incapaz de contenerse y no volver la vista atrás, siendo como era una mariposa del mundo aristócrata. En términos generales, en opinión de Lily, que la veía con más cariño a cada instante que pasaba, la resistencia de Chloe a sucumbir a los placeres sociales era mínima.

—Será solo un momento, lo prometo. —Chloe se mordió el labio en un evidente gesto de duda—. Corred. Id sin mí. Enseguida termino. Lo digo en serio.

Lily contuvo la respiración.

—Pero yo...

Chloe la abrazó.

—No hagas nada que yo no haría —le susurró—. Y eso se aplica el doble en vuestro caso, excelencia. Los Boscastle tenemos espías por todas partes.

Lily oyó la voz del duque llamándola. Levantó lentamente la cabeza.

—Estaréis perfectamente a salvo —dijo—. Lady Stratfield sabe dónde encontrarnos. Nuestro reto consistirá en asegurarnos que el resto de los invitados no lo sepan.

Abrió una puerta a sus espaldas que ella ni siquiera había visto. Aunque, ¿cómo podría haberse dado cuenta de que había una salida si llevaba toda la noche embelesada con el atractivo Gravenhurst?

Capítulo 7

Recorrieron sigilosamente como un par de ladrones los pasillos. Samuel cogió con delicadeza a Lily por el codo. Ahora que había conseguido la oportunidad que tanto anhelaba, no estaba dispuesto a dejarla escapar. La vizcondesa sabía cómo funcionaban las citas. No abandonaría mucho tiempo a Lily en manos de un hombre de su reputación. Pero por ahora estaban solos. Bastaba por el momento con la tentación que ello suponía.

—¡Oh! —exclamó Lily y contuvo la respiración.

Samuel se había detenido para abrir las puertas acristaladas que daban acceso a un patio privado, donde una fuente de tres niveles brillaba bajo la luz de la luna. Estaba excesivamente pegada a él, para lo que mandaba el decoro. Y entonces, consciente de un detalle tan placentero, dio un discreto paso atrás.

—Esta no es *la* fuente, ¿verdad? —preguntó, hablando por encima del hombro del duque.

—No. —La arrastró hacia fuera con una mano y cerró las puertas con la otra—. No veo por aquí ninguna dama desnuda.

—A Dios gracias —dijo ella, sintiéndolo de verdad.

Él sonrió.

—Vamos.

—¿Adónde iremos primero?

—¿Tenéis alguna preferencia? —Resultaba asombroso cómo había conseguido transformar un acontecimiento que temía en una experiencia novedosa. Y sin poder evitarlo, le preguntó—: ¿Tenéis algún autor favorito cuya obra vaya a recrearse esta noche?

—Yo... sí. —Se soltó para envolverse los hombros con la capa de plumas—. Nadie conoce su verdadero nombre. O si se trata de una sola persona o de muchas. —Bajó entonces la voz—. Quienquiera que sea, escribe con una pasión que...

Se quedó en silencio, intentando claramente apaciguar su entusiasmo.

—Continúe —dijo él muy serio—. Esta pasión...

—Sus escritos me llevan en volandas —susurró ella.

—¿Y la arrastran hacia alguna dirección en concreto? —preguntó él muy despacio.

—Sí. —Levantó la voz para devolverla al que sería el tono correcto de una dama—. Hacia los jardines. Donde se nos unirá mi prima, incluso tal vez con su esposo. El vizconde de Stratfield. Tal vez hayáis oído hablar de él. No vive en Londres, pero es conocido, por lo que sé, y es todo un carácter.

Samuel buscó de nuevo su mano, instintivamente, sin escucharla apenas, consciente del tiempo que estaba perdiendo. Había visto los jardines solo un par de veces en sus distintas fases de construcción y le incomodaba presenciar un tributo a sus libros. No porque no apreciara la iniciativa de Philbert de inmortalizar *Wickbury* en madera de boj, sino porque en aquel momento le interesaban más las cosas carnales que la vegetación o el elogio del público.

—¿El vizconde de Stratfield, decís? —*Buen Dios*. Pensándolo bien, Samuel recordaba a la perfección el intrigante rumor que había leído años atrás, cuando estaba destrozando su propia imagen en la prensa—. ¿El vizconde que regresó de la muerte?

No añadió el detalle que la resurrección de lord Stratfield se había producido presuntamente en el vestidor de su esposa, y más concretamente en un baúl con ropa interior de Chloe, donde se decía que había permanecido escondido. El escándalo había deleitado de tal manera a la alta sociedad, que a nadie le había importado si era cierto o no. Después de conocer a la esposa de Stratfield, Samuel se decantaba por creer que era cierto. Vaya historia debió de ser.

La sonrisa de Lily sugería que el escándalo no había sido ninguna invención.

—Me niego a negar o confirmar ningún chismorreo sobre mi familia.

—Bien hecho. Admiro a la dama que no se deja influir por los chismes. Y admiro... —La recorrió con la mirada, sus intenciones explícitas. Lily tensó los labios a modo de reprimenda—, vuestro vestido —dijo, guiándola para rodear la fuente y seguir un sendero adoquinado—. Es muy original. No creo haber visto nunca una chica ganso en un baile de disfraces. Comprendí su personaje en cuanto la miré.

—Pues me habéis mirado bastante.

Y ahora lo hizo con desvergonzado candor.

—No os ha molestado, ¿verdad?

—¿No os da vergüenza? —dijo benignamente, retirando la mano—. ¿Seguro que sabéis adónde vamos?

—La verdad es que no, pero hay criados montando guardia por si nos perdemos. Vigilad donde pisáis... esta piedra es resbaladiza. También vos me habéis mirado mucho. Y no me ha molestado en absoluto. ¿Os gusta leer cuentos de hadas?

Lily se giró para mirar la casa iluminada. Él se preguntó por un momento si echaría a correr para huir. Pero enseguida volvió de nuevo la cabeza para responder.

—Sí. Me gustan muy especialmente los hermanos Grimm.

—¿Leéis alemán? —le preguntó sorprendido.

—Mi tía abuela sí. —Esbozó una recatada sonrisa. Revoloteó una pluma hasta aterrizar en el suelo—. Creo —dijo, observando la pluma con mala cara— que sus historias son puro ingenio.

Competencia. Samuel exhaló un suspiro de contrariedad. La

competencia estaba por todas partes. La guió unos pasos más por el jardín antes de replicar.

—Debo admitir que ambos poseen talento para la fábula, pero ¿cuántos de sus relatos no están sacados de autores no reconocidos debidamente en su tiempo?

Ella rompió a reír. Fue una reacción contagiosa por inesperada y Samuel sonrió sin siquiera percatarse de ello.

—¿Qué es lo que os parece tan divertido? —preguntó, ralentizando el paso al llegar a un parterre.

—Vos —respondió ella—. Tal vez vos no hayáis conocido nunca una chica ganso, pero yo no había conocido nunca a un caballero que confesara leer cuentos de hadas, y mucho menos que hubiera reflexionado tan seriamente sobre sus orígenes.

—Estamos en un baile de disfraces literario.

—Pero no todos los invitados son aficionados a la literatura. —Se sintió culpable—. No debería haber dicho esto. Suena necio.

Él sintió de pronto una opresión en el pecho. O tenía que aflojarse el peto, o la sensual risa de Lily le había dejado sin aire.

—No tenía ni idea de que los hermanos Grimm fueran ladrones literarios —dijo pensativa.

Ahora era él quien se sentía culpable, no solo por haberla desilusionado sino también por difamar a los jóvenes escritores cuya obra envidiaba.

—No pretendía decir que sus ideas sean robadas. En mi opinión, los hermanos son brillantes.

—*La rosa* es el mejor.

—Hay muchas damas que no aprueban los cuentos de hadas. Les ofende su violencia. Pero pensaba que vuestro autor favorito era ese misterioso lord Anónimo.

Al alisar sus inmaculados guantes, se desprendió del disfraz otra pluma, que fue a aterrizar esta vez sobre la manga acolchada de él. Ella se humedeció los labios. Samuel la contempló absorto. Ni una armadura de verdad ni un escudo bastarían para protegerlos de los instintos que le provocaba. Debía de saber que era una mujer deseable. Cogió entre los dedos la pluma que había caído en la manga.

—Confiaba en que lord Anónimo hiciese su aparición —reconoció Lily, girándose para contemplar el jardín—. ¿Creéis que existe alguna posibilidad?

Él hizo una mueca.

—Ségurísimo que no.

Ella se volvió de repente, sus ojos abiertos de par en par de puro asombro.

—No me digáis que lo conocéis personalmente.

—De acuerdo. No.

Y ella respiró hondo, izando con el gesto su lujurioso escote. Por un instante, Samuel no habría sido capaz ni de pronunciar su nombre, y mucho menos aquel seudónimo que le hacía morirse de vergüenza cada vez que lo escuchaba. Su título ducal no parecía impresionarla. Pero sí su identidad secreta, lord Anónimo. ¿Sería lo bastante temerario como para traicionarse a cambio de un beso robado en plena oscuridad?

Temía que sí.

Inclinó la cabeza.

—Sois la mujer más encantadora que he conocido en... en mi vida.

—Muy amable por vuestra parte. —Hizo una pausa—. Contadme lo que sepáis sobre lord Anónimo.

Samuel pestañeó.

—Hablaba muy en serio.

—Sí —murmuró ella.

Le lanzó una mirada de evaluación que lo dejó sin saber muy bien si le hacía gracia o se sentía ofendido. La rapidez con que había desestimado su comentario daba a entender que, o bien estaba acostumbrada a las lisonjas, o lo tenía por un sinvergüenza del que no podía fiarse.

Lily ladeó la cabeza hacia él.

—Os estaría eternamente agradecida si pudieseis revelarme en voz baja su verdadero nombre. Os prometo mantenerlo en secreto. Por el honor de la familia Boscastle. Me llevaré vuestra confidencia a la tumba. Por favor, excelencia. Por favor.

Si alguna vez había sentido Samuel tentaciones de confesar que Anónimo y él eran la misma persona, era esta. Aquella mujer era una auténticamente tentadora.

—Ojalá pudiera hacerlo —dijo con sincero pesar—. Aunque suponiendo que lo supiera, y no estoy diciendo que lo sepa, tampoco tendría la libertad necesaria para poder decirlo.

Ella se acercó un poco más.

—No sabéis nada, ¿verdad? Nunca se le ha sorprendido en público.

Samuel examinó la pluma moteada en marrón que había quedado adherida a la manga.

—Es de halcón.

—Seguramente. No fue fácil encontrar suficientes plumas blancas para cubrir la totalidad del disfraz, por lo que hubo que desplumar aves de todo tipo.

—El halcón es un ave de presa —dijo él, reflexionando—. Esto cambia mi percepción de vos.

—Creo que sabéis más de lo que contáis sobre el autor de *Wickbury*.

—Contadme vuestra teoría sobre él.

—¿Me dais vuestra palabra de que no os echareis a reír? —preguntó con una maliciosa sonrisa que le provocó un deseo inmenso de besarla.

—Os doy mi palabra.

—No estoy segura de poder confiar en vos.

—¿Por qué no? —cuestionó él, sorprendido—. Me he comportado perfectamente.

—Tal vez sea porque tenéis un aire peligroso que pone en guardia a las damas jovenes como yo.

—Vos también tenéis un aire malicioso —contraatacó él.

—No me considero peligrosa. —Dudó—. ¿Me lo consideráis vos?

—Mucho.

Se quedó mirándolo un buen rato. Samuel se imaginó que le había gustado la idea de ser una *femme fatale*. Aunque supuso también que no era la primera vez que se veía como tal.

—Os contaré mi teoría sobre lord Anónimo, pero solo si prometéis no reíros de mí.

—Jamás se me habría pasado por la cabeza hacerlo, y debo decir, dejando de un lado a Anónimo, que sabéis muy bien cómo crear un momento de suspense.

Ella bajó la vista.

—Sois como un libro que te atrapa hasta el final —añadió—. Espero ansioso vuestras palabras.

Entonces levantó la cabeza.

—Mi teoría es que la autora es una mujer.

—¿Qué es *qué*?

—Una mujer —repitió Lily, con una certidumbre que insinuaba que sabía algo sobre él que él mismo desconocía.

Lord Anónimo había sido acusado de muchas cosas, principalmente de corromper la moral de sus lectores con argumentos retorcidos y oscuros y protagonistas con conductas inaceptables. Y, como cualquier autor, incorporaba a menudo parte de sí mismo en los personajes sin percatarse de ello.

—¿Por qué una mujer?

—Ya os lo he dicho antes. Por la pasión.

Tendría que reflexionar sobre el tema. Tendría que demostrarle que no era para nada una mujer.

—Nadie había sugerido nunca una idea tan extravagante. Es descabellado. Hablando de cuentos de hadas.

Se quedó boquiabierta.

—Dijisteis que no os reiríais de mí. Y os equivocáis. En el *Quar-*

terly Review apareció una crítica que sugería que Anónimo podía ser una cortesana francesa retirada.

Samuel tosió para aclararse la garganta. Desconocía aquella crítica. No se trataba de una de las calumnias que él mismo solía escribir. Era posible que Philbert se la hubiera ocultado. Se negaba a que leyera cualquier crítica cuando estaba en las primeras fases de un libro. Tendría que investigar aquella difamación en cuanto tuviera tiempo.

Dos minutos más tarde llegaron a la verja negra de hierro forjado y estilo gótico que cerraba un arco construido en ladrillo. Samuel extrajo del bolsillo de su chaleco una llave dorada y abrió el candado. El sonido de una cascada rompió la quietud del jardín. Lily miró a través de la reja. Su cautivadora sonrisa lo convenció de que haber abandonado furtivamente la fiesta había merecido la pena.

—Bienvenida a *Wickbury*. —La guió para cruzar una arcada cubierta de madreselva—. Confío en que no os llevéis una decepción.

Capítulo 8

La sumergió poco a poco en un laberinto de setos recortados. La música de los caños de agua seguía el sendero flanqueado por exquisitos ejemplos de poda ornamental. A pesar de la expectación que rodeaba el acontecimiento, dudaba que hubiera otra cosa capaz de igualar la magia de *Wickbury*. O el placer de disfrutar de una visita privada en compañía del duque. Sí, se mantenía escéptica con respecto a cuáles serían sus motivos.

Para ser justos, tal vez él hubiera instigado el flirteo, pero ella le había correspondido, creyéndose capaz de poder coquetear con impunidad. Él le había prometido comportarse, pero sus ojos sugerían algo muy distinto. Algo elemental, tentador y peligroso a la vez. ¿Y qué pensar de su presunto conocimiento de lord Anónimo? Tal vez su teoría fuera la acertada. Tenía más sentido que conociera bien a una mujer que a un hombre. Y la reacción del duque había sido bastante fuerte, pensándolo bien.

Por suerte, no probaría placeres prohibidos en aquel jardín. Chloe intervendría en cualquier momento y ella tardaría poco en estar de vuelta en casa y explicar a sus amigas el roce que había mantenido con el escándalo. Aunque prescindiría de mencionárselo a Jonathan. Supuestamente, tenía que comportarse como su prometida, no como una dama que fomentaba el coqueteo con un hombre de la fama de Gravenhurst.

Y de repente se olvidó de que había accedido a ser la prometida de otro caballero. Se olvidó casi del hombre que la escoltaba. Percibió, eso sí, que se hacía a un lado para cederle el paso hacia un paisaje de ensueño literario, iluminado por centenares de lucecitas ocultas en el laberinto.

Personajes de ficción de proporciones épicas acechaban al final del laberinto. Levantó la vista para observar la pata anterior del semental *Bucephalus*, cuyos cascos eran capaces de provocar lesiones mortales y que había transportado sano y salvo a un herido lord Wickbury en diversas malandanzas.

Su atención pasó entonces a los dos adversarios que le habían robado el corazón desde el instante en que nacieron fruto de la invención del escritor. Michael, lord Wickbury, y su eterno enemigo, sir Renwick Hexworthy. Cautivadores, cada uno a su estilo. Una dama siempre elegiría a Wickbury antes que a sir Renwick si se lo preguntaran. Pero ahí estaba el problema. Sir Renwick no preguntaba. Robaba lo que quería, a quien quería, y la única mujer que amaba era incapaz de decidir entre ambos.

Héroe y villano libraban una batalla al borde de un abismo entre dos enormes setos de tejo recortados de tal manera que parecían rocas. Lord Wickbury estaba sentado a horcajadas a lomos de su caballo, su sable izado como si quisiera engarzar una estrella. Desde el dragón de perennifolio del lado opuesto, sir Renwick Hexworthy levantaba su estoque para interceptar la llamada a la intervención divina.

Y Lily cayó presa de poderes magnéticos, imaginándose claramente cómo sería tener dos personajes tan magníficos batiéndose por ella. Sintió un escalofrío. Por un momento había creído en aquella fantasía. Qué tonta. Ni siquiera leyendo los libros había experimentado emociones tan intensas.

—Miradlo —murmuró.

—¿Os referís a Wickbury?

Emitió un sonido evasivo, demasiado incómoda como para mirar al duque. Se imaginaba su sonrisa burlona.

—¿A quién preferís? —preguntó entonces ella, aunque sin esperar una respuesta sincera.

No podía imaginarse al duque dejándose ir con cuentos oscuramente pasionales. Le daba la impresión de que su vida ya era excitante de por sí.

—Depende —respondió él.

—¿De qué?

—De mi estado de humor. O del discurrir del relato.

Le costaba encontrarle sentido a aquella respuesta. Aunque a decir verdad, el duque la tenía confusa desde el principio y no estaba aún del todo segura de si en realidad compartía con ella y con legiones de lectores su pasión por *Wickbury*.

—Me pregunto quién acabará ganando —reflexionó.

—¿No será Wickbury? Al fin y al cabo, la serie lleva su nombre.

—De momento, tal vez, pero sir Renwick es hermanastro de Wickbury y, aunque no se explica en ningún momento, podría incluso ser el mismo Wickbury.

Se quedó mirándola. Sus libros habían tenido unos inicios muy sencillos. Wickbury era guapo y heroico. Su adversario era malvado y había quedado desfigurado como consecuencia de la explosión que había sufrido durante un experimento de alquimia.

—Ya ha sucedido en otros relatos —prosiguió ella—. Y lord Wickbury podría tener hijos que acabaran siendo pequeños monstruos.

—¿No os *gusta* lord Wickbury?

—Por supuesto que me gusta. Le gusta a todo el mundo. Pero supongo que es por eso que Renwick me inspira simpatía.

—Él *sí* que es un monstruo. ¿Por qué tenerle lástima?

—Debió de ser horrible crecer a la sombra de Wickbury.

Samuel estaba fascinado con aquel punto de vista. Tal vez tendría que haber buscado desde un buen principio la opinión sincera de un lector. Tal vez su perspicacia le permitiera terminar aquel último capítulo del séptimo libro que tanto estaba atormentándolo.

—No sé exactamente a qué os referís.

Aunque sí lo sabía, pero deseaba oírlo narrado con su seductora voz.

—Sir Renwick —replicó ella—. Si tuviera otra oportunidad...

Samuel perdió la vista en la nada, pensativo.

Había debatido tantas veces el tema a solas, sentado en su despacho, que no podía llevarle la contraria. ¿Acaso era el hombre quien decidía, en todos los casos, convertirse en la personificación del mal? ¿Tenía alguna importancia el por qué si siempre acababa destruyendo a los demás? ¿Merecía compasión o había que limitarse a detenerlo?

Samuel había llegado a la conclusión de que debía de tener cierta capacidad intrínseca para el mal puesto que, de lo contrario, no habría podido crear los diabólicos personajes que desafiaban a sus protagonistas.

—Todo el mundo espera que Wickbury gane —prosiguió Lily—. ¿No podría ser un poco más complicado esta vez?

Tenía cierta razón.

Pero ¿quién podía predecir lo que depararía el futuro?

¿Una revelación sorpresa sobre dos hijos del mismo padre? La oveja negra podría convertirse en salvador.

Ambos podían enfrentarse a un enemigo común que forzara una tregua temporal que durara un par de libros.

¿Acaso no sería un giro interesante?

Su editor no lo vería así.

Pero en los últimos meses, Samuel había llegado a la conclusión de que un escritor tenía que ser impredecible. Dentro de un marco de trabajo de cierta predictibilidad, claro está. No quería traicionar a sus lectores.

Pero ¿quién era lord Anónimo para determinar que un personaje depravado como sir Renwick no podía arrepentirse de sus pecados? Siempre cabía la posibilidad de que el siguiente libro diera un nuevo giro hacia la oscuridad.

Jóvenes y encantadoras damas como Lily lo veían posible.

Tanto a Samuel como a lord Anónimo, que pocas veces actuaban al unísono, les gustaría hacerla feliz.

Levantó la vista y examinó las formas fantasiosas de los setos.

—Tendremos que dejar la historia en manos del autor. Me da la sensación de que el jardín os ha impresionado.

—Es maravilloso. Pero... ¿dónde está la mujer que ambos aman?

—¿La dama más deseable de Inglaterra?

—Sí.

—Está aquí.

Lily miró con curiosidad a su alrededor, preguntándose cómo había podido pasar por alto a una heroína tan provocadora.

—¿Está en la gruta? No la veo.

—Yo sí.

El tono bajo e insinuante de su voz provocó un chisporroteo que recorrió su espalda por entero anunciando un peligro inminente. Iba a besarla. Y ella no estaba haciendo nada para desanimarlo. No había hecho ni el más mínimo movimiento para disuadirlo. La enlazó por la cintura. Recorrió con la otra mano un camino ascendente desde la muñeca hasta el cuello. Las luces del jardín se atenuaron de repente. Y se sintió envuelta por una oscura calidez.

Tenía que resistir aquel momento. Chloe acudiría en su rescate. Ya la había advertido. Lo que no explicaba por qué había levantado la cabeza y cogido aire. O por qué había posado la mano en el antebrazo del duque y se había emocionado con la fuerza latente que había percibido allí. Un ruiseñor cantaba en un árbol. Y su boca firme se unió a la de ella con una intimidad que la inundó de terror y asombro.

Lily separó lentamente los labios, el instinto innegable. Se percató entonces de lo que iba a pensar él con su gesto: que estaba invitándole a más.

Y tal vez fuera así.

Aceptó él la invitación.

Cambiar de idea era ya imposible. Todo había ido muy rápido. Se apoderó de ella una oleada de sentimientos, demasiado intensos, demasiado tentadores como para poder dominarlos con cordura. Le recorrió con la lengua el perfil de sus labios antes de penetrarla con un habilidoso juego que venía a demostrar su reputación de seductor.

La habían besado antes, pero nunca de aquel modo.

Jamás su boca se había visto seducida con una intensidad tan deliciosa. Le acarició con el pulgar el hoyuelo de su barbilla, los rizos que caían sobre sus hombros. Los escalofríos se extendían como telarañas sobre su piel. Entonces, muy despacio, le chupó el labio inferior, inmovilizándola con el brazo. Aquella mirada sugería maliciosas promesas. La expectación que taladraba su conciencia le daba a entender sus intenciones.

Su aspecto delgado la había engañado. Bajo su esbelta elegancia era terso e indómito, su constitución nervuda cincelada con fuerza y agilidad. ¿Qué otras cosas ocultaría su disfraz? Mejor que nunca llegara a saberlo. Aunque, de todos modos, después de aquella noche no volvería a verlo jamás.

La abrazó con más fuerza.

No se resistió.

Era implacable. El vencedor con la virgen.

Tal vez intuyera que el beso la había desestabilizado. Tal vez supiera que si la soltaba en aquel momento caería de rodillas al suelo. No era la primera mujer que conquistaba en un rincón oscuro.

Caballero andante.

Había decidido hacerla suya en el mismo instante en que sus miradas se habían cruzado.

Le acarició la cadera. Le instó ella en silencio que parara. Pero las palabras no salieron de su boca. La delicada caricia le robaba la voluntad. Y siguió dejando que la besara, la excitación recorriéndole las venas, latiendo con fuerza en su interior.

No estaba forzándola. ¿Sería aquello una rendición? El beso estaba despertando una parte de su persona cuya existencia desconocía.

¿Por qué su sentido de la pasión le exigía tanta atención en aquel momento, con aquel hombre?

¿Podía ignorar aquel anhelo o era ya demasiado tarde? Se abría ante ella una puerta. ¿Daría acceso a un interior luminoso o era el portal hacia la oscuridad eterna?

—Despojémonos de estas máscaras —dijo él en voz baja.

Ella negó con la cabeza.

—Todavía no.

No quería que nada ni nadie le recordaran que el placer que estaban compartiendo no era más que una ilusión. Que era un flirteo pasajero que él fácilmente olvidaría. Verlo desenmascarado solo serviría para reforzar la huella que el suceso fuera a dejar en su mente. Después de esta noche, se prohibiría volver a pensar en él.

—Como deseéis —le susurró.

Lily dejó escapar un suspiro. Quería más.

Samuel capturó de nuevo su boca con insoportable dulzura. Inclinó la cabeza y se cernió entonces sobre el cuello. El deseo se intensificó. Se preguntó si se daría cuenta de la velocidad del latido de su corazón. ¿Estaría él igualmente afectado? Esperaba que sí. Pegó a él su cuerpo, escandalosamente cerca, lo bastante como para notar su potente virilidad. Empezó a recorrerle ambos hombros con sensuales besos. Lily se derretía.

Trazó con besos un camino hacia el suave escote que sobresalía por encima del dorado corpiño. Ella cogió aire. Notó la mano de él sujetándole la cadera con más fuerza, apabullando su manto, su vestido, su piel. Intentó liberarse, pero era demasiado tarde. Estaba temblando de la cabeza a los pies.

Le cogió la mano para acercarla aún más a su calor.

—Me prometisteis —susurró Lily.

—Estáis segura.

—Dijisteis que os comportaríais.

—Y tenéis mi palabra de que así estoy haciéndolo —dijo—. Es como si estuviera en un potro de tortura. Jamás había negado mi naturaleza más profunda como estoy haciéndolo en este momento.

—Pues seguid negándoos.

—Estoy colgando de un hilo —dijo él en voz baja.

—Confío en que sea fuerte.

—No es la fuerza del hilo lo que me preocupa —comentó él con ironía—. Sino la fuerza de quien lo sostiene.

—Parecéis lo bastante fuerte como para sobrevivir a un hilo roto —murmuró ella, su boca esbozando una sonrisa.

—Tal vez sea por este peto. Suma varios centímetros a mis hombros.

Lily se echó a reír. Había notado la fortaleza en partes de su cuerpo que ni se atrevía a mencionar.

—En la fiesta he visto varias damas siguiendo todos y cada uno de vuestros gestos. Vuestro disfraz no tiene nada que ver con ello.

—Gracias —replicó cortésmente—. Pero desde que os vi solo os he prestado atención a vos. Y ahora supongo que debo demostrar que soy hombre de palabra... a menos que me concedáis permiso para...

—Basta —dijo ella, jadeante por culpa de la tentación, reacia a escapar del brazo enguantado que con tan deliciosa tensión la había atrapado.

—Basta —concedió él a regañadientes, y suspiró, aflojando el abrazo pero sin soltarse del todo—. Como digáis.

Se encogió de hombros con resignación.

Rozó con su boca la de ella, un pedernal acariciando la yesca, una despedida al pecado no consumado. El pelo negro y sedoso de él acarició el contorno desnudo del hombro de ella. Incluso un contacto tan casual como ese proporcionaba íntimo placer. Sus pezones se tensaron al alejarse de la calidez de su abrazo. Suspiró, devastada ante la ausencia de su desconcertante proximidad, navegando a la deriva con dolorosa perplejidad. De modo que era así como el duque se ganaba los elogios.

A Lily le gustaría pensar que significaba para él más que cualquier otra conquista. Jamás había pasado una velada como aquella y creía que nunca más volvería a pasarla.

—Debe de ser su hechizo —dijo, lanzando una mirada acusadora hacia la oscura figura de sir Renwick Hexworthy que se cernía sobre ellos—. «Conquista la noche. Abraza el bien.» ¿No es ese su lema?

El duque no respondió. Sin duda la consideraba una tonta por culpar a una figura de madera de boj de haber incitado lo que sin la menor duda era una pasión terrenal entre dos desconocidos que habían perdido temporalmente el control de sus sentidos.

Pero con todo y con eso, le parecía que la mano herbosa de Renwick señalaba directamente su corazón. ¿Se habría movido la varita que sujetaba con la otra mano? ¿Habría cobrado vida aquel mago que pecaba sin conciencia para reprocharle haber besado a un duque que ni siquiera formaba parte del cuento? Cayó en la cuenta de que lord Wickbury, el conde de la infinita perfección, no había movido ni una hoja para ayudarla.

¡Una hoja, por el amor de Dios! Se había dejado embelesar hasta tal punto por el beso del duque y el encanto del mundo imaginario de Wickbury que ahora leía su futuro en el follaje. Su futuro como esposa de otro hombre.

Miró dubitativa al duque. Los setos decorativos no parecían interesarle lo más mínimo. Tenía la mirada fija en la pluma que acababa de posarse justo en el centro de su escote. A este paso, Chloe, dondequiera que estuviera, no tendría ningún problema en localizar a su prima siguiendo el rastro de plumas caídas. La mano del duque corrió a rescatar la pluma extraviada en el escote, y el rubor cubrió velozmente sus senos con un calor insoportable.

—No...

—No podéis regresar a la fiesta como... un ganso desplumado —dijo interrumpiéndola, enarcando una ceja.

Lo miró, consternada.

—Y vos tenéis también una pluma enganchada en el peto.

Bajó la vista, riendo. Con un cómodo gesto, liberó la pluma y la guardó en el interior de la manga junto con las otras que había ido recogiendo.

—Me servirán de punto de libro para recordar nuestros besos. Cuando termine el próximo *Wickbury*...

Se interrumpió; la maliciosa culpabilidad de su sonrisa tan excesiva Lily no pudo pasarla por alto.

—Conocéis a lord Anónimo tanto como podéis conocer al príncipe regente.

—Eso no es cierto —dijo él en tono de protesta.

—No os creo.

—Que sir Renwick me fulmine si os he desinformado.

Lily esperó, confiando en que cayera una rama, soplara la brisa, y que una oportuna acción de Dios agitara la varita.

—¿No os sentís tonta —preguntó él, cruzándose de brazos— esperando que la vegetación os responda?

—No tan tonta como me siento por haber creído vuestras intenciones. Lo único que pretendíais era atraerme para estar conmigo a solas en este jardín.

—Eso no es del todo cierto —replicó él—. Pensaba que vuestra prima estaría presente para estropear el momento.

—Lo mismo pensaba yo —confesó Lily.

La sonrisa de granuja volvió a aparecer.

—Reconoced, entonces, que ha sido un momento para no olvidar jamás.

—Para no ser repetido jamás, querréis decir —dijo ella con convicción.

—Yo no estaría tan seguro.

Lily movió la cabeza en un gesto de remordimiento.

—Me quito el sombrero ante vos: vuestra elección de Don Quijote como disfraz fue inspiradora. Tenéis un montón de sueños que nunca se harán realidad y dudo que en la vida hayáis leído una sola página de Wickbury.

Tampoco lo había hecho Jonathan, claro está, aunque al menos él tenía la sinceridad de reconocerlo.

Samuel bajó la voz.

—Seguramente haya leído más veces esos condenados libros que cualquier otra persona en toda Inglaterra.

Lily resopló.

—¿De verdad? —Como si no fuera aquella la declaración más estrafalaria que había oído en su vida—. ¿Os consideráis, entonces, un experto?

Él se encogió de hombros con cautela.

—¿Experto? Sí, supongo que lo soy.

—¿Y cómo conseguirá liberarse Juliette ahora que sir Renwick la ha raptado?

Samuel entrecerró los ojos.

—La rescatará Wickbury, supongo. ¿No es eso lo que se supone que hacen los héroes? ¿No es eso lo que hace en todos los libros?

Lily calló un momento, distraída por el traqueteo de la verja de hierro. Por fin llegaba Chloe, aunque demasiado tarde para cumplir sus deberes como carabina.

—¿Y si Juliette no *quiere* ser rescatada? —preguntó rápidamente—. ¿Y si lleva todo el tiempo esperando que sir Renwick la haga suya?

Samuel miró con el entrecejo fruncido las dos figuras que batallaban por encima de sus cabezas.

—¿Por qué será que todas las mujeres que leen *Wickbury* se enamoran del villano? Un héroe tiene que ser caballeroso.

Ella lo miró con toda la intención.

—No todos los hombres vestidos de caballero actúan como tal.

—¡Lily! —gritó Chloe desde lo alto del parterre—. ¡Aquí estás por fin! Me he equivocado de camino.

Una cínica sonrisa iluminó los pómulos de Samuel.

—¿Estáis diciéndome con eso que os *gustó* la escena del rapto?

¿No creéis que sir Renwick debería haber sido perseguido y acorralado por haberse llevado a Juliette en su carruaje?

—Ya era hora que sucediera algo así —susurró Lily—. De este modo ella podrá redimirlo.

—Sir Renwick no tiene remedio.

—¿Cómo lo sabéis? —preguntó ella en tono desafiante.

—Porque conozco bien a ese tipo de personas. Es evidente que lo único que le importa es el poder y que no cambiará nunca por nadie.

Lily se separó de él.

—Pues para mí es evidente que por mucho que apoyéis las artes, vuestra alma carece de tendencia artística.

La réplica le dejó aparentemente satisfecho.

—¿Se nota?

—Amo a sir Renwick —dijo Lily en tono desafiante—. A su lado, lord Wickbury parece un imbécil.

La vizcondesa apareció en aquel momento, justo antes de que a él le diera tiempo a responder. Y ya estuvo bien. Lily había aprendido una lección aquella noche: no era ni mucho menos tan sofisticada como se imaginaba. Aunque, a decir verdad, jamás se había tropezado con un hombre tan increíblemente encantador como el duque.

De haber permanecido a solas con él el tiempo suficiente, la habría convencido para continuar con los besos. Incluso era posible que hubiera conseguido convencerla de que se sumase a la liga de los seguidores de lord Wickbury, renunciando con ello al villano que amaba.

Era una suerte que el día de subir al altar con Jonathan estuviera tan cerca. Tenía muchos años por delante para reflexionar sobre lo que se había evitado aquella noche. O sobre lo que tal vez se había perdido.

Capítulo 9

La vizcondesa miró a Lily con preocupación.

—Perdóname por haber tardado tanto. ¿*Estabais* bien?

—Yo sí que estaba bien.

Chloe volvió la cabeza hacia el duque, que caminaba detrás de ellas, ralentizando el paso para poder admirar las esculturas de tejo.

—No hemos llegado ni a entrar en la gruta —susurró Lily.

—¡La gruta! —Chloe miró alarmada al duque por encima del hombro—. Pues en ese caso me alegro de haber venido corriendo a buscarte. Una gruta es el lugar ideal para una cita amorosa.

—Has tardado una eternidad —dijo Lily, molesta.

—No conseguía escapar —se quejó Chloe en voz baja—. Además, tampoco me pareció que pudiera hacerte ningún daño que el duque te embelesara durante cinco minutos. ¿O eres acaso una sirena a la espera cuyo aspecto inocente solo sirve para despistar?

—¿Sabes lo aburrida que es la vida en Tissington?

—Por supuesto que lo sé. El aburrimiento ha abocado a muchas damas a actos que deberían haber evitado.

Llegaron a la verja, que Samuel cuidó de cerrar con llave. De pronto, Lily se percató de la presencia de cuatro criados plantados sobre el muro que rodeaba el jardín. Era casi como si les hubieran dicho que permaneciesen fuera del alcance de la vista.

—Antes no estaban ahí —le comentó al duque, hablándole por encima del hombro.

Él sonrió con conocimiento de causa.

Chloe rompió filas al llegar al patio del jardín para evaluar la situación con Lily bajo la luz de la luna.

—Bien, aparte de unas cuantas plumas en mal estado, el paseo no te ha afectado.

El duque le sonrió, convertido de nuevo en un cándido caballero.

—¿Y yo?

Chloe se echó a reír.

—Vos podéis cuidaros solito. Y ahora quédate a mi lado, Lily. Entraremos juntas como si viniésemos del guardarropía. —Hizo una reverencia como si hubiera sido una ocurrencia tardía—. Suerte con vuestras buenas obras, excelencia.

Samuel siguió con la mirada la desaparición de Lily.

—Lo mismo os deseo.

Perdió de vista a Lily en cuanto ella entró en el salón dorado para participar en la ceremonia en la que todo el mundo iba a despojarse de las máscaras y que tendría lugar a medianoche. Un caballero tocado con una corona de papel maché la había recibido con un vaso de limonada y charlaba con la cabeza pegada a la de ella, como si la conociese muy bien. Samuel reprimió una llamarada de resentimiento. Lily y aquel hombre se mostraban cariñosos, pero no como una pareja de amantes. Él no se imaginaba que un caballero hubiese escoltado a Lily a la fiesta y la hubiese abandonado, aunque solo fuese un minuto, dejándola al cuidado de la vizcondesa. ¿Un hermano? ¿Otro primo? Estaba debatiendo internamente si quedarse o no para realizar la visita oficial al jardín y averiguarlo. Pero de pronto cambió de idea.

Samuel era un hombre que seguía sus instintos y el instinto le proponía un plan que no podía hacer esperar. El caballero que estaba junto a Lily acababa de levantarse inesperadamente, había cruzado el salón y llegado al vestíbulo, donde golpeó accidentalmente con el hombro su lanza.

—Disculpad. —Samuel asintió—. Confío en no haberos hecho ningún daño.

El hombre respondió con un gruñido poco digno de un rey.

—Soy bastante duro para eso. Pero podríais haberme sacado un ojo.

—¿Rey Lear?

—¿Qué?

—Vuestro disfraz.

—Sí, pero no me pidáis que os recite ningún texto.

Samuel sonrió para sus adentros, mirando más allá del simpático caballero hacia el interior del salón. Lily estaba colocada en dirección al vestíbulo. Cuando vio que estaban hablando, apartó apresuradamente la vista. Tal vez temía que él revelara a su pariente su escapada secreta al jardín.

—¿Queréis que os cuente una cosa? —dijo Samuel, adoptando un tono confidencial—. Me he enamorado repentinamente de una dama y temo perderla si esta noche no hago alguna cosa para declarar mis intenciones.

El hombre más fornido sonrió.

—Si la pincháis con vuestra lanza la perderéis. Y ese escudo... por Dios. Deberíais haberlo bruñido para la fiesta. Seguid mi consejo y entregad vuestros aparejos a un criado. Jamás os llevareis ningún premio vestido de caballero zarrapastroso.

—¿No competís en la ceremonia de medianoche donde todo el mundo se despojará de la máscara?

A Samuel le traía sin cuidado, pero ganarse un aliado nunca estaba de más.

—Estoy en medio de una partida de cartas, y podría perder el trono si no encuentro un amigo que pueda prestarme algo de efectivo. No estaba preparado para apostar tan fuerte.

—Una partida de cartas.

Tenía una candidez rural aquel hombre, una inocencia de la que el mal podía alimentarse o podía consumir. Un caballero dotado de astucia o que comprendiera el romanticismo jamás habría dejado sola a Lily en las cercanías de los lobos de Londres, predadores tan peligrosos para la virtud de una doncella como los estereotipos que aparecían en los cuentos de hadas.

Sacó a relucir en él el omnipresente deseo de proteger, de informar antes de que fuera demasiado tarde.

—¿Hacéis trampas en el juego?

—Santo cielo, señor, moriría antes que utilizar un penique trucado.

—Pero ¿sabéis que hay jugadores profesionales que las practican?

—No en una casa como esta.

Tanta ingenuidad daba verdadera lástima.

—Todos los invitados son gente adinerada, o de familia adinerada. No tienen necesidad de hacer trampas.

Samuel lo miró fijamente, consciente de aquella tan conocida obligación de alertar al no iniciado de lo que podía esperarle.

—No podéis confiar en todo el mundo, sobre todo en una fiesta de este estilo.

—Estamos en compañía de la flor y la nata, damas y caballeros de educación, refinados...

Samuel no pudo soportarlo más.

—Hay sensibilidades refinadas. Otras bárbaras. Y si me permitís observarlo, la mayoría de los invitados van disfrazados.

—Es un baile de disfraces —dijo el hombre, moviendo con preocupación la cabeza pensando que Samuel necesitaba instrucción.

—Simplemente recordad lo que acabo de deciros.

—Gracias, señor. Hacéis gala de buen corazón señalando asechanzas que podría haber pasado por alto.

Samuel no tenía paciencia para el juego, pero aquel tipo cordial estaba emparentado con Lily y decidió que le beneficiaría hacerle un favor.

—Tengo que abandonar la fiesta antes de lo esperado, pero ya que he estado a punto de embestiros con mi lanza, me gustaría compensároslo.

—No pasa nada. No miraba por dónde iba.

—Por favor, permitídmelo. —Samuel extendió la lanza hacia su interlocutor como si estuviera haciéndole una propuesta de paz. El hombre de más altura la cogió, perplejo—. Llevádsela a lord Philbert. Es nuestro anfitrión, por si no lo conocéis personalmente. Decidle que tenéis intención de jugar toda la noche, por mi cuenta.

El caballero esbozó una sonrisa de agradecimiento.

—Soy el capitán Jonathan Grace. ¿Me concedéis el honor de conocer vuestro nombre, señor?

—Don Quijote, el ingenioso hidalgo. —Samuel realizó un cordial saludo—. Controlad la baraja. En Londres hay jugadores que harían cualquier cosa por ganar. Andad con cuidado con vuestras compañías. Como os he dicho, no todo el mundo es tan de fiar como vos y como yo.

Lily había perdido de vista al duque. Ya era bastante malo haberle permitido que la besara un par de veces, que ahora que su pequeña indiscreción había tocado definitivamente a su fin, confiaba aún en ser blanco de alguna que otra mirada. Pero Jonathan acababa de tropezar con la lanza del Quijote, y ella se había reído tan descaradamente al ver a ambos hombres enzarzados en aquella situación, que Chloe había dejado corriendo a su marido para volver junto a ella. Aquella chica era pícara de verdad.

—Me parece que hay alguien que ya se ha divertido demasiado esta noche.

—¿Se nota? —musitó Lily, sus ojos bailando de alegría.

—Es una suerte que te cases en un mes —dijo Chloe con buen

humor—. Me parece que el instinto Boscastle para meterse en problemas empieza a florecer en ti.

Lily fingió una carcajada de indignación.

—Ya veo que acabarás alertando al duque sobre mí.

—Me lo pregunto, la verdad. —Chloe echó un vistazo a los invitados que entraban en el salón—. ¿Has satisfecho tu curiosidad? ¿O se te ha despertado más si cabe?

—Me imagino que estás hablando de *Wickbury*.

—Me imagino que el duque te habrá besado.

Lily ocultó con el abanico una sonrisa de culpabilidad. Un beso tan potente como el del duque viviría en ella toda la vida. Naturalmente, así tendría que ser. No imaginaba que su futuro con Jonathan le prometiera tanta pasión. Eran ambos personas prácticas, aunque siempre cabía la posibilidad de que esos sentimientos acabaran llegando con el tiempo. El duque había nacido con un talento natural para la seducción o lo había trabajado hasta perfeccionarlo.

Fuera como fuese, había saboreado todos y cada uno de los pecaminosos momentos que había disfrutado en su compañía. Y sorprendida, ahora que el hechizo empezaba a mitigarse, se daba cuenta de que no eran solo los besos lo que la había desequilibrado.

Chloe la abrazó por impulso.

—Sería una mentirosa si te dijera que no te comprendo. Y por la cara que puso Gravenhurst cuando os encontré en el jardín, diría que la atracción es más que mutua. Es una suerte que vayas a casarte tan pronto con tu capitán.

Lily hizo un mohín.

—¿Crees que el duque podría raptarme antes de entonces?

Chloe suspiró, haciendo una mueca.

—Supongo que podríamos esperarlo. Pero no te atrevas a explicar a tus padres que lo he dicho. ¿Dónde está tu capitán, por cierto? Va a perderse tu transformación.

Lily sonrió, apenas escuchándola. Los criados estaban apagando discretamente las velas más potentes para sumarle dramatismo al concurso. El resplandor humeante aumentaba la expectación que reinaba en el salón. Ella se preguntó si habrían elegido ya a los ganadores. Le daba igual, reconoció con culpabilidad, pues ya había realizado una visita privada a *Wickbury*. Y... ¿estaría el duque escoltando a otra dama por el jardín mientras ella estaba aquí, sus plumas marchitándose? Era altamente probable.

—Te he preguntado que dónde está —dijo Chloe con agotamiento.

Lily ahuyentó de la cabeza aquellos pensamientos.

—Lo has visto igual que yo... Oh, te refieres a Jonathan. Está jugando a las cartas.

—Santo cielo, Lily, no me extraña que hayas dejado que el duque te lleve por el mal camino. No tenía ni idea de que ibas a casarte con un jugador.

—No es más jugador él que impura pueda serlo yo —dijo a la defensiva—. Ha hecho unos cuantos amigos que me traen sin cuidado...

—Y tú has seguido su ejemplo. —Chloe enlazó a Lily por la cintura—. Todo el mundo se merece al menos una velada de picardía en Londres. Siempre y cuando la cosa termine aquí, nadie se enterará.

Capítulo 10

A las once y media de aquella noche, el duque de Gravenhurst y su homólogo escritor de éxito, aquel corruptor de la moralidad, habían llegado a un pacto para unir fuerzas con un único objetivo: tramar y representar el cortejo, seducción y matrimonio perfectos en honor a la mujer que había capturado el corazón de ambos.

La fusión de sus identidades había reconocido a la pareja ideal tan solo con verla.

Naturalmente, elegir esposa no era lo mismo que escribir uno de aquellos oscuros libros que devoraban Lily Boscastle y otras ávidas lectoras como ella. Un duque y su desposada en la vida real podían estar locamente enamorados un día y odiarse al siguiente. Podían llegar al acuerdo civilizado de llevar vidas separadas y reunirse amigablemente para las festividades si había hijos de por medio. Pero para dar por finalizada su unión, Samuel jamás podría recurrir a los recursos literarios que utilizaba lord Anónimo.

El duque jamás prometería algo que no pudiera cumplir. Los personajes de lord Anónimo quebrantaban su palabra por exigencias del guión. Pero ni el uno ni el otro habían encontrado un final feliz por lo que a romances duraderos se refería. Se decía que el duque prefería damas de buena cuna que comprendieran su lugar en el mundo. Según lo poco que se sabía de él, el autor de *Los cuentos de Wickbury* sentía debilidad por mujeres terrenales de toda clase social que comprendieran que la falta de decoro tenía cabida siempre que ambas partes sintieran necesidad.

La verdad, tal y como Samuel la percibía, estaba a medio camino de todas esas especulaciones. Era, de hecho, la primera vez que aristócrata y novelista coincidían en su agrado hacia una posible prometida. Una dama ingeniosa, sensual y con el toque perfecto de imperfecta malicia. El duque y lord Anónimo deseaban sobremanera a Lily Boscastle.

Y aunque la familia Boscastle destacaba por sus escándalos, su anciano linaje era excelente e indiscutible. Un duque no podía elegir esposa peor.

¿Haría algún mal iniciando un cortejo? ¿Rechazarían los padres de Lily a un noble como pretendiente serio? Por desgracia, *estaba* el tema de su alarmante reputación. ¿Cómo demonios destruir el daño que tan despreocupadamente había cometido? ¿Y cómo hacerlo antes de que otro caballero apartara del mercado a Lily Boscastle?

Ella había demostrado no ser tan inocente como parecía. Pero tampoco era tan sofisticada como se imaginaba. Un flirteo en el jardín no la convertía en una mujer caída, pero con el hombre correcto, o el incorrecto, como comprensiblemente su familia lo consideraría a él, su potencial de mujer tentadora resultaba intrigantemente considerable.

La primera vez que se había tropezado con uno de aquellos panfletos con su nombre que cubrían las calles de la ciudad se había puesto rabioso. La verdad era que las hazañas de alcoba que se le atribuían eran imposibles. Estaba seguro de no haber engendrado un hijo y una hija en dos condados distintos la misma noche. Todas esas tonterías podrían haber tenido su gracia de no haber salido impreso un artículo especialmente sustancioso el día que iba a hablar en la Cámara de los Lores sobre la subida del precio del pan. Para su asombro, aquella medida recibió más apoyos que cualquiera de sus anteriores iniciativas. Por lo visto, los miembros del Parlamento escuchaban con más atención al legendario sinvergüenza capaz de fornicar con varias mozas al mismo tiempo que a una persona que ofrecía un concienzudo discurso.

Samuel podría haber protestado por su notoriedad e intentado proteger su buen nombre. Pero pronto comprendió que los falsos escándalos que generaba en Londres desviaban la atención de su vida privada. Por algún extraño motivo, un duque que se acostaba con docenas de mujeres se granjeaba el respeto de sus colegas. Y por mucho que no fuera físicamente capaz de complacer a tantas damas como narraban los panfletos, las pocas que habían disfrutado de su compañía nunca habían abierto la boca para quejarse.

Fue así como descubrió el valor del sensacionalismo y como empezó a dar instrucciones a su secretario para que propagara regularmente chismorreos en Fleet Street que, según daba a entender, venían directamente de un miembro de la casa del duque.

Su única esperanza era que la familia de Lily, al vivir en el campo, no estuviera al corriente de lo que contaba la prensa popular.

Regresó a su residencia en Curzon Street, Mayfair, y mandó llamar a su abogado, el señor Benjamin Thurber, antes siquiera de quitarse el disfraz. El señor Thurber se presentó en menos de una hora, su grueso pelo blanco alborotado como si acabara de despojarse de la gorra de dormir.

—Buenas noches tengáis, Gravenhurst —dijo claramente fastidiado—. ¿Tenéis la más remota idea de la hora que es?

Samuel levantó la vista hacia el reloj que había sobre la repisa de la chimenea.

—La una y media de la mañana.

—La hora en que los que llevamos horarios decentes estamos profundamente dormidos. Confío en que tengáis un buen motivo para sacarme de la cama. Tengo que estar en los tribunales por la mañana. ¿Qué es tan condenadamente importante que no puede esperar?

—He conocido a una mujer.

El señor Thurber cerró sus nudosas manos y se rascó los ojos.

—¿Qué le habéis hecho? ¿Dispone ella de abogado en Londres? ¿Quién es?

—No le he hecho nada —dijo Samuel, irritado—. Me conocéis bien.

—¿Se trata de otra ramera reivindicando un caso de paternidad?

—Se llama Lily Boscastle y quiero pedir permiso para cortejarla formalmente con vistas a contraer matrimonio con ella. Y vos, precisamente, sabéis que mis indiscreciones ficticias superan con creces las que en realidad he cometido.

El abogado separó sus manos de la cara.

—¿Cuánto tiempo hace que la conocéis?

—Podría hacer años. Nos sentimos cómodos en el instante en que...

—No habréis compartido con ella vuestro secreto, ¿verdad? —le interrumpió el abogado, teniendo siempre presente los negocios.

—Estoy enamorado, no loco.

—No sabía que existiese diferencia. —Se retorció su blanco y rígido mostacho—. Vuestra excelencia es incorregible.

Samuel esperó un momento a que el abogado representara su habitual ritual de deambular frente a la chimenea y suspirar varias veces antes de acomodarse en la butaca. Se armó de valor, dispuesto a recibir un bien merecido sermón.

¿Acaso no se daba cuenta Samuel de que estaba actuando por impulso y que por mucho que los actos de agresión romántica resultaran convincentes en la ficción, ni siquiera un duque podía dominar el mundo de un plumazo sin sufrir las consecuencias?

¿Se había planteado alguna vez realmente el coste que le suponían sus ideales?

¿Le importaban para algo los libreros y los humildes empleados cuyo sustento dependía de él?

Acto seguido, Samuel recordó a su abogado que contaba con él por su asesoramiento en cuestiones legales, no por sus consejos de abuelo.

El señor Thurber levantó las manos en un gesto de derrota.

—¿Y qué sucede si esa joven Venus y vos no acabáis encajando?

—Ya he pensado en eso. ¿No existe manera de negociar un contrato que le permita abandonar el cortejo sin que su nombre salga dañado? —dijo Samuel, evidenciando con la pregunta que nada le haría cambiar de idea.

—Cualquier cosa es negociable siempre y cuando el precio sea satisfactorio para ambas partes. La familia Boscastle es un buen linaje aunque, por cierto, algo tendente al escándalo.

—Eso tengo entendido.

—¿Ha pensado su excelencia que la familia de la joven dama podría tener otros planes para su futuro? —aventuró por última vez el abogado.

Samuel lo miró furioso. Sabía que podía ser testarudo y que era difícil hacerlo entrar en razón, pero era su forma de vida y, exceptuando la tragedia de su infancia, había salido adelante sin ninguna ayuda.

—Era medianoche e iba acompañada tan solo por su carabina y por un hombre que supongo era un pariente. Se trataba de su primera fiesta en Londres.

—Cabría pensar que era también vuestra primera fiesta —replicó agriamente el señor Thurber.

—No dais crédito a mi habilidad para saber reconocer una perla en una interminable playa de arena.

—¿Es una perla? —El abogado movió la cabeza en un gesto claro de rendición—. Tarde o temprano teníais que conocer a la dama de vuestros sueños, pero si habéis tardado tanto, no entiendo qué mal puede haceros un día más.

—Rotundamente, no. No pienso esperar. Eso significaría indecisión por mi parte.

—Concededme hasta última hora de la mañana para que mi escribiente redacte y os entregue los documentos para vuestra aprobación.

Samuel sonrió agradecido y extendió la mano para ayudar al hombre de más edad a levantarse de la butaca.

—Me gustaría que la dama recibiera los documentos lo antes posible. Su familia se hospeda en casa del vizconde de Stratfield. Desconozco la dirección.

—Como mínimo conocéis su nombre. —El abogado saludó con una reverencia y frunció el entrecejo mirando a Samuel como si acabara de darse cuenta del disfraz—. Don Quijote, ¿verdad? Confío en que no sea una profecía. Felicidades, excelencia.

Felicidades.

¿Tan fácil era? ¿Bastaba con elegir el curso que querías que siguiera tu vida y esperar que todo lo demás ocupara su debido lugar? Samuel sabía muy bien que no era así. La vida había jugado con él desde que le alcanzaba la memoria. El corazón de una mujer no era un simple peón.

Pero sus pensamientos más profundos nunca le habían fallado. Llevaba años escribiendo sobre amor, muerte, pérdida y traición. Sus personajes caían a menudo víctimas de sus letales defectos y llevaban a cabo actos de cobardía. Su heroína más popular, Juliette Mannering, era una dama poco convencional que había huido de un convento y de un matrimonio de conveniencia.

«Amo a sir Renwick. A su lado, lord Wickbury parece un imbécil.»

Samuel rodeó su mesa de despacho, esforzándose por no mirar la pluma y el pliego de papeles en blanco que tenían que convertirse en el último capítulo. Había corregido al menos diez veces las galeradas sin conseguir encontrar la solución. Pero lo lograría esta noche.

La maldita entrega no se escribiría sola. Tal vez debería dejar los personajes pendientes de un conflicto sin resolver. Lord Anónimo nunca había prometido un final perfecto. Tenía una obligación contractual con Philbert, que como caballero que era cumpliría, pero ¿estaba obligado a repetir siempre la cansina trama? Tenía un vínculo con sus lectores, una conexión mística que no comprendía pero que se esforzaba al máximo en mantener intacta. Pero ni la recompensa económica ni la admiración de los desconocidos le habían llevado jamás a escribir una sola página.

Se acercó a la mesa con el entrecejo fruncido.

Prefería trabajar en su mansión de Dartmoor, aun cuando con los años había descubierto que sus habilidades como escritor no estaban limitadas ni por el entorno ni por las circunstancias. A menudo se resistía y no realizaba correcciones hasta el último momento. Pero en cuanto las palabras empezaban a fluir, se dejaba arrastrar y se perdía en otro tiempo y lugar. Sus pensamientos se tranquilizaban. Algo en su interior se alzaba por encima del clamor de todo lo demás. Sus personajes le exigían ser escuchados.

«Amo a sir Renwick.»

¿Por qué? ¿Por qué las mujeres adoraban a un cabrón tan despiadado?

¿Por qué Juliette Mannering se sentía atraída hacia un hechicero malévolo que la había raptado? Un asesino. ¿Un nigromante y un asqueroso hijo de puta que había matado a su propia hermana para complacer a Satanás y que luego se había creído capaz de levantarla de la tumba?

¿Triunfaría Juliette ante las insinuaciones de sir Renwick?

—Disculpadme... ¿excelencia?

Samuel miró distraídamente al hombre de cara alargada vestido con librea de seda negra bordada en plata que acababa de aparecer en el umbral de la puerta.

Samuel refunfuñó cuando se dio cuenta de que su mayordomo miraba de reojo el ordenado escritorio antes de transformar su rostro en una máscara de agradable impasividad. ¿Por qué todos los que lo conocían tenían la sensación de que estaba dando largas a su trabajo? Bickerstaff jamás pronunciaría una palabra de censura, pero era de suponer que se había percatado del montón de hojas en blanco. En otro tiempo empleado de banca, su jefe lo había acusado de apropiarse ilícitamente de dinero; él lo había rescatado de la cárcel de deudores. De hecho, ese hombre tenía un olfato para el detalle que sus deferencias, por abundantes que fueran, no lograban camuflar.

—¿Te he llamado? —preguntó Samuel con perplejidad.

—No dejasteis instrucciones para entrar el carruaje en casa. ¿Piensa su excelencia regresar al baile de disfraces?

Samuel vaciló.

—Voy a trabajar. El libro estará acabado por la mañana.

—En ese caso, haré preparar el carruaje. Las galeradas están envueltas en tela encerada. Los libros que pedisteis sobre cómo resucitar a los muertos serán enviados mañana.

—Excelente —dijo Samuel, sin haber escuchado ni una palabra.

—Deberíamos estar listos para la marcha al amanecer, excelencia.

Samuel frunció el entrecejo.

—Espera un momento, Bickerstaff. Creo que he olvidado decirte que hemos cambiado de planes. Nos quedaremos en Londres indefinidamente.

—Pero el nuevo libro...

—Eso no importa. Tengo que terminar este. Puedo trabajar aquí, ¿verdad que sí?

—Vuestra excelencia podría trabajar en medio de un desfile militar. Pero vuestra excelencia se queja del ruido de los carros al circular sobre los adoquines y de las damas que se presentan a todas horas.

—Ignoraré a carros y fulanas.

Bickerstaff rió entre dientes.

—¿Y qué me decís de la cantante de ópera que deseaba una audiencia en privado? ¿Le envío un mensaje diciéndole que habéis cambiado de idea?

—No. Su voz me aporta la melancolía.

—Os traeré café, pues, excelencia.

Volvió a arrepentirse de no haberse quedado para contemplar a Lily convirtiéndose en princesa. Era ya una beldad con su disfraz de cuento de hadas, sin llamar la atención hacia sus encantos. De pronto sintió celos de los asistentes al baile que la habrían visto sin plumas. Y sintió celos de Jacob y Wilhelm Grimm, porque Lily amaba su inteligente escritura, mientras él permanecía allí sentado, su libro por terminar, sus pensamientos girando sobre sí mismos como dentro de un nido de víboras.

Pero era capaz de perdonar cualquier cosa a los hermanos alemanes por la parte involuntaria que habían jugado en lo que suponía sería el final de su libro de cuentos. Esta noche *terminaría* el libro y mañana, a esta misma hora, confiaba en volver a estar con ella. Tal vez el interludio de esta noche encendiera la inspiración que tan esquiva le era últimamente.

Tal vez decidiera revelarle a Lily su verdadera identidad antes de que el próximo volumen de *Los cuentos de Wickbury* llegara a la imprenta. Además de su dulce y apetecible boca y de la inclinación que mostraba hacia la picaresca, poseía la mente deliciosa y la cálida honestidad que tanto valoraba en una mujer. Y pese a que lo que había dicho Philbert era cierto, que Lily no era del tipo de mujer que normalmente atraía a Samuel, jamás en su vida se había sentido tan atraído como ahora. Por lo que era posible que el problema siempre hubiera estado del lado de Samuel: se había relacionado con el tipo erróneo de mujeres.

Lo que, naturalmente, le devolvía a su problema más inmediato.

Philbert.

El capítulo final del séptimo libro de la serie *Wickbury*.

El capítulo que Samuel llevaba una eternidad revisando. El final que se negaba a ser escrito.

Tal vez necesitara despojarse del disfraz. Respirar bien facilitaría el funcionamiento del cerebro. Con mucho esfuerzo consiguió liberarse de aquel peto absurdo y resistió la tentación de correr arriba a cambiarse la túnica que llevaba debajo y ponerse una cómoda camisa de lino y pantalones.

Un trío de plumas se despegó de la manga acolchada del disfraz y aterrizó en el suelo. Las cogió y tomó asiento detrás del escritorio, intrigado.

Dos blancas. Una marrón.

Dos inocentes y un halcón. ¿Por qué el halcón estaba considerado maligno? Tenía que comer. Criaba sus polluelos. Poca gente sabía que un gorrión normal y corriente devoraba a sus propias crías. ¿Y si el halcón se convirtiese en el héroe?

Dispuso las plumas sobre el papel secante en una simple estructura.

Una blanca. La marrón en medio. La otra blanca al final.

Lord Wickbury. Sir Renwick Hexworthy. Lady Juliette Mannering.

¿Y si alteraba la estructura? ¿Se lo perdonarían sus lectores? ¿Y si, en el transcurso de la última escena, lord Wickbury descubría su capacidad para vivir y obrar en la oscuridad? ¿Decidiría en ese caso Juliette que necesitaba más redención si cabe que su malvado hermanastro?

Marrón. Blanco. Blanco.

Al llegar a la última página solo podían quedar dos.

Capítulo 11

Lily abrió los ojos con la brusquedad del carruaje al detenerse. Percibió el calor del hombro que había utilizado a modo de almohada.

—Despierta —dijo Chloe, enderezándola con delicadeza—. Ya estamos en casa.

Entonces miró con turbación al atractivo vizconde de oscuro pelo sentado enfrente de ellas.

—A mí también me agota Londres, Lily —dijo, compadeciéndose de ella.

A Lily le habría gustado decir que estaba más alborozada que exhausta, que no tenía ganas de marcharse todavía de la fiesta. Pero su aspecto físico revelaba lo contrario.

Su vestido dorado estaba terriblemente arrugado. Tenía el pelo encrespado por la humedad del paseo en barca por el río que habían dado después de desayunar. Encerraba aún en la mano la ramita que había cogido del jardín durante la visita oficial al mismo y el broche de esmeraldas que había obtenido en el baile de disfraces al ser elegida «Princesa de cuento de hadas más hermosa del lugar».

—El broche es precioso —comentó Chloe, observando la antigüedad—. Anoche no pude apreciarlo bien, pero mira cómo captura la luz. Es un recuerdo encantador de tu primera fiesta en Londres.

—Tu capitán también parece habérselo pasado en grande —dijo

con guasa Dominic, el esposo de Chloe—. Él y sus amigos han estado quemando las mesas de juego, por lo que me han dicho.

La lisa frente de Chloe se arrugó en un gesto de reproche.

—También era su primera fiesta de verdad y se ha permitido disfrutarla. Al menos, ha cubierto las pérdidas.

Lily bostezó. Ansiaba un baño caliente y más de cien horas de sueño.

—Tampoco podía perder tanto. No tenía mucho con qué jugar.

Lo que significaba que tendría que aprender a economizar cuando fuera su esposa. El señor y la señora Grace serían personas acomodadas, pero no adineradas.

—Rico o pobre —dijo Chloe, ocultando con la mano otro bostezo—, no he oído a nadie aplaudir con más fuerza que él cuando te han concedido el premio.

—Desde la puerta —replicó Lily con ironía—. Creo que ha recordado en el último momento que tenía que estar conmigo cuando se celebrara el concurso. Y luego ha desaparecido de nuevo.

—Al menos sí se ha acordado de anunciar vuestro enlace —observó Dominic, como si fuera su deber defender a los de su propio género—. Y se ha mostrado muy atento contigo durante el desayuno.

Chloe sonrió con disimulo a Lily.

—No creo que te hayan faltado atenciones durante la fiesta.

—¿Me he perdido algo? —preguntó con cautela Dominic, mirando a una y otra dama.

Lily se inclinó hacia la puerta, fingiendo no tener ni idea de lo que se comentaba. Un criado desplegó la escalerilla hasta la acera. Recogió la arrugada falda del vestido y sin querer se pinchó en la palma de la mano con la aguja del broche. Era una pieza preciosa y la guardaría con cariño, aunque no con tanto aprecio como la ramita de tejo que formara parte de la varita de sir Renwick Hexworthy. La escultura había quedado prácticamente desmantelada durante la visita al jardín, puesto que las damas invitadas habían querido llevarse un diminuto recuerdo de la magia de *Wickbury* como recuerdo de la velada.

Siempre que la mirara, naturalmente, pensaría en el encantador beso del duque y no en la herbosa escultura. Tal vez incluso seguiría su sugerencia y la utilizaría como punto de libro. Sonrió al pensar en aquel granuja esperando que se creyera que iba a conservar sus plumas como recuerdo sentimental. Una forma ingeniosa de abordar la seducción, había que reconocerlo. ¿Cuántas damas habrían sucumbido a sus ilícitos encantos?

—¡Por Dios, Lily! —La voz consternada de Chloe interrumpió sus pensamientos—. Tienes manchas de hierba en las babuchas de seda, nunca conseguiremos quitarlas. Y confío que eso que tienes en los guantes no sean restos de hojas. Pobre de mí, y yo que pensaba que era una revoltosa antes de casarme con Dominic.

Dominic lanzó una mirada de confidencialidad a Lily.

—Y no ha cambiado, que yo haya visto. No sé a qué viene tanto escándalo por una rama. Justo al lado de la acera hay un montón de ellas.

Los tres volvieron a la vez la cabeza en el momento en que una pareja de criados abría la puerta del carruaje. Los criados se apartaron. Un jadeante chico de los recados se abrió paso entre ellos. En su barbilla brillaba una mancha amarilla de polen. Y en sus brazos, ligeramente magulladas a resultas de la excursión por las bulliciosas calles, tres docenas de lirios dorados de invernadero con un enorme lazo de seda blanca.

Dominic tosió para aclararse la garganta.

—El joven caballero de Lily debe de haber ganado una fortuna en la mesa. Todo un detalle, teniendo en cuenta que lo hemos visto hace menos de una hora.

Chloe miró recelosa a Lily.

Lily cruzó con inocencia la portezuela del carruaje.

—¿Me he perdido algo? —volvió a preguntar Dominic, mirando a Lily y a su esposa.

Chloe enarcó una de sus finas cejas.

—No, querido mío. Pero de pronto tengo claro que yo sí.

Lily cogió el ramo y acunó las flores entre sus brazos mientras Dominic le daba una propina al chico.

—Son espléndidas —dijo, su fatiga desvaneciéndose de repente—. Pero no veo ninguna tarjeta. ¿Quién las envía?

El chico se cuadró de hombros.

—El remitente desea mantenerse en el anonimato, señorita.

Ella reprimió una sonrisa.

—¿No puedes siquiera darme una pequeña pista?

—El vizconde de Stratfield te dará una propina adicional a cambio de algún chisme —apuntó Chloe.

El chico titubeó.

—No... un momento. Dijo que la felicitara, señorita.

Chloe asintió.

—¿Por su compromiso?

—No que yo recuerde —respondió el chico, retrocediendo unos pasos—. Dijo algo sobre una princesa que se había llevado un premio. Confío en que las disfrutéis.

Chloe se quedó mirándolo al marchar.

—Es evidente que tu admirador no se ha enterado de tu compromiso.

—O que no permite que una insignificancia como otro hombre se interponga en el camino de su seducción —reflexionó Dominic.

—Debería devolverlas, ¿verdad? —preguntó Lily, aspirando su fugaz aroma.

Dominic se encogió de hombros.

—¿Para qué? Marchitas no le servirán de nada. Limítate a no contarle a Jonathan de dónde han salido.

—Pero si ni siquiera sabemos *quién* es —dijo Lily, su rostro iluminándose—. No me ha dado ningún nombre.

Capítulo 12

Los cuentos de Wickbury

LIBRO SIETE
ÚLTIMO CAPÍTULO
VERSIÓN CUARENTA Y SEIS

—¿Pensáis desatarme? —preguntó Juliette desde la cama de la posada donde sir Renwick la mantenía cautiva desde hacía tres días.

No había tenido libertad de movimiento excepto en los momentos en que una asustada criada entraba apresuradamente a la alcoba para atender las necesidades íntimas de Juliette.

Sir Renwick la miró sumido en una agonía de desconfianza, deseo y abnegación.

—Si os desatara, milady, no sería para que pudierais avisar a Wickbury de que está metiéndose en una trampa. Sería para haceros mía.

—Ni todas las fuerzas del mundo podrían cambiar lo que siento.

—¿Ni siquiera si yo cambiara por vos? —Se inclinó sobre ella, procurando que su cara desfigurada quedara oculta en la oscuridad. Tensó ella las muñecas contra las correas, que le marcaban ya la piel—. No hay razón para quedarnos en Wickbury. He descubierto la manera de visitar otros mundos. En el brezal existe un portal mágico que solo yo tengo el poder de abrir. Compartiremos la inmortalidad...

—La inmoralidad, querréis decir. Si creéis que vais a vivir eternamente, significa que no solo sois la esencia del mal, sino que además estáis loco.

—En su día me teníais por un hombre brillante.

—En su día —replicó ella, su voz henchida de desdén.

Pero los ojos de Juliette revelaban ahora otra realidad. Pena, determinación, asco. Sí, en su día, tanto tiempo atrás que casi parecía un sueño, había declarado amarlo. Le había prometido permanecer eternamente a su lado.

—Juliette —dijo él, desesperado—. He matado hombres para impresionaros con mi poder. Puedo daros todo lo que deseéis.

Inclinó la cabeza y unió la boca a la de ella. De pronto se levantó el viento y abrió de un golpe la puerta que daba acceso a un balcón. Juliette se estremeció, retrocediendo contra las almohadas. ¿Habría conseguido finalmente Renwick vencer su resistencia? ¿Comprendía ahora el anhelo que su alma sentía por ella?

—Wickbury morirá a menos que decidáis lo contrario.

—Dejadme antes verlo a solas.

—Si os lo permito, nunca volveréis a mí, Juliette —susurró él, su cuerpo cerniéndose sobre ella—. Aunque quizá si os demuestro lo mucho que os amo, no querréis volver a huir jamás.

Samuel pestañeó. Los personajes se esfumaron como actores que desaparecen entre bastidores a la espera de la siguiente escena. Sir Renwick, pensó con ironía, debía de estar escondido entre los cortinajes con una vara muy erecta. Y Wickbury debía de estar ensayando con Juliette algo más que el guión.

Samuel se preguntó qué debían de hacer sus personajes cuando no estaba él peleándose para capturar retazos de su vida con el fin de plasmarlos en papel. ¿Y si Juliette amara de verdad a ambos hombres? El público no se lo perdonaría. Parecería una traición a su propio sexo. ¿Y si prescindía de los dos para decantarse por un personaje que él no había concebido aún? ¿Irrumpiría Wickbury en aquella alcoba en el último momento para salvarla del arrobamiento del mago?

¿Y si Wickbury llegaba y descubría que Juliette...?

Oyó un carruaje en la calle. Las ruedas salpicando sobre los adoquines mojados. Lluvia. Anoche no había ni una nube. ¿Habrían comentado ya los padres de Lily su propuesta de cortejo y enviado la respuesta? Sería rápido. Lo consideró una buena señal. No todos los días se encontraba un duque para una hija. Tenía que confiar en que el título pesara lo bastante como para llevarlos a ignorar la mala prensa.

Llamaron suavemente a la puerta.

—Sí. Adelante. Adelante.

Era su mayordomo, acompañando a un caballero de erguida espalda cubierto con una capa corta de lana.

—¿Café y desayuno, excelencia?

—Para mí nada —dijo el abogado, extrayendo un periódico del interior de la cartera de cuero. Evitó cruzarse con la mirada de Samuel, que enseguida imaginó que algo iba mal.

—Eso son chismorreos —dijo Samuel con desdén—. No me digáis, por favor, que los padres de Lily os han sacado *eso* cuando les habéis anunciado mis intenciones. Y de ser así, confío en que me hayáis defendido.

—No me he reunido con su familia, excelencia.

Samuel echó chispas por los ojos.

—*¿Qué?*

—He redactado los documentos. Había que pensarlo bien. He tenido que investigar y considerar...

—¿Necesitáis mi firma?

—No, excelencia —dijo rotundamente el abogado—. Antes de continuar, creo que deberíais leer la edición de esta mañana.

—No me interesa lo que cualquier gilipollas haya podido decir ahora de mí. Sobre todo cuando es muy probable que haya sido yo el gilipollas que lo haya escrito.

—Excelencia, por favor.

Samuel resopló, acercando el periódico a la ventana para poder leer lo que estaba escrito con tinta mojada por la lluvia. Se saltó la descripción de la fiesta literaria de disfraces de lord Philbert, la lista de invitados famosos, su reacción a la visita de los jardines. Leyó solo unas líneas sobre «Las últimas conquistas de Gravenhurst». Como era habitual, se trataba de un batiburrillo impreciso sobre sus relaciones con políticos y prostitutas.

Pero entonces le llamó la atención el nombre que aparecía al final del párrafo de la crónica del baile de disfraces.

Ni siquiera la amenaza de lluvia desanimó las románticas intenciones de una pareja. Después de un gélido paseo en barca y un suntuoso desayuno, el capitán Jonathan Grace, de Derbyshire, anunció que él y su bella, aunque empapada princesa, la señorita Lily Boscastle, familiar del linaje que habita en Londres, contraerían matrimonio en el plazo de un mes en la capilla privada que en Park Lane posee Grayson Boscastle, quinto marqués de Sedgecroft.

Los editores de este artículo desean felicitar a la atractiva pareja, aun sintiéndonos algo defraudados por saber que la temporada acabará sin que la anime un nuevo escándalo de los Boscastle.

—He sido un estúpido —murmuró Samuel—. Eclipsaba a todas las damas de la fiesta. Sus ojos brillaban con magia, como la lámpara de un genio. Debería haberme dado cuenta de que brillaban por otro amo.

El abogado estaba claramente incómodo.

—Una dama no tiene nada que ver con una lámpara, excelencia, aunque sí podría decirse que suelen negarse a alumbrar en un momento dado, para destellar como un cometa al siguiente.

—Cierto —murmuró Samuel, rodeando la mesa.

—Un baile de máscaras está pensando para el engaño. Jugamos durante unas horas. Nos convertimos en quien deseamos ser o en quien confiamos poder esconder en nuestra vida ordinaria. Pensad en vuestra excelencia, por ejemplo. Vos no sois Don Quijote, por muchos poderes creativos que tengáis. Tendéis a lo caprichoso, cierto, pero agradezco no haberos visto nunca acometer molinos de viento.

«Hasta ahora», le habría gustado decir.

Samuel frunció el entrecejo.

—Estoy bien. Sobreviviré a un rechazo.

—Vuestra excelencia puede elegir entre más damas que cualquier otro caballero que yo conozca. Y lord Anónimo lo duplica. Juntos, sois un hombre que envidiar.

—Sí. —Bajó la vista hacia la página que acababa de escribir, poniéndose un par de gafas que se acomodaron al instante sobre su nariz aguileña—. Qué montón de mierda —dijo.

—El tiempo curará la herida del corazón de vuestra excelencia. Conoceréis a otra dama. De hecho, os resulta imposible evitarlas.

—Me refería al último capítulo que tengo que entregar antes del mediodía, no a vuestro reconfortante discurso.

—De eso se trata —replicó el abogado—. El trabajo os hará olvidar a la señorita... Ni siquiera recuerdo su nombre. No es necesario que os diga que no he querido abordar a su familia sin consultaros antes. Romper su compromiso implicaría cuestiones legales. La vergüenza que supondría un pleito por ruptura de compromiso. Supongo que en estas circunstancias no deseáis cortejarla. ¿Hago destruir esos contratos?

Samuel levantó la vista con perplejidad y rió para sus adentros.

—¿Por qué echar a perder tan buen trabajo? Nunca se sabe cuándo podrían resultar útiles. Estoy, como todo el mundo me dice, necesitado de esposa.

El abogado abrió los ojos de par en par, horrorizado.

—¿No estará vuestra excelencia planteándose secuestrar a una novia, una novia *Boscastle*, en la capilla de su familia? ¿En Mayfair? No estamos en tiempos medievales, cuando un duque tenía derecho a...

Samuel lo interrumpió.

—¿Parezco acaso un hombre capaz de raptar a una novia?

—No creo haber estudiado mucho el tema. Pero me temo que...

—Conservad los documentos junto con los demás. Y vigilad, vigilad muy de cerca, los asuntos de la señorita Boscastle durante mi ausencia. Quiero estar informado de todos los detalles de su vida. Si eso significa contratar a un detective, un informante de Fleet Street o a un matón de St. Giles, hacedlo. Lo pagaré.

—¿Pensáis regresar a Dartmoor?

—Por supuesto. Necesito tranquilidad para trabajar.

—¿Habéis acabado de verdad *Wickbury*, excelencia? —preguntó con cautela el abogado, claramente ansioso por cambiar de tema.

Y para salir corriendo de allí. Samuel vio por el rabillo del ojo que se levantaba y se dirigía a la puerta.

—¿Sabéis qué voy a hacer con el libro? —preguntó distraídamente.

—No lo queméis, excelencia. Os lo suplico. Philbert os lo suplica. Vuestros acreedores os lo suplican. Hablad primero con él.

Samuel esbozó una escueta sonrisa.

—Voy a cambiar héroe por villano, y viceversa.

El abogado se quedó mirándolo.

—¿Y lady Juliette?

—Su destino sigue todavía en mis manos.

El abogado tragó saliva.

—Pues que vuestras manos sean bondadosas. Es una mujer controvertida, pero un personaje muy admirado. Mi hija le tiene mucho cariño. No se trata de molestar a la pequeña princesa.

—¿No cumplió treinta el mes pasado?

—Veintinueve, excelencia. Y sigue buscando a su príncipe.

—Ah. Qué tengáis un buen día, señor. Esperaré un informe a intervalos regulares.

—No logro imaginarme por qué —murmuró el abogado, haciendo una reverencia antes de abandonar rápidamente el despacho.

Tampoco lo lograba Samuel.

Se trataba de uno de esos sentimientos que solía seguir, la intuición que le guiaba, y que ni él comprendía mejor que los demás. ¿Sería posible trazar un camino hasta el altar con el mismo detalle con que lo hacía en una novela? Un obstáculo en los inicios. La victoria en el último capítulo. La pasión abrasando las páginas. ¿No era siempre en mitad de la historia, en la superación, que el autor sufría un arrebato?

Daba lo mismo.

Samuel pensaba terminar el libro y entregárselo a Philbert antes de que pasara un día más.

Lord Philbert acababa de meterse en la cama con un puro y una copa de oporto, tan ajeno a las quejas de su esposa como a la lluvia que aporreaba las ventanas. Un *spaniel* malcarado se acurrucaba entre ellos. Había cerrado con llave la puerta del dormitorio para que ninguno de sus tres nietos pudiera irrumpir y quebrantar un clímax capaz de detener el corazón de cualquiera.

Un clímax de ficción, claro está.

Lord Philbert estaba leyendo el esperado último capítulo del séptimo libro de la serie Wickbury. Su esposa leía el periódico de la mañana y comentaba un chismorreo tras otro, hasta que él dejó a un lado el manuscrito para quedarse mirándola. Ninguno de los dos había dormido después de la fiesta.

—¿Te importa? —preguntó fastidiado.

—En absoluto —respondió ella, mirando el manuscrito que tenía su esposo en el regazo—. Es muy bueno.

Él frunció la frente.

—¿Cómo lo sabes?

—Porque lo he leído en cuanto ha llegado. —Sonrió por encima del periódico con conocimiento de causa—. Es el mejor final que ha escrito nunca, tremendamente depravado y brillantemente inspirado. Jamás lo vi venir. Jamás soñé que sir Renwick...

Su voz siguió ronroneando. Lord Philbert ya no escuchó nada más. Dejó el puro y leyó la última página. De hecho, la leyó cinco veces hasta que comprendió que por mucho que la leyera no iba a cambiarla. Cerró entonces los ojos y se llevó las manos a la cabeza. El manuscrito se desperdigó sobre la cama.

—Dios mío. Dios bendito. Estamos arruinados. ¿Qué le ha cogido? Creo que se ha vuelto loco.

—Loco o no —dijo su esposa con un suspiro—, es un hombre encantador.

—*No* está permitido que el villano gane al final. Va contra las reglas. Lady Juliette no puede entregarse al mago por el simple influjo de su varita.

Su esposa bostezó, lo miró despectivamente y se acostó de lado.

—Me habría entregado a él desde el principio de habérmelo pedido. No creo que le llamen «vara larga» por capricho.

—Vara larga —murmuró Philbert con desdén—. Lo que no sé es cómo permití que un nombre tan ofensivo me pasara por alto.

—También permitiste el desliz de la «ancha espada» de Wickbury —le recordó ella.

—Sabe perfectamente que le conviene mantenerse en el anonimato. De lo contrario, me convertiría en el hazmerreír del mundo de la edición.

—Te ha hecho rico, Aramis. No me digas que te avergüenzas de su trabajo. No lo toleraría.

—Jamás he dicho nada parecido. —Inspiró hondo, una y otra vez—. La serie no puede terminar de esta manera... eso es todo. Tendrá que rehacer todo el capítulo.

Lady Philbert resopló contra la almohada.

—¿Quién dice eso? A mí no me apetece leer la misma historia una y otra vez.

—Lady Juliette prometió casarse con Wickbury, tonta...

Entonces ella se sentó, y él se calló.

—A diferencia de tu esposa, Gravenhurst puede sacrificar a todos los personajes de su creación —dijo ella en tono conciliador—. ¿Recuerdas de lo que nos advierte lord Anónimo en todas sus notas de autor? «Leedlo a vuestro placer hasta altas horas de la noche. Pero apagad bien las velas antes de ir a dormir. No querríamos que os despertarais muertos.»

Capítulo 13

El día de la boda se acercaba y la parentela tenía absorbida a Lily con los planes nupciales. Su familia había llegado procedente de Derbyshire, y su madre, su padre y su hermano compartían la suite de invitados en la casa que Dominic tenía en la ciudad. Era una lástima que su bondadosa tía abuela alemana, que compartía con ella su afición por los cuentos de hadas, hubiera sufrido un achaque de reuma que le impedía asistir a la ceremonia.

El vestido de novia era un diseño del modisto francés de la marquesa de Sedgecroft y Lily estuvo a punto de padecer un colapso al ver la factura. El encaje brocado de color crema engarzado con perlas pesaba como una armadura. El corpiño de seda blanca con escote en forma de corazón dejaba el pecho mucho más al descubierto de lo que daba a entender el boceto del figurín.

—No podrás huir de tu esposo la noche de bodas por mucho que lo quieras —comentó Chloe, sentada junto al tocador mientras las costureras, las primas y dos doncellas discutían la proporción del velo con respecto a la cola del vestido y la altura de los zapatos de seda con tacón.

—Dos semanas —dijo Chloe con una sonrisa—. Viene todo el mundo a la boda, Lily. Incluso parientes que no conozco. Pero ya verás cuando te presente a mi hermana Emma. Es el comandante en jefe de cualquier boda. No te dejará ni comer una gamba sin su permiso.

—Confío en que no llegue esta noche. —Lily giró la cintura, un gesto que provocó gritos de protesta en el círculo de aprendizas que estaba componiendo el dobladillo para que solo asomara un seductor filo del tacón—. Lord Kirkham y su madrastra vendrán a recogernos esta noche a Jonathan y a mí para ir a jugar a las cartas.

Chloe entrecerró los ojos.

—¿No es su madrastra de la misma edad que tú?

—No se lo he preguntado. ¿Tiene alguna importancia?

—¿Solo a jugar?

Lily se dio cuenta de que la estancia se había quedado repentinamente en silencio.

—¿Te gustaría venir? —preguntó, esperando que Chloe rechazara la invitación.

Y así lo hizo.

Y Lily se preguntaría más tarde hasta qué punto todo habría sido distinto de no haber aceptado la invitación. De haberse quedado en casa, inmersa en los preparativos de su boda, leyendo en secreto los periódicos en busca de noticias del enigmático duque cuyos lirios habían adornado su mesita de noche hasta hacía tan solo unos días.

No había vuelto a ponerse en contacto con ella.

No había habido notas de amor.

Ni invitaciones maliciosas que se habría visto obligada a rechazar.

Seguía fingiendo, por supuesto, no tener ni la menor idea de quién le había enviado tan espléndido ramo.

Los periódicos habían comentado que Gravenhurst había sido visto paseando por los Vauxhall Gardens la noche después del baile de disfraces literario. Iba con una atractiva cortesana colgada de un brazo y una escandalosa y joven baronesa del otro. Razón por la cual Lily llegó a la conclusión de que aquel detalle floral no había significado otra cosa que darle a conocer que estaba abierto a un acuerdo de otro tipo, y que dependía de ella acceder. Era culpa suya

haber cedido tan rápido. Se había dedicado a coquetear con un bribón desvergonzado. ¿Esperaba que la invitara a la biblioteca a leer literatura clásica con su abuela?

Ojalá pudiera olvidarlo por completo. Acabaría consiguiéndolo. Había sido su primera incursión en lo prohibido, y también la última.

Vivía una vida de ensueño.

Pero una vida llena, tan llena, de hecho, que aquella noche no pudo ni prestar atención a la obra. Lady Kirkham estuvo cuchicheándole al oído durante todo el primer acto, señalándole personajes sentados en diversos palcos y contándole chismorreos relacionados con temas personales de cada uno de ellos. Lily se descubrió buscando una cara que le era familiar, con hoyuelos en las mejillas y una boca esbozando una pecaminosa sonrisa.

No estaba allí.

Lo más probable es que estuviera en la cama de otra mujer, el bello sinvergüenza.

Qué irracional había sido por su parte esperar, confiar, que la siguiera por todo Londres cuando ni siquiera le había proporcionado un nombre para poder agradecerle las flores. Imaginaba que tendría que apreciar su discreción. Como mínimo, sus nombres no habían aparecido relacionados en aquellos periodicuchos.

¿Qué haría si se lo encontraba esta noche? Lo correcto sería fingir no reconocerlo, y nada más.

¿Dónde estaría? ¿Por qué le permitía entrometerse en sus pensamientos?

Lo alejó de su cabeza. Una vez más.

Jonathan parecía intuir que no estaba centrada. Durante la representación, le tomó la mano y permaneció a su lado mientras cruzaban el concurrido vestíbulo y esperaban que los criados acercaran el desfasado carruaje de lady Kirkham.

—Es demasiado pronto para volver a casa —anunció Quentin, el hijastro de la dama, estirando los brazos por encima de la cabeza.

Con traje de noche resultaba un caballero de agradable aspecto, aunque demasiado engreído para el gusto de Lily. Pero en Waterloo, había cargado con Jonathan a hombros y sorteado fango y fuego de cañón. Incluso Lily comprendía que los favores realizados en tiempos de guerra nunca debían caer en el olvido. Se preguntaba, de todos modos, cuántas veces se vería obligado Jonathan a compensarle ese favor.

Cuando apareció el carruaje, Quentin dijo inesperadamente:

—Llevemos a las damas a Vauxhall.

Su joven madrastra de pelo castaño hizo una mueca.

—No bajo mi vigilancia.

—Ni la mía.

Jonathan rodeó a Lily por la cintura. Era su protector.

Quentin le lanzó una mirada burlona.

—¿No os apetece un paseo juntos bajo la oscuridad? ¿Un baile? Será vuestra última oportunidad como amantes. En un mes estaréis ambos suplicando que os aflojen la correa.

—Alguien debería tirar de la tuya —dijo la madrastra con una falsa sonrisa—. No tenemos ganas de ir, Quentin. Déjalo correr.

Lily se abstuvo de comentar que ella ya había paseado por un encantador jardín y que no pretendía mancillar aquel recuerdo coincidiendo con el duque en compañía de otra mujer, o mujeres. Para su alivio, Jonathan se negó a acceder a la sugerencia y Lily decidió, mientras la ayudaba a subir al carruaje, que era el mejor hombre con quien podía casarse una mujer.

Cuando el carruaje se puso en marcha, Quentin sugirió que los tres podían apearse en Picadilly para asistir a una pequeña fiesta. Lady Kirkham protestó primero, y luego se encogió de hombros.

—Media hora como mucho. No me gustan los actos a los que no he sido debidamente invitada.

La fiesta resultó ser una juerga de borrachos, llena de granujas y mujeres mundanas, un público que hirió hasta tal punto la sensibilidad de lady Kirkham que insistió en que los cuatro se marcharan de inmediato de allí.

Lily se sintió aliviada, igual que Jonathan, imaginó. A ninguno de los dos les gustaban los lugares bulliciosos. Preferían sentarse junto a un fuego de campo, beber jerez y contar historias de fantasmas en compañía de buenos amigos antes que mezclarse con desconocidos, varios de los cuales parecían conocer bien a Quentin Kirkham. Uno de ellos asintió casi imperceptiblemente a Jonathan, como si lo conociera de algo.

—¿Le conoces? —susurró Lily.

—¿A quién?

—No tiene importancia. Pero no mires hacia allí.

—Ve con lady Kirkham —dijo Jonathan con una voz extraña—. Yo os seguiré por detrás para asegurarme de que Quentin no se mete en problemas.

Lady Kirkham apresuró el paso, sin siquiera seguir fingiendo su amabilidad.

—Apresuraos, Lily —dijo por encima del hombro—. No estamos en un barrio por donde se pasea la gente decente.

Lily dudó, mirando hacia atrás. En la esquina, Jonathan y Quentin mantenían una de sus habituales discusiones. Alzaron la voz. La calle no estaba bien iluminada y vio de pronto a un hombre con capa saliendo del estrecho callejón que quedaba a su izquierda. No lo había visto en la fiesta, pero su paso rápido y furtivo le provocó una oleada de malestar.

—Jonathan —imploró en voz baja—, por favor, vámonos. Esto está oscuro y sucio.

Lady Kirkham estaba entrando en el carruaje con la ayuda del único criado. Lily decidió seguir su ejemplo cuando oyó que el hombre de la capa llamaba a Jonathan por su nombre. Él miró a su alrededor, su cuerpo tensándose.

—*Jonathan* —repitió ella.

La miró con preocupación.

—Sube al carruaje. Ahora mismo.

Ella movió la cabeza, segura de que no le había entendido bien. Quentin estaba intercambiando unas palabras con el desconocido. Por lo poco que pudo escuchar, era evidente que se trataba de una confrontación hostil. Y que los tres hombres se conocían de algo. ¿De la infantería? Demasiada coincidencia.

¿Llevaría Jonathan una doble vida? Imposible.

El corazón le latía con fuerza. Llegaban hasta la calle fragmentos de las conversaciones de la fiesta. El lacayo había estacionado demasiado lejos como para poder llamarle la atención. El desconocido de la capa alzó la voz, dirigiéndose a Jonathan.

—O me pagáis esta condenada noche, capitán, o nos veremos con las pistolas al amanecer. Habíamos llegado a un acuerdo de caballeros.

La incredulidad la paralizó. Tenía que ser un error. Dio un paso adelante; su impulso natural fue ayudar. Jonathan se giró hacia ella, con el rostro desconocido, asustado.

—Maldita sea, mujer —le dijo Quentin entre dientes—. Haced lo que se os dice de una vez.

Pero antes de que le diese tiempo a entrar en el carruaje, el desconocido hizo un movimiento. Metió la mano en el interior de la capa, y lo que sucedió a continuación fue tan rápido que Lily no pudo hacer nada para interrumpir la secuencia de acontecimientos.

Vio un destello metálico bajo la luz de la luna. ¿Era una pistola lo que tenía Jonathan en la mano? Estaba conmocionada. Le había visto practicar el tiro con sus amigos. Un francotirador. Un oficial de infantería. Pero ¿por qué había considerado necesario asistir a una fiesta armado con una pistola? Era lo bastante fuerte como para defenderse en las calles. Conocía sus costumbres. Era la pistola del desconocido. Jonathan debía de habérsela confiscado.

—Me debéis dinero, caballero, y cobraré mi deuda...

El disparo resonó en la calle. Se prologó una eternidad, haciendo pedazos los túneles de su presente, su perfecto futuro. Una vida humana. Un alma gimiendo en la noche. Quería interponerse como un escudo. La muerte le rozó la mejilla, un beso de frialdad. ¿Le habrían dado? Miró a Jonathan, confiando en que estuviera sano y salvo. Era un buen hombre. No sentía nada, estaba insensible.

—Lily —dijo con voz agónica—. Lily, por favor, por favor. Vete de aquí ahora mismo. *Corre.*

El otro hombre se derrumbó sobre el bordillo. Recogió las faldas de su vestido. Pesaban como el plomo.

—Corre, corre, Lily. Busca ayuda. Aún estamos a tiempo.

Llegó al carruaje, temblando de miedo. Oyó su jadeo raspando en la garganta; el lacayo la miró horrorizado.

—Señorita, señorita —dijo alarmado—. ¿Qué ha pasado?

—¿Qué ha sido ahora? ¿Qué ha hecho? —La voz de lady Kirkham repicó en su cerebro como la campana de un funeral—. Ese pequeño cabrón. Ya le dije a su padre que ese chico era el diablo en persona.

Lily tiró de la manga del lacayo.

—Tenéis que ayudarnos. Le han disparado. Decídselo al cochero. No puedo respirar.

El cochero saltó del cajón.

—Esperad dentro, señorita. Todo irá bien.

Lily habló con la voz quebrada.

—No sé qué ha pasado. No sé si llevaba un arma...

Lady Kirkham se deslizó hasta la punta del asiento para alcanzar a Lily. Ella se retiró, consciente de que lo que decía no tenía sentido. El cochero pasó por su lado con un bate bajo el brazo. El lacayo separó con delicadeza sus dedos de la manga donde seguían estando pegados.

—Os enseñaré dónde está —dijo—. Ha sido justo en la esquina y el hombre salió de ese callejón. No debería haber salido de casa. No...

Más fuerte de lo que parecía, lady Kirkham cogió a Lily por las axilas y tiró de ella para subirla al carruaje. Olía a perfume caro y sudor.

—Quedaos aquí conmigo —susurró con virulencia—. Lo que está hecho, hecho está.

Capítulo 14

Su prometido y su amigo insistieron en que Lily estaba imaginándose cosas. No había ningún hombre muerto en la cuneta. Jonathan reconoció que Quentin y él habían tenido una pequeña discusión en el transcurso de la cual había aparecido un borracho que les había hostigado pidiendo dinero. Pero ni uno ni otro caballero habían disparado a nadie en la calle ni llevado encima una pistola.

El cochero y el lacayo la tranquilizaron diciéndole que habían inspeccionado la calle y no habían encontrado nada más sospechoso que un chucho olisqueando la acera. Se sonrieron entre ellos, satisfechos por haberse visto implicados en un rescate sin víctimas.

Quentin rechazó su historia con su habitual desdén condescendiente, camuflado tras un aura de fingida cortesía. Se mostró, de hecho, tan despreocupado que ella empezó también a tener dudas. La madrastra permaneció en silencio durante el corto trayecto hasta Mayfair. Por mucho que sospechase que Lily contaba la verdad, no podía confirmarlo puesto que no había sido testigo de nada. Tal vez temiera por su propia vida.

Jonathan intentó tranquilizarla. Le acarició el cabello y le rogó que lo creyera.

—¿Acaso no me conoces de toda la vida? Te juro por mi alma que no he matado a nadie. ¿Te mancillaría con mis manos de haberlo hecho?

Ella se negó a mirarle a los ojos, encogiéndose bajo sus caricias.

—Insisto en ir a comisaría para informar sobre el caso.

—Pensarán que os habéis vuelto loca —dijo Quentin con una exasperación apenas disimulada—. Vuestro nombre se vería arruinado y sería objeto de burlas en los periódicos de la mañana. ¿Creéis de verdad que un cadáver puede levantarse solito de la acera y esfumarse en un abrir y cerrar de ojos?

—Sé muy bien lo que vi.

—Visteis sombras en la oscuridad.

—Sois un mentiroso —dijo Lily.

—Y vos estáis loca.

—Por favor, Lily —dijo Jonathan en voz baja, lanzándole una mirada a Quentin—. No ha pasado nada. No hables de nuevo del tema hasta que hayas descansado un poco. En pocos días volverás a ser tú.

—Y si durante la noche aparece algún cadáver en Piccadilly —dijo Quentin con despreocupación—, podréis entregarnos a la policía. Aunque también podríais mostrar un poco de sentido común y daros cuenta de que os habéis puesto histérica por nada.

Jonathan lo miró furioso.

—Sabía que era mala idea lo de ir a esa fiesta.

—Lo que fue una mala idea fue salir de Tissington —murmuró Lily, alejándose de la mano que Jonathan le tendía.

—Tienes razón —reconoció él—. Después de la boda volveremos a casa. Confía en mí hasta entonces.

Ella ignoró el consejo. Todo lo que había creído hasta entonces sobre él le sonaba a falso.

Jamás volvería a creer ni una sola palabra de lo que le dijera.

Relató a sus padres, sir Leonard y Diana, lady Boscastle, así como a su hermano, Gerald, todo lo que había visto en el instante en que salieron a recibirla a la puerta de la mansión del vizconde. Se lo contó incluso al mayordomo cuando se presentó para recogerle la capa. Deseó con todo su corazón que Chloe y Dominic no se hubieran desplazado a Chelsea para poder así sumarlos también a su causa.

Alguien le sirvió una copa de coñac. Su hermano escuchó a Jonathan repetir que era inocente, que la amaba, que quería regresar con ella al campo. Sus padres estaban perplejos, se mostraron compasivos con ella, aunque con sentimientos divididos. Su principal preocupación era no mancillar su buen nombre.

—Lily, mi niña querida —susurró su madre con los ojos llenos de lágrimas al sentarse a su lado en el sofá—. Sé que disfrutas leyendo historias románticas, igual que yo. ¿Sería posible que tus anhelos de aventura te hubieran llevado a confusión en cuanto a lo que crees haber visto? La vida de una dama puede llegar a ser muy monótona a veces.

Historias románticas.

Pensó con melancolía en un rostro atractivo medio escondido por el embozo de una capa negra. Recordó aquella boca de labios tensos, un beso malicioso, dulce y salvaje. Aquella noche había cambiado. Había visto un destello de otro mundo, más oscuro, intrigante, decadente... ¿o no? considerándolo en retrospectiva, se preguntó si aquel beso había sido un presagio de las cosas malas que estaban por llegar.

¿Habría hecho un pacto secreto con el diablo? Se habían abrazado bajo una espada cruzada con la varita de sir Renwick Hexworthy. Qué idea más ridícula. ¿Qué tendría Wickbury que ver con lo que había presenciado aquella noche? No podía huir hacia un mundo de ficción por mucho que lo quisiera. Pero ¿por qué no podría ser su vida real tan maravillosa? Sí, Wickbury tenía sus horrores, pero al final siempre acababa venciendo el bien. Al menos, todo seguía su lógica.

—¿No habrás estado bebiendo esta noche, Lily? —le preguntó su hermano con un tono de voz tan esperanzado que le dieron ganas de echarse a llorar.

Suplicó con la mirada a su padre, siempre el primero en salir en su defensa. Pero él evitó mirarla a los ojos. Lily lo conocía bien. Tampoco él la creía. Todo el mundo pensaba que se había vuelto majara. Y a lo mejor así era.

—No volveremos a hablar del tema, Lily —dijo su padre con determinación, plantándose junto a Jonathan al lado de la ventana—. Tal vez has comido o bebido algo que te ha sentado mal. Tal vez estés incubando una gripe.

—Deberíamos llamar al médico —sugirió su madre, claramente aliviada ante la posibilidad de que las desconcertantes fantasías de Lily pudieran tener una causa física.

—Deberíamos llamar a un detective de los Bow Street Runners —replicó con terquedad ella.

La expresión de sir Leonard se tensó.

—Sería tu ruina si alguien externo a la familia se entera de esto. Hay que reconocerle a Jonathan que está consolándote.

—Y la de él —añadió su madre con preocupación—. Oh, Lily, no permitas que todo esto eche a perder tu preciosa boda.

Lily se levantó del sofá. El coñac se le había *subido* a la cabeza, pero en lugar de calmarla, le proporcionaba una falsa osadía.

—No puedo echar a perder una boda a la que no pienso asistir. No me caso con él. No pienso hacerlo.

Jonathan cruzó rápidamente la estancia y la cogió con firmeza por los hombros.

—Estás prometida a mí, y yo a ti. En cuestión de pocos días tendrás tiempo de descansar y reflexionar, y todo volverá a la normalidad.

Lady Boscastle suspiró aliviada.

—Los nervios de la boda, mi amor. Tantas emociones, tantas fiestas...

—... tantas historias que te llenan la cabeza de tonterías —intervino su padre—. Se acabaron esos *Cuentos de Wickbury*, llenos de magos y mujeres perdidas y... y yo qué sé que más. Te prohíbo leer una sola página más de esa porquería. Es un hecho de todos conocido que las mujeres se dejan confundir fácilmente por la literatura.

El hermano de Lily recuperó la copa de coñac vacía para que ella no pudiera alcanzarla.

—Muy gracioso, padre. Juraría que hace cuestión de una semana te sorprendí leyendo uno de esos libros después de cenar.

—Daría cualquier cosa por estar en estos momentos dentro de uno de *esos* libros —dijo Lily en voz baja.

El cuarteto la miró con perplejidad. Los ojos de su madre se llenaron de nuevo de lágrimas y estalló en descorazonadores sollozos, como si pensara que había criado un monstruo y no una chica con mentalidad propia.

—Creo, caballeros —dijo Jonathan lúgubremente, dirigiéndose al padre de Lily y a Gerald—, que deberíamos meterla en la cama y medicarla con un sedante. Debemos ocultar todo esto a los criados hasta que Lily se recupere. Sería bochornoso, no sé si me explico.

—Estará a vuestro lado en el altar en una quincena —dijo sir Leonard con una serenidad que casi convence a Lily de creer sus palabras—. Y una vez que hayáis intercambiado los votos, será responsabilidad vuestra mantener lejos de su alcance material de lectura tan lascivo como ese.

Capítulo 15

Todo el personal de la casa se reunió en el gran salón de St. Aldwyn para dar la bienvenida al duque. Les sonrió él valorando el gesto y preguntó a todos ellos por la salud de sus familias, por sus vecinos, por el poni y por los dos cerdos, *Pyramus* y *Thisbe*.

Escuchó con educación sus respuestas. Pero se sentía cansado, no era él, y les dijo que confiaba que le disculparan por encerrarse directamente en su despacho y no disfrutar del pastel de verduras y el bizcocho de fresas y cuajada que la cocinera había preparado en su honor.

Los oyó cuchichear entre ellos en cuanto se marchó. Pero a diferencia de cualquier otro hombre de su posición, no se tomó la molestia de reprenderlos por ello.

Sabían que algo no iba bien.

No les confesaría de qué se trataba. Pero Marie-Elaine, el ama de llaves, acabaría descubriéndolo con el tiempo; aunque solo Dios sabía cómo. Samuel sospechaba que su ayuda de cámara hablaba más de la cuenta y que sería incapaz de escapar de la infernal preocupación que aquel hombre sentía por él. Esperaba poder convencer a todo el mundo de que tener que reescribir el final de su último libro le había puesto melancólico, que siempre lo pasaba mal cuando tenía que despedirse de sus personajes por una temporada, puesto que quién sabía cuándo, o si, volverían a hablar con él algún día.

Aunque ni siquiera le importaba.

Tal vez escribiera un epílogo revelando que lady Juliette era una dragona asesina decidida a acabar de un enorme coletazo tanto con Michael como con Renwick.

Pero a Marie-Elaine no le pasaba nada por alto.

—Se trata de una mujer —le dijo a la cocinera, la señora Halford, cuando la servidumbre de alto rango se reunió en el salón de los criados para comentar la situación.

La señora Halford cubrió con un trapo el pastel que había quedado sobre la mesa.

—¿Y tú cómo lo sabes? Puede ser simplemente que haya recibido otra crítica hedionda.

Marie-Elaine negó con la cabeza. Ella y Josette, su hija ilegítima, llevaban en St. Aldwyn más tiempo que cualquiera de los demás criados.

—Por su mirada.

—Nunca le había visto esa mirada —reconoció la señora Halford—. Y no es precisamente que viva como un monje.

—Sí, y tampoco había estado jamás enamorado.

—Su excelencia y la hija de ese librero no estaban comportándose precisamente como enemigos mortales cuando el mes pasado los sorprendí en el invernadero.

—Eso no es amor —dijo sin rodeos Marie-Elaine—. Deberías saberlo.

Wadsworth, el ayuda de cámara del duque, se sentó a la mesa con una baraja de cartas. Seis años atrás era propietario de un tugurio de juego y había acabado en la cárcel después de que una pelea con navajas en el local hubiera terminado con la muerte de un noble.

—Y de todos modos, ¿qué hacía usted allí, señora Halford, a esas horas de la noche?

La cocinera puso los ojos en blanco.

—Recogiendo chirivías. Es la única hora que puedo tomarme un respiro sin que esos cerdos me olisqueen los pies.

—Al duque le daría un ataque si se enterara —dijo distraídamente Marie-Elaine—. Es muy celoso de su vida privada.

La señora Halford movió la cabeza en un gesto de preocupación.

—Tal vez haya vuelto a enfermar.

Marie-Elaine suspiró.

—Baraja las cartas. Bickerstaff no habla, pero enseguida llegaremos a la raíz del problema.

El cuerpo no había aparecido en las dos semanas que habían transcurrido desde el asesinato. El padre de Lily había alquilado una casita en las afueras de Londres con la esperanza de que la tranquila atmósfera del lugar pusiera en orden sus ideas. Nadie aparte de su familia tenía permiso para verla, excepto el médico, que apesadumbrado reveló a sus padres que no estaba del todo seguro, pero que después de examinarla creía que la chica había intentado decirle que estaba convirtiéndose en ganso.

Lily oyó los gritos de su padre a los pies de la escalera.

—¡Son otra vez esos condenados libros!

Los Boscastle de Londres habían pedido la intervención de su investigador privado. Lily lo sabía porque su hermano le había hecho llegar una nota de Chloe escondida en una cesta de frutas.

La ramita de tejo que había guardado del día del baile de disfraces se había deshecho. Había confiado tontamente en que el duque intercediera por ella. No sabía muy bien qué esperaba que hiciese. No había sido testigo del crimen. Lo único que podía confesar era haberla besado. Y que ella no había protestado en absoluto. Ninguna de las dos cosas aumentaría su credibilidad ante los ojos de nadie.

Cuando se despertó el día de la boda oyó la voz de Jonathan abajo. Su familiaridad le provocaba dolor.

Se puso un vestido de diario, no se tomó siquiera la molestia de peinarse y salió al descansillo.

—Vamos a enviarla lejos —estaba diciendo su hermano con su habitual tono de voz sereno.

Jonathan estaba frenético.

—¿Adónde? Quiero cuidar de ella. Sigo queriendo casarme.

—No sé adonde irá ni qué le deparará el futuro —dijo su hermano, impávido ante aquella exhibición de emociones.

Jonathan se acercó a la puerta y levantó la vista como si acabara de verla detrás de la barandilla.

—No he matado a nadie —le dijo a Gerald—. ¿Tampoco tú piensas creerme? Y quiero casarme con ella. Podemos exiliarnos, si así tiene que ser, pero sigo amándola. Dile eso de mi parte. Díselo con estas mismas palabras.

Su hermano permaneció en silencio.

Pero en el instante en que Jonathan se marchó, Gerald se giró y ascendió un tramo de escaleras para hablar con ella.

—No deberías haber salido estando él aquí. Solucionaremos el tema. Aunque no sé muy bien cómo.

Ella negó con la cabeza.

—¿No pretenderás que me case con ella después de todo esto?

Gerald miró en dirección a la puerta.

—Lily, querida mía. ¿Acaso no lo entiendes? Ha salido en los periódicos. Nuestro primo, el marqués de Sedgecroft, consiguió que escribieran luego una retracción, pero el daño ya está hecho. Si no te casas con Jonathan, lo más probable es que nunca te cases.

—Me da igual.

Gerald suspiró, sus ojos ofuscados por la preocupación.

—Tenemos que irnos. Tal vez en un par de años quede todo olvidado. Esta familia ha sobrevivido a escándalos peores.

—No. Tienes razón. Jamás volveré a tener otra proposición decente. A partir de ahora no recibiré más que ofertas ilícitas.

Y aquella misma noche, cuando comunicó a sus padres que se

marchaba para ahorrarles con ello más vergüenza, creyó verlos aliviados.

—Tenemos muchos familiares con niños pequeños que agradecerían que les echasen una mano durante un par de años —dijo lady Boscastle, más animada que nunca desde que se produjera el incidente—. ¿Quién sabe? Incluso podrías cazar algún hacendado inocente que pasara por alto tu compromiso fracasado o tu avanzada edad.

Lily miró con cariño a su madre.

—No tengo intención de mirar ni buscar a otro hombre mientras siga respirando.

Su madre palideció.

—Y entonces, ¿qué piensas hacer? No puedes vivir sola. ¿Qué harás?

—Buscar trabajo. Como ama de llaves.

—¿De un desconocido? —dijo lady Boscastle, horrorizada—. ¿Y si resulta ser...?

—Me da igual si es un ogro cascarrabias con cebollas por orejas —replicó con calma Lily—. Sin duda alguna no será un patán que dispara a sangre fría contra otro hombre dos semanas antes de su boda. Y que finge ser completamente inocente de ese crimen.

Su padre resopló.

—¿Y qué sabes tú sobre cómo se lleva una casa?

—He vivido en una toda mi vida.

—¿Sabes planificar una cena? —preguntó con escepticismo su madre.

—No. Y tampoco lo sabe nuestra ama de llaves, pero compraré unos cuantos libros sobre el tema y estudiaré ese arte.

—Libros —dijo su padre con desesperación—. Jamás en tu vida has ido al mercado del pescado a primera hora de la mañana a regatear el precio de las anguilas.

El estómago le dio un vuelco solo de pensarlo.

—Supongo que tendré que aprender.

—¿Quién con la cabeza bien asentada contrataría a un ama de llaves sobre la que corren rumores de que se ha vuelto majara?

—Un caballero que no hubiera oído nunca los chismorreos que corren sobre mí. O mejor aún, un caballero a quien los chismorreos le importen un comino.

—No puedes culpar a la gente por especular —dijo muy serio su padre—. Tu conducta no es en absoluto racional.

Fiel a su palabra, Lily empezó a leer de nuevo los periódicos. Pasó de largo los anuncios de la alta sociedad y se concentró en las demandas de servicio doméstico. Su hermano la acompañó a cuatro entrevistas aquella misma semana y a dos más a la siguiente. Ella no apuntó nada que pudiera revelar su escándalo personal y, curiosamente, nadie le preguntó al respecto. Sobre la mesa de uno de sus entrevistadores, sin embargo, vio de refilón un recorte de periódico en el que se mencionaba su nombre. No tratándose del anuncio de su boda, llegó a la conclusión de que estaba siendo entrevistada por razones lascivas y no con miras a un posible trabajo.

Sir Leonard y la madre de Lily lo dispusieron todo para su regreso a Tissington. Chloe y el vizconde llamaron enseguida y se ofrecieron para hospedarla durante todo el tiempo que quisiera. Querían ser amables. Pero Lily estaba ya harta de la alta sociedad. Pese a que los Boscastle eran expertos en pasar por alto el escándalo, no quería que la mirara todo el mundo siempre que saliera a la calle.

Gerald la acompañó a su séptima entrevista y ambos acordaron que si esta vez no terminaba en una oferta seria de trabajo, se vería obligada a bajar sus expectativas y a buscar en una zona más rural, donde nadie conociera su nombre.

—Deséame suerte —le dijo Lily a su hermano cuando este estacionó el carruaje ligero frente al edificio de ladrillo rojo de Bond Street.

No parecía una agencia de contratación de servicio doméstico. En la placa de bronce de la calle decía que era el despacho de un abogado: el señor Benjamin Thurber.

—Lo que desearía... Lo que desearía es que esto no hubiera sucedido nunca —dijo su hermano—. Aún me cuesta creerlo.

El agente se presentó y la acompañó a la sala de espera. La estudió con atención cuando ella se presentó también y reconoció su falta de experiencia.

Era el primer entrevistador que no le preguntaba por qué quería el puesto. Mientras ella hablaba, no paró de tomar notas en una libreta. Lily se deslizó hasta la punta del asiento, muerta de curiosidad por saber qué le parecía a ese hombre tan importante. ¿Habría revelado demasiadas cosas?

—Bien —dijo por fin el hombre, jugueteando con la pluma—. Creo que encajaríais bien. ¿Me permitís formularos un par de preguntas que tal vez os resulten extrañas?

Lily se armó de valor. ¿Estaba dispuesta a incluir también su cuerpo en el trato? ¿Le importaría satisfacer algo más que las necesidades domésticas de su señor? Fueran cuales fuesen las preguntas, su entrevistador estaba mostrándose dubitativo antes de formularlas. Reprimió un estremecimiento de mal presagio. Naturalmente, en un momento tan bajo de su vida ya no confiaba en nadie.

¿Tendría que explicar los motivos que le habían llevado a romper su compromiso?

—¿Os dan miedo los fantasmas? —preguntó inesperadamente el hombre.

—¿El *qué*?

El entrevistador bajó la vista, aparentemente avergonzado por la pregunta.

—Espíritus, demonios, casas encantadas —murmuró—. Ese tipo de chismes.

Lily pestañeó. ¿Trabajaría para un sepulturero?

—No creo en esas cosas, si es a eso a lo que se refiere. Pero... —Se interrumpió con una sonrisa de culpabilidad—. No me importa leer historias que me den un poco de miedo, siempre y cuando no sean excesivamente macabras.

—Un poco de miedo.

Asintió pensativo y tomó nota.

—¿No estaréis sugiriendo que la persona que piensa contratarme se cree un fantasma? —preguntó con cierta picardía en la voz.

Él hizo una mueca.

—Esas cosas no existen, ¿no es eso?

—En mi opinión, no. ¿Cree el caballero en lo sobrenatural?

—Digamos que tiene cierto interés por el tema.

Lily frunció el entrecejo. Su anterior vida de privilegios había muerto. Y esa era la experiencia más próxima a lo paranormal que había vivido. Al menos hasta el momento. Aceptar un empleo por parte de un misterioso caballero era, a buen seguro, dar un paso hacia lo desconocido.

—El señor está despierto hasta altas horas de la noche —añadió el entrevistador a modo de ocurrencia tardía.

—Tampoco me da miedo la oscuridad.

Unió las cejas de nuevo. ¿Qué demonios estaba intentando decirle aquel hombre?

Él esbozó una leve sonrisa.

—También vos debéis de tener alguna pregunta.

—Disculpadme, señor, por lo que tal vez sea una pregunta fuera de lugar, pero necesito formularla. ¿*Existe* algún motivo por el que debería tener miedo de aceptar el puesto?

—Seguramente no encontrareis señor más protector en toda Inglaterra, ni...

—Oh —dijo ella, relajándose aliviada—. Eso es...

—... ni más excéntrico.

Lily cerró la boca.

—En su círculo privado está considerado un genio.

El rostro de ella se iluminó.

—¿Un genio?

—Un hombre brillante.

—Eso *marca* una diferencia. —Aunque la inteligencia de un

hombre no garantizaba que no fuera a ser un mujeriego o anduviera pellizcando traseros.

—Creo que lo describiría mejor... —le confió en voz tan baja que Lily tuvo que esforzarle por escucharlo— como un hombre de fiar con inclinaciones literarias.

Lily se llevó la mano al corazón.

—Eso es incluso mejor.

—Sin embargo, debo advertiros que otros tienen una opinión peor por lo que a su carácter se refiere.

Lily examinó el rostro de su interlocutor. Una advertencia. Le parecía bien. ¿Debería devolverle el favor? En aquel momento sonó la aldaba de latón de la puerta de entrada. Imaginó que su hermano estaría impaciente por la duración de la entrevista.

Se inclinó hacia delante.

—Debería advertirle que yo... Oh, no tiene sentido esconderlo. Acabo de romper mi compromiso matrimonial. El hombre con quien iba a casarme...

El entrevistador agitó la mano en un gesto de rechazo.

—Sí. Conocemos vuestra desafortunada experiencia. Pero no damos crédito a los chismorreos.

Lily pestañeó.

—¿Vos...? ¿Él... *lo sabe*?

—El señor no contrataría a un ama de llaves sin que yo hubiera investigado sus antecedentes. Vuestro linaje familiar es bastante famoso.

Ella rió en silencio. Infame, debería haber dicho. Los Boscastle habían quebrantado cualquier regla escrita. En virtud de su profano encanto, la sociedad les había perdonado pecado tras pecado. Y esperaba con ansia el próximo. Lily nunca se había considerado parte del clan. Pero si se veía obligada a jugar la carta de su notoriedad para sobrevivir, lo haría. Reconoció la voz de su hermano en el vestíbulo.

—¿Tiene nombre el señor? —preguntó Lily.

—Claro, por supuesto. St. Aldwyn. Suponiendo que aceptarais el puesto, trabajaríais en St. Aldwyn House.

Sonaba a santuario de almas perdidas.

—Acepto.

—¿Lily? —dijo Gerald desde el otro lado de la puerta—. ¿Va todo bien?

El abogado cerró su cuaderno de notas y habló apresuradamente.

—La casa solariega está cerca de la ciudad de Hexworthy, en Dartmoor.

—¿Hexworthy?

¿Cómo sir Renwick? El corazón le dio un vuelco. Aquello solo podía ser una señal, aunque estaba por descubrir si buena o mala.

—Viajareis en carruaje privado hasta Plymouth. Desde allí, navegareis durante tres jornadas. Otro carruaje os recogerá en el puerto. Después hay un viaje de tres jornadas más hasta la mansión, dependiendo del clima.

Asintió, emocionada y asustada a la vez. Cuanto antes iniciara su nueva vida, mejor. Tenía que confiar en que todo fuera para mejor.

Capítulo 16

Los cuentos de Wickbury

LIBRO SIETE
ÚLTIMO CAPÍTULO
VERSIÓN CUARENTA Y SIETE

Lord Michael Wickbury subió la escalera que conducía a la galería del piso superior de la taberna. La puerta de la última alcoba estaba entreabierta. Asomó la cabeza. Vio a una mujer, atada por las muñecas y maldiciendo a viva voz, acostada en la cama bajo un hombre de pelo largo que parecía decidido a violentar a su impotente víctima.

El villano le resultaba vagamente familiar.

Cerró la mano con fuerza sobre la empuñadura del sable. El truhán de la alcoba se giró de pronto, como si intuyera la amenaza. Le indicó a la mujer con un gesto que permaneciera en silencio. La mujer se dejó caer sobre la almohada. Michael examinó horrorizado a aquel hombre. Por un instante fue como si estuviera mirando un espejo. Un espejo que no solo distorsionaba su reflejo, sino que además revelaba el lado más oscuro de su alma.

¿Cómo era posible?

¿Estaría teniendo una visión? Él era un noble galante, el favorito del rey exiliado, no un corruptor de doncellas desvalidas. Aunque ahora que se fijaba con más atención, no tenía del todo claro si la bella cautiva combatía para huir de su destino o era partícipe de un atrevido juego de cama.

Por suerte, la imagen del espejo se desvaneció y Michael reconoció a su némesis en aquel hombre, el célebre enemigo de la causa realista.

La mujer de la cama se llevó al corpiño la mano que tenía libre. Volvió a preguntarse si pretendía proteger su virtud o desnudar su pecho ante los ojos del villano.

Esbozó un gesto de perplejidad. ¿Estaría perdiendo la cabeza, perdiendo su objetivo? Últimamente se sentía más un peón en el tablero de ajedrez que el noble héroe que siempre había creído ser. Era casi como si él y los que vivían en su mundo estuvieran bajo el control de una fuerza invisible, una fuerza desconsiderada, además.

¿Por qué, por ejemplo, tenía que estar constantemente realizando hazaña tras hazaña? ¿Por qué justo cuando superaba un obstáculo se encontraba otro barrándole el camino? Había escapado de más situaciones peligrosas de las que era capaz de recordar, cada una más dramática que la anterior. Apenas rememoraba su pasado.

Pero esa mujer tendida en la cama. De pronto, por Dios, comprendió quién era. Su amada. Lady Juliette Mannering. Con la excepción de que se la veía distinta. ¿Le habría engañado? ¿Estaría simplemente fingiendo satisfacer a sir Renwick para salvar la vida? Su cabello parecía un tono más claro de lo que lo recordaba. ¿Sería un disfraz? Sí, tenía que serlo. Lady Juliette era astuta y disponía de muchos recursos. Incluso así, el deber de Michael era protegerla de cualquier mal.

No era momento de reflexiones.

Era momento de actuar.

Lily quería morirse. Jamás en su vida lo había pasado tan mal. Estaba tan mareada que ni siquiera era capaz de abandonar el camarote de la embarcación para acercarse al salón a tomar el té. Tampoco podía consolarse con su libro favorito. De hecho, después de releer un solo capítulo del último libro de *Wickbury* había decidido que su madre tenía razón.

Las ideas románticas le habían arruinado la vida.

Su héroe había resultado ser un mentiroso indigno de confianza. El único héroe de su actual situación era el capitán del barco, que había acudido en su rescate anunciándole que aquel viento del demonio había empujado la nave hasta puerto un día antes de lo previsto. De no haber estado sumida en la autocompasión, habría acabado besándolo, a él y a toda la tripulación, por haberle ahorrado aquel día adicional.

Le habría traído sin cuidado que su agradecimiento hubiera sido poco digno de una dama. Lo único importante era que sus penurias habían tocado a su fin. Y, tal y como le habían prometido, la aguardaban en puerto un carruaje enorme y tres personas. El interior era cómodo, el cochero y los dos lacayos vestidos con largos abrigos negros, callados, aunque educados. Pero después de dos jornadas de viaje, interrumpidas por una estancia nocturna en una tranquila posada, el paisaje se había vuelto agreste y desolado. Las encantadoras casitas con tejado de paja eran cada vez más escasas y se asentaban ahora sobre desnudos peñascos. Sintió una punzada de ansiedad ante la desaparición de todo lo que le resultaba familiar.

Tal vez fuera cierto eso que decían de que una joven con el corazón roto era susceptible de tomar decisiones precipitadas. La verdad era que al aceptar el puesto de ama de llaves de un caballero desconocido no había caído en la cuenta de hasta qué punto se alejaría por completo del rumbo de su anterior vida. El estruendo del ruido de cascos la despertó de su siesta la tarde del tercer día y llegó a la conclusión de que también se había alejado del camino romano de la civilización.

¿Qué había pasado mientras dormía?

¿Habrían secuestrado el carruaje los bandoleros?

Retiró alarmada las cortinillas de borlas. El chirriante carruaje negro la transportaba por el páramo como si una fuerza demoniaca se hubiera apoderado del cochero. Por la mañana, cuando la había saludado, parecía respetuoso. La tranquilizó un poco ver que los educados lacayos se aferraban como un par de murciélagos a la parte trasera. ¿Habrían sido también abducidos?

Aporreó el techo para insistirle al cochero que bajara el ritmo. Viendo que no respondía, se agarró con todas sus fuerzas a la correa de cuero, apretó los dientes y abrió la ventanilla. Y vio con incredulidad que los robustos caballos grises avanzaban hacia la pared escarpada de granito que había justo enfrente.

Asomó la cabeza.

—¡Parad de inmediato este vehículo!

—¡Volved a meter la cabeza dentro! —gritó el cochero, lanzándole una malhumorada mirada.

Agitó entonces el látigo con fuerza, sin tocar a los esforzados caballos y generando una descarga similar a la de un rayo.

—Tenemos que llegar a la posada antes de que caiga la noche —vociferó.

—¡Y también tenemos que llegar vivos! —replicó ella.

El cochero le ofreció una respuesta incomprensible. Su voz sonó confusa y siguió encorvado en plena concentración. Lily estudió lo que alcanzaba a ver de su perfil. Una gruesa bufanda de lana oscurecía la práctica totalidad de su cara. A pesar de no haber prestado mucha atención a su cuerpo y su postura, estaba casi segura de que no era el mismo cochero que la recibió en su momento en el muelle. Quién quiera que fuese, su conducta grosera no era correcta.

—¡Señor —gritó a pleno pulmón—, si no bajáis de inmediato el ritmo del carruaje, informaré debidamente a vuestro superior!

El vehículo aceleró. Le pareció escuchar una desconsiderada

carcajada en boca del cochero. Comprendió entonces con incredulidad lo que aquel temerario pretendía hacer. Vio justo delante un estrecho paso entre un par de rocas gigantescas. Era evidente que pensaba pasar caballos, cochero, lacayos y aterrada ama de llaves por aquella grieta.

Se quedó sin aire.

Y se sentó de nuevo. Todos sus músculos se tensaron para prepararse para lo que sin la menor duda sería un choque mortal. Pensar que confiaba en empezar de nuevo y que acabaría aniquilada por un cochero que parecía un gladiador.

Cerró los ojos cuando la sombra que proyectaban las rocas le oscureció la visión. El clamor creciente de los cascos de los caballos se fundió con la profana melodía del latido de su corazón. De sobrevivir, pondría a raya a aquel hombre colérico. Al fin y al cabo, en la cadena de mando, un ama de llaves estaba por encima de un cochero. A menos que fuera familia de St. Aldwyn, en cuyo caso evitaría subir a cualquier carruaje guiado por él.

El cochero aminoró la atropellada carrera. Lily se atrevió entonces a abrir los ojos y mirar al exterior. No le sorprendería encontrar al cochero volando por los aires. Falazmente, la sombra de las gigantescas rocas había ocultado un camino más ancho que se veía ahora de lejos. El traqueteo de las ruedas había recuperado su ritmo regular.

Se dejó caer sobre los cojines, sus nervios retorciéndose.

Llovía cuando el carruaje se detuvo para pasar la noche en una posada llamada «El hombre cargado de malicia».

Por obra y gracia de algún milagro, los lacayos que le abrieron la puerta y cogieron su equipaje no parecían en absoluto afectados por aquel descabellado viaje. El desgraciado cochero había desaparecido del cajón. Probablemente para ahorrarse la merecida reprimenda que ella le tenía preparada.

Se encaminaba hacia la entrada de la posada cuando una figura llamativa apareció a su lado procedente de los establos. Vio por el rabillo del ojo que se quitaba el sombrero de copa negro y le ofrecía el brazo. Lily resistió el impulso de aceptar su ayuda. Sin volver la cabeza, se alejó discretamente para quedar fuera de su alcance.

Por desgracia, fue a parar encima de un charco de agua que le cubrió hasta el tobillo. Refunfuñó ante la desagradable sensación del agua gélida filtrándose por la suela de las botas de media caña. Casi al mismo instante, se dio cuenta de que el caballero que caminaba a su lado era el cochero responsable de su magullado trasero.

Le lanzó una mirada furiosa dándole a entender que hablaría con él más adelante. Y se cubrió con la capucha para salir corriendo.

—Señorita Boscastle, esperad.

Su tono sonaba imperioso. ¿O intentaría tal vez disculparse? ¿Acaso no sería mejor tratar de empezar con buen pie con el personal de su nuevo señor?

Se giró, dubitativa.

Y se encontró con la cara masculina más bien formada que había tenido la desgracia de contemplar.

—¿Me conocéis? —le preguntó él en voz baja.

La lluvia enfrió el calor abrasador que había cubierto sus mejillas.

—Sí. Sois el hombre que por lo que parece perfeccionó sus habilidades para la conducción en un coliseo.

Él sonrió. Se preguntó si aquella irónica inteligencia que transmitían sus ojos serían solo imaginaciones suyas. ¿Había visto alguna vez aquella mirada? ¿Por qué le resultaba tan perturbadora?

—¿La confundí quizá por error con una dama en busca de aventura? —preguntó él, como si... como si con ello compartieran alguna broma íntima.

Lily tragó saliva, incómoda. Santo cielo. ¿Cómo podía haberle dado *esa* impresión? No habían intercambiado ni dos palabras. Su conducta era excesivamente familiar para un hombre de su clase y su expresión velada insinuaba que la conocía íntimamente. Decidió que tenía que ponerlo en su lugar, pues, de lo contrario, le tocaría aguantar eternamente sus impertinencias.

—Creo que deberíamos continuar esta conversación...

Reprimió un grito cuando un chico de los establos pasó saltando por su lado, salpicando de barro su mejor capa. Se estremeció de consternación.

—¡Cuidado por dónde pisas, patán! —le gritó el cochero al infractor que se detuvo, se metió el dedo en la nariz y rompió a reír.

El cochero se enderezó, adoptando una pose agresiva.

—Ya te enseñaré yo a ti dónde meter ese dedo...

Lily agarró al cochero por la muñeca con grave decisión. Era capaz de tumbarlo antes que presenciar un nuevo acto de violencia.

—Pese a que aprecio vuestros sentimientos, señor Cochero, preferiría que no os expresarais de un modo tan desconcertante. Al señor no le gustaría que os peleaseis en público por mi culpa.

Él refunfuñó.

—No lo conocéis muy bien.

—No lo conozco en absoluto —reconoció Lily, desconcertada ante la sugerencia de que su jefe fuera un rufián—. Confío, sin embargo, en que no sea propenso a reyertas vulgares.

Se puso de nuevo el sombrero y la miró con una inquietante sonrisa.

—Me temo que lo es.

Lily le soltó la muñeca, dándose cuenta de pronto de lo peligroso que era mantener contacto físico con un hombre al que le gustaba crear problemas.

—No os creo —replicó—. Me garantizaron que era un caballero.

—Un caballero siempre protege a una dama —contraatacó él.

—Un buen criado nunca provoca altercados en público —dijo ella, apartando la vista.

—Os lo recordaré —dijo él, sonriendo con descaro.

Un carruaje ligero de correos hizo entrada en el patio y depositó su único pasajero justo detrás de donde estaban parados ellos. El viajero se dirigió hacia la posada. Lily se apartó para evitar los salpicones de barro que desprendían sus botas.

Pero antes de lograr dar un paso más, notó una mano firme posada en su zona lumbar con una audacia que a punto estuvo de hacerle caer el bolsito.

—Puedo llevarla...

La enlazó por las rodillas. Ella sofocó un grito.

—¡Señor Cochero!

Y de pronto se encontró aplastada contra su duro torso.

Sus miradas se encontraron. Su rostro era endiabladamente atractivo. De hecho, era demasiado elegante para ser un criado rural. Era el granuja más experimentado que había encontrado en su vida.

—¡Soy un ama de llaves, no una maleta! —exclamó, pestañeando para evitar que las gotas de lluvia le entraran en los ojos.

—Sois ligera como... una pluma.

—¿Una pluma?

Le costaba creer lo bajo que había caído. La primavera pasada no le preocupaba nada. Elegir un estilo que la agraciara para su vestido de novia era su único problema. Su prometido iba a protegerla durante el resto de su vida. Y ahora aquí estaba, bajo una lluvia gris y gélida, con un cochero deslizando la mano por su trasero.

Era una falta de decoro novedosa. Estaba en brazos de un tunante desvergonzado cuya voz le habría sonado de algo de no estar tan preocupada por tratar de mantener a raya su mala conducta.

Lily, la coqueta despreocupada, se había convertido en la señorita Boscastle, una malhumorada ama de llaves con el corazón rebosante de rencor. Aunque el péndulo no había llegado aún tan lejos. Estaba a medio camino. Una aristócrata tratando, literalmente, de mantenerse en pie.

—¡*No* me digáis que el señor os anima a comportaros de un modo tan liberal como este!

—Siento deciros que sí.

—No os creo.

—Es verdad.

—El señor debe de estar...

Movió el brazo para darse golpecitos con el índice en la sien.

—Oh, sí, lo está. Tendríais que oírlo proclamando lo bella que está la luna cuando se refleja en el estanque del páramo.

—Supongo que está bella —dijo con impaciencia Lily—. Aunque ser poético no es ninguna debilidad trágica. Mientras sea amable, no entiendo por qué os burláis de él.

—Es tremendamente bondadoso con los animales —le confió, la risa iluminando sus ojos.

Lily frunció el entrecejo.

—Eso es buena señal.

—Tampoco los come. —Bajó la voz—. Sigue una dieta natural.

—No tengo ni idea de qué me habláis.

—De banquetes sin sangre.

Lily se quedó pálida.

—Confío en que no estéis diciendo lo que me temo que decís.

—Me temo que sí. No permite que en su casa se sirva carne de animal.

¿Tendría que planificar menús para un hombre que no comía carne?

—Eso es inquietante —observó—. Que sea poeta es una cosa, pero que solo coma verduras. ¿Qué tipo de cenas tendré que disponer si no puedo servir vacuno? Pescado, imagino, aunque solo en temporada.

Él negó con la cabeza.

—Tampoco come pescado.

—¿Por qué no?

—Porque uno lo miró a los ojos un día mientras nadaba en un estanque. Sus almas entraron en contacto.

—Por el amor de Dios —dijo, antes de poder censurar su reacción—. No me extraña que haya ido hasta Londres a buscar un ama de llaves. Supongo que las mujeres del lugar desconfiarán de sus peculiares modales.

Los ojos de él lanzaban chispas.

—Resulta difícil comprender por qué, pero las hay que incluso lo persiguen. He tenido que echar de la puerta al menos a una docena de ellas.

Lily arrugó la frente.

—¿De la posada?

—El amor puede convertir a cualquiera en ingenioso pretendiente.

—El amor puede convertir a cualquiera en un burro. Lo cual empiezo a pensar que soy yo por prestar oídos a tantas tonterías.

—Sois cínica, señorita. El señor es un romántico, posiblemente incluso lo que algunos describirían como un visionario.

—No me vengáis con esos aires de grandeza.

El cochero asintió, satisfecho por haberla desconcertado de nuevo.

—El señor es todo un reto, lo confieso. Es además un radical. La corona lo ha declarado sujeto con creencias subversivas contra Inglaterra.

El ánimo de Lily languideció.

—Lo que estáis diciéndome, con vuestros modales poco delicados, es que está realmente chalado.

—¿Os resulto ya familiar? —preguntó en voz baja.

—*Demasiado* familiar. Y demasiado suelto con las manos.

—Creedlo o no, pero me han dicho que mi contacto resulta muy agradable.

—¿Os lo han dicho tal vez vuestros caballos y las mujeres ligeras de cascos?

Respiró con dificultad viendo que sorteaba sin ceremonia alguna un boquiabierto mozo que acababa de salir de la posada.

Contra su voluntad, la sujetó por la nuca.

«¿Os resulto ya familiar?»

—¡Soltadme!

—Está cayendo un diluvio, señorita —replicó—. Al señor no le gustaría que resbalaseis y tuvierais que pasar una semana postrada en cama cuando necesita de verdad vuestra ayuda en la casa.

—Postrada en cama... sinvergüenza.

No podía ni imaginarse lo mucho que estaría disfrutando aquel hombre con el tranquilo paseo bajo la lluvia. Cada paso que daba la empujaba contra su firme cuerpo. Su calor, por mucho que le costara admitirlo, no resultaba en absoluto desagradable.

Y aquellos ojos insondables...

«¿Os resulto ya familiar?»

Una húmeda ráfaga de viento le hizo volar el sombrero.

—¡Ay, Dios! —exclamó Lily—. Se echará a perder.

—Da igual —replicó él con sombría alegría—. En la casa hay muchos más. Lo importante ahora es sacaros toda esta ropa mojada y meteros en una confortable cama.

—Mirad lo que acabáis de decir —dijo ella con incredulidad—. Ni que del cielo llovieran monedas doradas. Me cuesta imaginar que alguien esté dispuesto a tener en su nómina a una persona tan insolente como vos. Os juro que si hacéis una sola referencia más a la posibilidad de acostaros conmigo...

—Jamás dije nada semejante.

—Que el demonio me lleve si no lo habéis dicho.

Fingió una mirada de lástima cuando uno de los lacayos de St. Aldwyn abandonó el cobijo del tejado a dos aguas para abrir la puerta de roble de la posada.

—Agradecería que no pusierais determinadas palabras en mi boca, Lily.

«Lily.»

Se quedó sorprendida.

Apenas se percató de que acababan de entrar en una taberna repleta de humo y que estaba depositándola en el suelo. Miró a su alrededor, turbada. Varios clientes habían dejado sus jarras de cerveza para evaluar la situación. A Lily le dio la impresión de que su curiosidad decrecía en cuanto se percataban de la presencia de su temerario acompañante. Imaginó que tendría fama de problemático entre la gente del lugar.

—¿Qué miráis? —preguntó con una sonrisa arrogante—. ¿Acaso no habéis visto nunca a un villano con una dama en brazos?

Alguien se echó a reír.

Un villano. No. *No.*

Negó con la cabeza, rechazando el recuerdo de besos compartidos en un jardín iluminado por la luz de la luna. No podía ser. Levantó lentamente la vista para contemplar su cara, los pómulos duramente esculpidos que una máscara casi ocultaba la noche del baile de disfraces literario. La boca sensual que la había seducido se curvó en una lenta y penitente sonrisa.

—Pensé que me reconoceríais antes —dijo con un lamento.

Las llamas cobrizas de la gigantesca chimenea de la posada vibraban con fuerza. Le hirvió la sangre hasta arder y despertar su aturdida conciencia.

—Vos —dijo en tono condenatorio—. Vos... vos me habéis *raptado.*

—No —replicó él rápidamente—. Quería...

La voz de ella le interrumpió.

—Sé lo que queréis.

Retrocedió, sintiéndose tan traicionada que golpeó la mesa con la cadera, desequilibrando con ello la jarra de un caballero. La espuma de la cerveza resbaló hasta el borde de la mesa y se filtró entre los pliegues de su capa.

Él le cogió la mano. Ella se soltó.

—Me contasteis —le recordó— lo mucho que os había gustado la escena del rapto en *Wickbury.*

—En ese caso, fui una tonta por confiároslo y una tonta mayor si cabe por creer que esas historias podían llegar a hacerse realidad.

Él tragó saliva.

—En esta historia solo hay un tonto. Y pienso hacerlo bien. Yo solo quería…

Recogió su manto y la falda mojada del vestido, su voz sorprendentemente serena.

—Me habéis decepcionado, pero me muero de hambre y estoy tan cansada que ni siquiera me importa. Además, excelencia, en una taberna es imposible mantener una conversación.

Él suspiró.

—No sois exactamente como os recordaba —dijo después de un intenso silencio.

Lily hizo una burlona reverencia, su respuesta prometiendo venganza.

—Me gustaría poder decir lo mismo de vos.

Capítulo 17

Los cuentos de Wickbury

LIBRO SIETE
ÚLTIMO CAPÍTULO
VERSIÓN CUARENTA Y OCHO

Con un salto heroico, lord Wickbury cortó las cuerdas que sujetaban las muñecas de Juliette y efectuó un giro sobre la cama dispuesto a enfrentarse a los hombres de Cromwell. Lo superaban en número. Pero no solo batallaba por la mujer que veneraba, y porque había jurado proteger a su legítimo rey, sino también por su vida. Inició una vigorosa lucha de sables. Cayeron rápidamente tres soldados.

Empujó al cuarto *roundhead* hacia el balcón. Esquivó su espada. Los golpes de acero contra acero rompieron el silencio. Intuyó que los dos soldados restantes se acercaban por la espalda.

Lucha hasta la muerte. Lucha por la dama.

De nuevo la sensación de estar siendo manipulado, de recibir órdenes para representar un papel del que empezaba a resentirse. Arremetió. Clavó la espalda en el hombro del *roundhead*. La liberó, la sangre goteando sobre la bota, y giró sobre su eje antes de que su oponente retrocediera tambaleante hacia la puerta y cayera contra la barandilla de la galería. Michel oyó la madera astillándose y el relincho de su caballo en el patio al aplastarse el hombre contra el suelo.

Izó la espada.

Demasiado tarde. Percibió el filo de un arma presionándole la garganta. Otro apuntándole al corazón. Desconcertado, se preguntó por qué, en el nombre de Dios, iba vestido con una camisa blanca con chorrera y calzas aterciopeladas cuando debería haberse protegido con un chaleco acolchado.

Tenía a su alcance la sombra de la muerte.

¿En qué había errado?

¿Le había abandonado Dios? ¿Cómo era posible? Por lo que Michael alcanzaba a recordar, siempre había estado considerado el defensor de los indefensos, noble e invencible. Libraba una lucha caballerosa.

—Soltad vuestra espada, lord Wickbury —dijo su hermanastro, sir Renwick, desde delante de la chimenea, Juliette atrapada en sus brazos—. Hacedlo ahora mismo o ella lo sufrirá.

La rabia se apoderó de él cuando Juliette levantó la cabeza para mirarlo, aunque... Pestañeó, bajando la espada. Aquella *no* era su dama. ¿Había perdido la cabeza? Juliette no tenía los ojos azul oscuro ni el cabello del color del fuego. Era otra mujer, más bella aún que la suya.

La mujer esbozó una sonrisa de desdén.

—Habéis perdido, lord Wickbury. No seré vuestra.

—Matadle —dijo sir Renwick sucintamente—. Qué mi encantadora cautiva sea testigo de vuestra vergüenza.

Lily observó su alcoba sin pasión alguna. Era una habitación superior, amueblada con una mesa para comer y una cama espaciosa que sin duda alguna el duque pretendía utilizar.

¿Qué había hecho? Cogió la bandeja con la cena que una criada le había subido. ¿Qué haría ahora?

Era demasiado práctica como para huir de un lugar del que ni siquiera conocía el nombre. La habían embaucado. Terminó la jarra de vino que acompañaba la sopa caliente y el pan, un vino del Rin con un sabor delicado que camuflaba una engañosa potencia.

Se oía a un violinista tocando abajo en la taberna, las camareras corriendo de un lado a otro. En el pasillo, el duque llamaba insistentemente a la puerta, pidiéndole que le dejara pasar, hasta que finalmente su paciencia se quebrantó, sacó el libro que guardaba en el bolsito y lo lanzó contra la puerta.

Entonces se calló.

Esperó.

Volvió a llamar.

Miró el libro tirado en el suelo.

¿Cómo se atrevía a suponer que podía representar el papel de sir Renwick?

Jamás volvería a leer un libro de Wickbury. Abandonaría para siempre su anhelo por el amor cortesano y los mentirosos.

Abrió el baúl, localizó su camisón y su batín, y se desnudó para acostarse. Estaba demasiado agotada como para pensar en el engaño del duque o para preguntarse qué le habría llevado a pensar que podía llegar a comprender a un personaje tan complejo como sir Renwick Hexworthy, o que podía hacerse cargo de su vida en el momento en que ella era más vulnerable.

Se acabó ese gentil terrateniente que confiaba en que fuese un refugio que la protegiera de sus enemigos.

Por lo visto, había hecho un trato con el diablo, y por horrorosa que pudiera acabar siendo la situación, de momento, al menos, no tenía otra alternativa que tranquilizarse y conciliar un sueño reparador.

Samuel acercó una silla a la cama y estudió la forma dormida de Lily alumbrada por el fuego. Estaba inmóvil. Tal vez aquella maldita lluvia hubiera amortiguado el sonido de su entrada en la alcoba. Había pasado horas llamando a la puerta. Finalmente, había pedido y obtenido del posadero la llave maestra.

Un duque jugaba con una ventaja injusta, cierto. Y a veces Samuel la aprovechaba para una buena causa. Esta vez, sin embargo, se trataba de un asunto personal, un tema egoísta. La deseaba. Y ahora estaba legalmente vinculada a él.

No quería dejarla marchar, por mucho que su conciencia le aconsejara que era lo correcto.

Ella había dejado clara una verdad evidente.

No podía controlar su destino como si fuese un personaje de sus libros. ¿Había esperado realmente que ella considerara su intervención como una simple aventura? Samuel había descubierto que raptar de verdad a una dama era una humillación necia para las dos partes implicadas.

Lily no había caído extáticamente en sus brazos. Él era un hombre que, como los que le conocían solían decir desesperados, tenía la presunción de creerse capaz de atender a cualquier criatura que hubiera caído en desgracia.

Y *había* pasado alguna cosa que había desgraciado el espíritu de Lily. Adivinaba incluso ahora, con la ropa de cama revuelta, que ni siquiera el sueño le resultaba reparador.

Había devorado toda la información sobre ella que su abogado le había hecho llegar desde que partiera de Londres. Se había torturado buscando noticias de la boda. Sí, había deseado que saliese mal. Había deseado que *ella* cambiara de idea y renunciase a casarse con su capitán. Pero Lily había declarado haber sido testigo de un asesinato y su caída en desgracia había sido una solución que jamás había anticipado, y mucho menos el comienzo romántico que andaba buscando.

Nadie lograría violar la privacidad de los protegidos de Samuel para satisfacer su curiosidad. Y cuando llegara el día en que se sintiera lo bastante segura como para confiarle sus pesares, lo consideraría un honor.

Deseaba por encima de todo que volviera a ser el espíritu espontáneo y casi ingenuo que había medio seducido en un jardín encantado. Pero le habían hecho daño.

¿Se lo haría también él? ¿Habría perdido Lily su fe en el amor? ¿Encontraría la manera de que recuperase la confianza?

¿Qué había hecho?

Aprovechado una oportunidad, tomado una decisión precipitada basándose en una sola velada con una mujer que pertenecía a otro. Lily era una coqueta sin experiencia que había seducido al hombre equivocado. Debería habérselo imaginado. Su abogado ya se lo había advertido. Había sido arrogante por su parte querer hacerse con ella. Pero ahora había algo más que arrogancia. Sus vidas estaban entrelazadas. La quería en su cama. Pero no como una pareja reacia, no como una mujer que no tenía otra elección. La seduciría como es debido, una sonrisa, un beso, una confidencia, poco a poco. Si era capaz de doblegar la Cámara de los Lores, ¿cómo no iba a conseguir hacerse con la única mujer que había deseado de verdad en toda su vida?

Incluso el cabello que se derramaba sobre sus hombros parecía más oscuro de lo que recordaba. Pero seguía siendo encantadora. Subió con delicadeza la colcha para cubrir el lujurioso cuerpo que tentaba sus sentidos. Rozó el pecho con la mano, percibiendo su suavidad y una intensa necesidad de abarcarlo. El pezón se endureció bajo el camisón de muselina. Notó el calor corriendo por sus venas. Sin poder evitarlo, se inclinó sobre ella en silencio.

Lily se agitó y se volvió hacia el otro lado. Samuel contempló los pliegues de tela que envolvían su espalda, los contornos de su cuerpo.

Se levantó decidido para evitar la tentación de tocarla.

Pero ella alzó la voz, alta y clara, antes de que a él le diera tiempo a abandonar la alcoba.

—No seré vuestra amante.

Se detuvo en seco. *Aquella* era más la dama que recordaba.

—No creo que os lo haya pedido.
No.
Se había planteado pedirle que fuera su esposa.
Y ella, con razón, lo consideraba un sinvergüenza intrigante.

Capítulo 18

Lily se estremeció con la primera luz del amanecer. No se imaginaba una mañana peor para viajar. La habían despertado los demás huéspedes bajando por la escalera y la lluvia aporreando el tejado. Temía otro día entero metida en aquel carruaje. Y en cuanto a su propietario, su gentil terrateniente había resultado ser un sinvergüenza con todas las letras y no había decidido aún cómo tratarlo. Le parecía ingenuo aceptar tal cual sus disculpas. No tenía motivos para fiarse de él.

¿Qué *había* hecho?

¿Qué otra alternativa mejor tenía?

¿Habría huido del engaño de un hombre para caer en el lecho de otro?

Había firmado un contrato de empleo.

¿Le obligaría él a cumplir sus condiciones? ¿Se había siquiera parado a *leer* sus condiciones? ¿Cumplir el contrato significaría también que él intentara satisfacer sus deseos? Evidentemente, no pensaba facilitarle la tarea.

Desayunó bien y se vistió con ropa de abrigo para enfrentarse a lo que tuviera que enfrentarse en cuanto cruzara la puerta de la habitación. Los dos lacayos del duque se presentaron como Emmett y Ernest. Ernest se encargó de su equipaje. Emmett la escoltó para atravesar la ya abarrotada posada y llegar hasta el carruaje.

Para su consuelo, el duque había decidido no representar el

papel de cochero. Por lo visto, el habitual cochero se encargaría del resto del trayecto.

Y el duque... Debería haberlo imaginado. La esperaba sentado en el carruaje, hojeando papeles y más intensamente varonil con su chaqueta oscura y sus pantalones negros de lo que su ofuscada mente era capaz de ignorar a aquellas tempranas horas de la mañana. Con un nudo en la garganta, se dejó caer con escasa elegancia en el asiento de enfrente.

Entonces, él levantó la vista. La evaluó con la mirada antes de romper el incómodo silencio.

—Confío en que no pongáis reparos a que viajemos juntos. Supongo que me preferiríais conduciendo. O en un carruaje público.

Lily buscó el libro en el bolsito. Por desencantada que estuviera con sus improbables ideales, prefería leer que ser sorprendida mirándole. No podía negar que seguía atrayendo a sus ojos. *La beauté du diable*. Su atractivo no era en absoluto angelical. No llamaría su atención.

Él dejó los papeles.

—¿Es eso *Wickbury*? —preguntó, inclinándose hacia ella.

Lily bajó el libro. El agradable aroma de su suave colonia le embargó los sentidos. Reavivó una oleada indeseada de sentimientos, de recuerdos. Su boca firme sobre la suya. Sus expertas caricias despertando un deseo agridulce en su interior. La oscuridad que se había apoderado de su respuesta.

—Sí. —Tosió para aclararse la garganta y poder seguir hablando—. Es el último libro de *Wickbury* publicado, el Libro Seis de la serie, y el montón de porquería más sobreexcitado, sentimental y romanticón que he tenido el placer de releer en mi vida. No sé qué les veía antes a estas historias.

Él se echó hacia atrás, pestañeando como si acabaran de pegarle un bofetón.

—Es una reacción algo fuerte.

Ella frunció los labios y levantó el libro para que le diera la luz.

El cochero tocó la corneta y lanzó un estruendoso grito de advertencia a los huéspedes apiñados en el patio azotado por la lluvia.

Lily se acomodó dispuesta a leer.

—Os daré un ejemplo —dijo—. Ah. Aquí lo tenemos. «Amada, ¿es posible que contemplara vuestro luminoso semblante desde mi celda cuando me desperté anoche? ¿Fue acaso un sueño? Tal vez eso no importe. Ilusión o no, vuestra imagen me dio el coraje necesario para escapar...»

Samuel esbozó una débil sonrisa.

—Os creía consagrada seguidora de estos libros.

—Ya he superado los cuentos de hadas.

—¿De verdad? ¿Sabéis que en una ocasión vi dos damas mayores en una biblioteca llorando mientras su acompañante les leía precisamente el pasaje del que tanto os burláis?

—Quizás estuvieran llorando por lo malo que es.

—Dios mío. Estamos amargados, ¿verdad?

—No son más que tonterías. Héroes y heroínas e historia mal investigada.

—¿En serio decís que no os gustan esos libros? —preguntó con una voz sinceramente preocupada, de haberlo ella sabido.

—¿Qué si no me gustan? No. Los odio —le espetó—. Aborrezco todas y cada una de sus maravillosas y horribles palabras. Los odio porque no son verdad y porque ese mundo no... no...

Extrajo él un pañuelo limpio y perfectamente doblado del bolsillo de su chaleco.

—Continuad.

Ella miró con fastidio el pañuelo.

—¿Para qué es?

—Para secar vuestras lágrimas.

—¿Creéis que lloraría por un libro, como esas ancianas que decís de la biblioteca?

—Qué una mujer llore no tiene nada de malo.

Lily movió afirmativamente la cabeza.

—Estoy más convencida que nunca de que estos libros los ha escrito una mujer. Una pobre solterona engañada que no tiene ni idea de lo que escribe.

Devolvió el pañuelo al bolsillo.

—El autor no es pobre, por lo que entiendo de edición. Y engañado sí que sería una posibilidad.

—Es una indecencia —murmuró, moviendo la cabeza hacia uno y otro lado.

—Desearía —dijo con ironía—, que hubierais expresado estas opiniones la noche que nos conocimos.

—Vos —contraatacó ella— fingisteis sentir pasión por *Wickbury*. ¿Por qué piqué un anzuelo tan claro?

—*No* fingí.

Lo sometió a un riguroso escrutinio.

—¿Qué voy a hacer? ¿Adónde iré?

—Lo decidiremos cuando lleguemos esta noche a St. Aldwyn.

Lily se giró hacia la ventanilla.

Y sintió su penetrante mirada.

—Tal vez entonces —continuó él—, podamos alcanzar un mejor entendimiento.

No volvió a dirigirle la palabra en tres horas, hasta que se detuvieron en una posada para cambiar los caballos y el paisaje de Devon se volvió solitario bajo las invasoras sombras del crepúsculo. «Un lugar perfecto para los desilusionados», pensó Lily.

Los caballos ascendieron por una pista indicada tan solo por una cruz de piedra. Las ruedas del carruaje se sacudieron, aplastando la turba. Una inesperada sensación de tranquilidad se apoderó de ella. Cerró los ojos adormilada, a pesar o debido al ritmo de los empellones. Pero en cuanto empezó a perder la conciencia, percibió el duque a su lado, sujetándola entre sus brazos.

—A partir de aquí el camino es peligroso —dijo, acariciando con el aliento el hueco de su clavícula—. Podría incluso ser el lugar más inseguro de todo el páramo.

Lily, cobijada en su abrazo, se sentía incapaz de llevarle la contraria. Su cuerpo era como un hierro ardiente e infinitamente peligroso.

—Escuchadme con atención —dijo él, su voz baja y tranquilizadora, mirando por la ventanilla—. ¿Oís alguna cosa fuera de lo normal?

—Solo el viento y el agua chocando contra un lecho de rocas. He vivido en el campo, excelencia. La naturaleza me relaja.

Él negó con la cabeza.

—No estáis escuchando con vuestro oído interior.

—¿Qué hago yo aquí? —susurró Lily—. ¿Cómo es posible que me haya ocurrido esto?

Le cogió la barbilla y le obligó a girar la cabeza hacia la ventanilla. Vio la silueta aislada de un castillo perfilada sobre una colina. De lejos parecía alzarse sobre el páramo entre la neblina. Las torres oscuras acentuaban su atmósfera de abandono, así como su camino de acceso cubierto de cantos rodados y su linde de zarzas.

Era melancólico, gótico y bello a la vez. Parecía una ruina dispuesta para la exploración de los intrépidos y que los tímidos debían evitar. La Lily de antaño, la que tenía cierta influencia sobre su destino, habría insistido en que el carruaje diera media vuelta, y habría sido obedecida.

Se sobresaltó de repente.

—Me ha parecido ver una figura en el pasadizo. Imposible, ¿verdad?

—¿Quién sabe? —replicó él, mirando por encima del hombro de Lily—. Se dice que el castillo está encantado por sus antiguos moradores.

Lily se volvió lentamente para mirarlo. El rostro de él se cernía indecentemente cerca del de ella. Se deslizó por el asiento para acercarse a la portezuela. Y él la obsequió con una inescrutable sonrisa.

—Me gustaría dibujar ese castillo de día —dijo para disimular su turbación—. Si me quedo.

—¿Dibujáis? —preguntó, su mirada irresistiblemente cálida.

—No tan bien como debería después de tantos años de estudio. Pero me gusta ese arte como aficionada.

—Tal vez haríais mejor eligiendo otro tema, más próximo a la casa solariega. —Se divertía, y eso intensificaba el tono seductor de su voz—. *Si* os quedáis. El interior del castillo está en ruinas y es inseguro. Las noches más neblinosas de otoño, los gitanos se cobijan allí y preparan las pociones que luego venden en la feria.

—Eso no suena tan desalentador para una chica de campo como sin duda pretendéis que suene —dijo Lily—. ¿*Os* da miedo cruzar ese puente levadizo?

Se echó a reír.

—La teoría de que el castillo está encantado y que Satanás dirige la corte de fantasmas que moran en él no es mía. Es la gente del pueblo la que cree en eso.

—¿Quién es el propietario del castillo?

—Yo.

Lo dijo como si ella debiera ya haberlo dado por sentado, y en el fondo lo había hecho.

—¿Y creéis vos en fantasmas?

Recordó la pregunta que el agente le había formulado el día de la entrevista.

—No lo sé —dijo con sinceridad—. No lo he pensado. Pero no tendría miedo en el caso de tropezarme con uno. ¿Y vos?

—Los fantasmas no me dan miedo —dijo con firmeza—. Y no sé qué haría si se me apareciese uno. Tal vez lo perseguiría. O tal vez le pediría consejo. ¿Tendría miedo? Vos no me dais miedo, excelencia, ¿por qué tendría entonces que acobardarme ante algo que no puedo ver?

Fue un alivio que accediese a viajar con él en el interior del carruaje. Le parecía absurdo que, como lord Anónimo, pudiera personificar un rapto romántico y fuera elogiado por ello. ¿Cuándo aprendería que lo que salía bien en Wickbury tenía consecuencias desgraciadas en la realidad?

Naturalmente, como duque, habría encontrado varias mujeres que habrían disfrutado con la aventura. El problema era que ninguna de ellas inspiraba de manera especial su espíritu aventurero. Y Lily, sí. Incluso ahora, con remordimientos de conciencia, se sentía atraído hacia ella, aunque era evidente que no le correspondía en tal sentimiento. ¿Habría destruido sus posibilidades de ofrecerse a ella en calidad de guardián? ¿Conseguiría ser lo bastante fuerte como para dominar su naturaleza mientras le demostraba su valía?

Tal vez no. Lily era una tentación excesiva. Su suave cuerpo estaba hecho para el placer y para que la protegiera. Pero ¿ganarse su confianza? Le parecía imposible sin revelar su identidad completa.

Sin embargo, se había hundido en fosas más profundas que esta. Le acosaban preguntas urgentes. ¿Podría salir por completo a la luz? ¿Sería capaz de fundir todas sus identidades en un hombre que le resultara irresistible a ella?

Capítulo 19

Aproximándose a la casa del guardia desde el camino de gravilla de acceso a la mansión, el visitante desconocedor no sospecharía nunca que St. Aldwyn House albergaba secretos. Parecía una mansión tranquila. Su elegante fachada gris personificaba el encanto de finales del estilo isabelino, indemne a siglos de tendencias arquitectónicas.

Múltiples hileras de majestuosos cipreses flanqueaban como soldados de madera el camino de acceso circular. La casa solariega se aposentaba sobre el desfiladero de una colina cubierta de musgo en la que tres o cuatro ponis pastaban sobre irregulares terrones de hierba. La casa parroquial estaba construida en granito, en piedra los muros externos. Un marco bucólico de vallas de madera asfixiadas por arbustos de rosal chino y rosa mosqueta cercaba una extensión indeterminada. Pintoresco, en opinión de Lily. Una típica finca inglesa que parecía una piedra preciosa de facetas múltiples sobre un temperamental páramo morado y un cielo naranja sangre. El granero y los edificios anexos se apiñaban detrás del ala noroeste.

Pero observándolo todo con más atención...

Las esbeltas ventanas con parteluces parecían tener un oscuro brillo bajo la luz del crepúsculo. Tal vez se diera cuenta de ese detalle solo porque en su día soñó convertirse en señora de una mansión de campo tan idílica como aquella, y no en su ama de llaves.

—¡Ya está aquí!

Una niña flacucha, con coletas y vestida de gris, apareció corriendo por el camino. Había permanecido escondida entre los rododendros. Lily esperaba que fuera de alguno de los criados, no el resultado de algún amorío del duque.

El duque ni desalentó ni invitó a la niña a acercarse, aunque uno de los lacayos la advirtió cerrando un puño, sin ningún efecto.

—Esto es para vos, señorita —dijo la niña, sacudiéndose la falda manchada de barro para hacer una reverencia.

Lily se quedó mirando el ramo de cardos descabezados que tenía pegado a la nariz.

—Gracias. ¿Y qué se supone que es?

—Era vuestro ramillete de bodas, por si acaso el duque volvía a casa con una novia. Pero habéis tardado tanto en llegar, que podréis ponerlas sobre vuestra tumba.

Lily se enderezó con curiosidad por ver cómo respondía el duque a aquella impertinencia. Vio que estaba subiendo las escaleras de acceso a la mansión, ajeno a aquel dudoso homenaje.

—Muy considerado —dijo secamente Lily, cogiéndolas con la mano enguantada—. Confío, no obstante, en que no tendrás que depositar flores en mi tumba hasta de aquí a mucho, muchísimo tiempo.

Naturalmente, no fue hasta entonces que se percató de la excepcional tríada de túmulos de granito que coronaba la colina que protegía la casa. La fuerza de aquellas piedras desprovistas de adornos la atrajo… hasta que recordó que aquellas formaciones solían señalar antiguos lugares de enterramiento.

La casa solariega estaba a los pies de un cementerio.

Carecía de importancia.

No pensaba regresar a su vieja vida.

La señorita Lily Boscastle, la desgraciada prometida y antigua aristócrata, estaba tan muerta como cualquiera de los fantasmas del duque.

Capítulo 20

La perspicaz ama de llaves, *el ama de llaves*, según informó a Lily, era una bella parisina pelirroja que rozaría la treintena. La guió hasta su habitación, comprobó que la chimenea diera calor suficiente, que el cuenco de agua para el aseo estuviera caliente al contacto con sus nudillos y que la cesta con bolas de jabón estuviera llena. Inspeccionó la cama, el escritorio y el tocador antes de dirigirse a la puerta. Era delgada como un junco y tenía un aspecto de lo más correcto con su recatada gorra rizada y su delantal blanco encima de un sencillo vestido negro. Sus ojos verdes brillaban sabiendo lo que se llevaba entre manos.

Se quedaron mirándose, evaluándose, preguntándose, sin decir palabra. Y entonces:

—Me llamo Marie-Elaine —dijo con un gesto orgulloso—. Llamadme si necesitáis cualquier cosa más. Creo que estaréis bastante confortable.

Lily miró a su alrededor, sin notar falta de nada.

—Es muy agradable. Gracias.

—Una cosa más, señorita.

—¿Sí?

—Por vuestra paz mental, permaneced en la habitación cuando todo el mundo se haya acostado. No exploréis la casa a altas horas de la noche si sabéis lo que os conviene.

Lily se levantó. Aquella advertencia la había dejado sin habla.

Antes de que le diera tiempo a desabrocharse la capa, llamó otra criada y entró en la habitación, esta vez con una bandeja con té caliente, bollos, un cuenco con diminutas fresitas y una jarrita con nata. Lily se lavó y se sentó agradecida, dispuesta a comer en una mesa estilo Luis XIV. Se fijó entonces en que toda la habitación estaba amueblada siguiendo aquel lujoso estilo francés. Curiosa, se levantó para inspeccionar la estancia.

Abrió el escritorio francés de madera de árbol de los tulipanes y descubrió que guardaba en su interior plumas, papel para escribir y un tintero. A su derecha había una butaca tapizada con un delicado estampado floral que parecía llevar su nombre. Literalmente. Se inclinó para estudiar de cerca el cojín. El tejido llevaba bordados lirios dorados.

Se enderezó y miró a sus pies.

Lirios.

Lechos de lirios de agua tejidos en la alfombra. Levantó la vista.

Festones de lirios tigre adornaban el marco dorado del espejo rectangular colgado en la pared. Se giró. ¿La botella de perfume de cristal que relucía sobre el tocador? La atraía. La abrió y aspiró el embriagador aroma. Lirios del valle.

Regresó al escritorio y volvió a abrir la parte frontal para examinar el sello de cera que había visto junto al tintero. Qué sorpresa. Un lirio. Aunque lo del estampado de la colcha eran rosas, ¿no? O tal vez estuviera decorada con el mismo dibujo de flor de lis que se repetía en las cortinas de la ventana. ¿Flor de lis? O lirios.

Lirios. Por todas partes.

Por lo visto, el duque estaba obsesionado por aquellas bellas flores.

O eso o era pura coincidencia. Daba la casualidad que el hombre que la había contratado tenía a su disposición un dormitorio decorado con motivos de lirios. Tal vez pensara que le gustaría.

Sintió un hormigueo. Tal vez tuviera planeado traerla aquí por un tiempo. Tramado, incluso. Conspirado. El caballero andante y soñador que se burlaba de todo lo que el mundo creía.

Se sentó en la cama y se dejó caer sobre un montón de cojines de seda. ¿Era esa la cama de una amante o de un ama de llaves? ¿Estaría sinceramente arrepentido o simplemente a la espera de que ella tuviera un momento de debilidad para arremeter de nuevo?

Le pesaban los párpados. Le gustaba la habitación. Por irracional que fuera, se sentía casi en casa. ¿Qué haría una desgraciada dama si le dieran a elegir entre vivir bajo el mismo techo con su antiguo prometido o hacerlo con un duque de naturaleza romántica?

Un lugar agradable donde trabajar. Una tetera para calmar sus nervios. Lirios como tributo por donde quiera que mirara. Un duque que tenía algo. Empezó a adormilarse, la tensión de las últimas semanas liberando lentamente el dominio al que había tenido sometido su espíritu. Movió los pies para quitarse los botines y se estiró sobre la colcha.

Descanso. De momento, al menos.

Paz.

Una tregua.

O eso pensaba hasta que oyó una voz claramente femenina gritando angustiada en algún lugar de la casa.

—¡Soltadme, maldito necrófago ladrón de tumbas! ¡Si tengo que perder mi virtud, no lo haré en manos de una criatura depravada como vos!

Capítulo 21

Samuel arrojó el manuscrito contra la pared y, frunciendo el entrecejo por encima de sus gafas de montura metálica, miró a la mujer sujeta con las cintas de su delantal a los brazos de un sillón de respaldo ovalado.

—Yo *no* escribí esa frase. Además, de haberlo hecho, Juliette no estaría chillándole como una arpía rabiosa a sir Renwick. Por Dios.

Marie-Elaine hizo una respetuosa pausa y miró las hojas que tenía en su regazo antes de explotar en un apasionado desacuerdo.

—Juliette no estaría chillándole ni *hablándole* al sir Renwick que vuestro público ha llegado a amar y a odiar si este capítulo tuviera algún sentido. Está a punto de atravesar el corazón de lord Michael con una espada ardiente. ¿Por qué piensa Juliette que perder su dignidad cambiará alguna cosa?

Samuel se despojó de las gafas.

—Lo cambia todo. Los objetivos de lord Michael. La venganza de sir Renwick. La... la devoción de Juliette. Tal vez, con el nuevo enfoque de los elementos políticos, cambiará incluso el curso de la historia de Inglaterra.

—Tal vez cambiará la historia de esta casa —comentó Emmett desde el lado de la chimenea, donde se había situado con un tazón en la cabeza, él y su hermano gemelo, Ernest, representando dos de los *roundhead* que pretendían matar a lord Michael.

Marie-Elaine agitó sus muñecas atadas.

—¿Podéis desatarme las tiras de mi delantal? Si no voy a ceder mi virginidad, debería asegurarme de que la señora Halford no se olvida del caldo antes de meterse en la cama con su botella de coñac.

Samuel cogió el abridor de cartas en forma de pequeña espada que tenía sobre el escritorio.

—No cortéis las tiras —protestó Marie-Elaine—. Lo haré yo misma.

Bajó el brazo y se quedó inmóvil, levantando la vista al oír el inconfundible sonido de pasos que recorrían la galería del lado oeste.

—Ya os dije que ese grito era de otro mundo —le explicó con contrariedad—. Va a pensar que estamos celebrando una orgía.

—Bueno, no sería la primera vez —dijo Emmett, desde su puesto junto a la chimenea—. Ficticia, claro está, excelencia.

Samuel desenvainó el sable.

—No era precisamente la impresión que me gustaría dar a la señorita Boscastle durante su primera noche en la casa.

Bickerstaff, el mayordomo, empezó a recoger las hojas del manuscrito mientras Emmett y su hermano escondían los accesorios de la escena detrás de un enorme armario de *chinoiserie*.

—No habría tenido motivos para llevarse una mala impresión si Marie-Elaine no hubiera chillado hasta hacer temblar las paredes.

Marie-Elaine había conseguido por fin aflojar los nudos del delantal sirviéndose de los dientes.

—¿Qué mujer racional no gritaría con una habitación llena de soldados decididos a matar al hombre que ama? ¿Y siendo violentada al mismo tiempo por el otro hombre que también ama?

Samuel se detuvo cuando estaba casi llegando a la puerta y se quedó mirándola.

—¿Estás diciendo que Juliette lleva todo este tiempo enamorada de sir Renwick?

Escondió bajo la cofia un mechón de brillantes rizos.

—Eso es lo que da a entender este capítulo. Yo solo os doy mi interpretación.

Samuel asomó la cabeza por la puerta hacia la oscura galería. Estaba seguro de haber oído el crujido de las tablas de madera del suelo.

—Juliette invitó a Renwick a su cama. Se le ofreció... delante de testigos.

—Se ofrecía por la vida de Wickbury —dijo acalorada el ama de llaves—. Es natural que diga que ama al otro canalla para impedir que torturen a Michael y que lo dejen pudrirse en un calabozo infestado de ratas.

Samuel pestañeó.

—Estoy harto de que Wickbury gane todos los duelos y salga saltando por el balcón con su camisa de chorreras y sus calzones de seda. Ese engreído bastardo tiene que acabar cayendo tarde o temprano.

—No, no lo hará —dijo ella con convicción—. Sería una traición, excelencia. Vuestros lectores caerían sobre vos.

—Antes tendrían que encontrarme. Yo...

Samuel levantó de nuevo la vista. *Allí.* Por el rabillo del ojo vio a Lily regresando a su habitación corriendo como un espectro.

—Wickbury *tiene* que cambiar —dijo en voz baja—. De lo contrario acabará convirtiéndose en una caricatura de lo que tenía que ser.

Emmett y Ernest se acercaron, altos, serios, mirando a su señor y al ama de llaves. Samuel era consciente de cómo podría sonarle aquella conversación a un desconocido, a una aristócrata de buena cuna que no tenía ni idea de que el hombre que la había empleado era un escritor anónimo de escandalosa prosa. O que el personal de la casa, integrado por bribones rehabilitados, no solo protegía su secreto, sino que además contribuía con sus experiencias personales a enriquecer el universo de Wickbury. Todos ellos consideraban a Samuel una especie de salvador. Él pensaba que era más bien al contrario.

—Tengo que escribir sobre Michael tal y como yo lo percibo —dijo con determinación—. Estaría perdido en la primera fase de no ser así.

Había llegado casi a la escalera cuando escuchó el rebelde comentario de Marie-Elaine.

—Tenéis que escribir sobre lord Wickbury como el héroe que es. Y si pierde a esa pérfida dama por defender lo que considera correcto, diré que ya era hora que se sacase esa pequeña carga de encima.

Samuel llamó a la puerta de la sala de estar adyacente a la habitación de Lily. Ella permaneció un rato sin moverse del sofá. Debía de haberla visto en la galería. Era una lástima que no hubiera llegado a ver lo que se llevaba entre manos. Aunque tal vez prefería no saberlo. En cualquier caso, no estaba acostumbrada a recibir visitantes varones en su dormitorio, por mucho que hubiese sido habitual siglos atrás, cuando los mercaderes mostraban sus productos a la señora de la casa mientras esta bebía chocolate o escuchaba a su doncella recitarle la agenda de la jornada.

Aunque las cortesanas recibían también a caballeros en las alcobas propiedad o alquiladas por sus proveedores.

Se levantó a regañadientes y se acercó a la puerta, sin saber qué otra cosa podía hacer. Aquello no era la habitación de un ama de llaves. Era evidente que él esperaba más. Pero ¿qué? ¿Cuánto estaba ella dispuesta a entregar? Abrió la puerta, pensando en eso, y pestañeó, perpleja.

Estaba preparada para recibir una proposición indecente, pero no para encontrarse al duque con los faldones por fuera y un cinturón con vaina posado sobre sus esbeltas caderas. Al menos *eso* explicaba el alboroto que había oído abajo, y tal vez el grito angustiado de la dama. Por lo visto, había estado practicando la esgrima ante su público.

—Excelencia —dijo con torpeza, sintiendo una injusta punzada de resentimiento por representar un papel en manos de un hombre tan bellamente concebido que solo mirarle le confundía los sentidos.

—¿Puedo pasar?

—Estáis en vuestra casa.

Él sonrió fugazmente. Lily permaneció inmóvil mientras cerraba la puerta a sus espaldas. Su casa. Su ama de llaves.

—¿Es la habitación de vuestro agrado? —preguntó, estudiando el mobiliario como si no lo hubiera visto jamás.

Frunció el entrecejo, pensativa.

—No es lo que esperaba para mi puesto.

—La sala del ama de llaves está abajo. —Giró sobre sí mismo—. Señorita Boscastle...

—Debisteis haber revelado quién erais cuando solicité este puesto, excelencia —dijo ella, encendiéndose—. Habría apreciado que se me hubiese alertado de que ya nos conocíamos.

Samuel entrecerró los ojos.

—¿Tenéis idea de cuántas posibles amas de llaves habría tenido que entrevistar mi ocupado abogado de haberse sabido que un duque requería sus servicios? Habría tenido damas solteras y sus madres ofreciéndome dos amas de llaves por el precio de una.

Ella lo guió hacia el sofá.

—Eso por no mencionar la cantidad de nobles desilusionadas que hay en el mercado por culpa de un canalla mentiroso.

—Me lo merecía.

—Soy una mujer desesperada, excelencia. No me infravaloréis por ello. Pese a haber sido etiquetada de lunática, comprendo perfectamente bien vuestras intenciones respecto a mí.

El rostro de él se ensombreció.

—No, no las comprendéis.

—Sí, las comprendo.

La miró a los ojos y ella creyó derretirse. Todo lo que había creído hasta el momento había resultado ser falso y ahora estaba frente a aquel truhán, que seguía insistiendo en que confiara en él cuando... cuando iba vestido como uno de sus antepasados de la época de la Restauración. Pensándolo bien, aquel disfraz le resultaba extrañamente familiar. Le recordaba a alguien. Aunque no caía en el nombre. ¿Estaría preparándose para otro baile de disfraces?

—Os entregaré encantado el salario de un año que acordamos y os colocaré en otra casa —dijo muy serio—. Tengo amigos de confianza que os acogerían en su nómina encantados. Mi cochero, naturalmente, está a vuestra disposición...

Aquello era ya demasiado.

—No volveré a viajar en ese horripilante vehículo —dijo, alzando la voz—. Además, confié en vuestro agente y tenemos un contrato. Si lo rompéis, os desafiaré en...

¿En los tribunales? ¿Con la perdición?

El arrepentimiento de su mirada le hizo gracia a Lily. Ambos sabían que ella tenía escasos recursos a su disposición. Sí, podía volver con su familia, pero había elegido marcharse. Por el momento tendría que aceptar que había dejado de ser una dama con cierta posición. Para sus padres se había convertido en una fuente de aflicción y vergüenza. Eso no significaba, sin embargo, que tuviera que rodar de una casa a otra como un paquete en mal estado.

—Me encargaré personalmente de que seáis devuelta a vuestra familia —dijo él con voz apagada.

—No quiero volver a casa —dijo ella, intentando que el pánico no se vislumbrara en su voz.

Aunque era demasiado sagaz como para engañarlo.

—¿Por qué no? —preguntó.

—Cabría pensar que un hombre que ha ido tan lejos para contratar un ama de llaves habría investigado más a fondo sus antecedentes. Imagino que conoce el incidente.

Él inclinó la cabeza, reconociendo que tenía razón.

—Tomad asiento, por favor.

Lo dijo con firmeza.

Lily obedeció, preguntándose quién era en realidad aquel hombre. ¿El temerario cochero que la había incomodado en la posada?

¿El disoluto duque que la había encandilado en un jardín a la luz de la luna? También ella había alterado sus papeles.

—Es evidente —dijo Samuel, sentándose en la otra punta del sillón—, que he metido a nuestros personajes en un atolladero.

Lily enarcó una ceja ante tan curiosa elección de palabras.

—He conseguido que ambos estemos en una situación tremendamente embarazosa —añadió.

Se refrenó ella de decir que estaba completamente de acuerdo.

—Pero —prosiguió él—, eso no significa que no vaya a intentar reparar este daño.

Lily notó un nudo en la garganta cuando levantó la cabeza para mirarlo a la cara.

—El daño ya estaba hecho antes de que llegara aquí.

—¿Qué pasó exactamente? No revelaré vuestras confidencias, pero es obvio que no decidisteis de repente convertiros en ama de llaves en vez de casaros solo porque lo considerabais mejor elección.

Ella bajó la vista.

—Lo era, de hecho.

—¿Cómo? —le animó él con delicadeza.

Podría haberle exigido una respuesta. Su agente en Londres debería habérselo preguntado. No podría creerse la versión que le diera ella de la historia, por mucho que estuviera tentada a desahogarse con una persona cuyo intelecto y audacia admiraba aun sin quererlo.

—Algo tenéis que saber ya del asunto —dijo ella sin levantar la vista—. Vi a mi prometido asesinar a un hombre en Piccadilly dos semanas antes de la fecha de la boda. Sucedió en plena calle y le disparó con una pistola que yo ni siquiera sabía que llevaba encima. Corrí a buscar ayuda. Los lacayos, el cochero y su amigo inspeccionaron los alrededores y solo encontraron un chucho callejero. El incidente quedó atribuido a mi imaginación.

La expresión de él se endureció.

—¿De verdad?

—Nadie me cree. —Se encogió de hombros—. Incluso mi propia familia quería que me retractase de mis palabras.

—¿Y por el simple hecho de haber sido testigo de un crimen os mandaron al exilio?

—Fui yo quien decidió marcharse. —Levantó la cabeza—. Debisteis de leer los periódicos. Vuestra oferta llegó en un momento providencial. Aunque no creo que fuera casualidad.

—Lo leí absolutamente todo —reconoció.

Lily entrecerró los ojos con incredulidad.

—¿Y aun así me trajisteis aquí?

—Las personas inteligentes no creen todo lo que leen.

Esperó a que dijera «sin embargo...», seguido por una sonrisa disimulada y la sugerencia de que cinco personas no podían pasar por alto un cuerpo tendido en plena calle. Y que un muerto no podía marcharse andando. Pero detrás de la mirada impasible de Samuel, intuyó que tenía en gran estima su confesión.

—¿Sería posible que resultara herido y huyera hacia una zona donde fuera imposible encontrarlo? —preguntó él por fin.

Lily negó con la cabeza, el recuerdo doloroso como una herida abierta.

—Es improbable. El hombre cayó al suelo y no volvió a moverse. Pero, ya veis, Jonathan y el señor Kirkham insisten en que ese hombre nunca existió y en que yo me lo inventé todo.

La miró a los ojos.

—¿Tenéis costumbre de mentir?

—No —respondió con ironía—. Pero como bien sabéis, de todos es conocido que soy una lectora apasionada de historias románticas.

Los ojos de él se iluminaron.

—¿Y solo por ese motivo no se puede confiar en vuestra palabra?

—Bueno, soy una mujer. Eso va en mi contra en un mundo de caballeros.

—No necesariamente. Los hay que tenemos debilidad por las mujeres necesitadas.

—Nadie me cree.

Él soltó todo el aire. Una sombra de rabia cruzó su rostro, transformándose en una emoción excesivamente oscura, demasiado prohibida como para que ella fuera capaz de analizarla.

—También yo os he decepcionado.

—Ya he recorrido el valle de la inocencia, excelencia —dijo Lily—. Mientras vos no seáis un asesino, me encuentro en mejor posición que siendo esposa de uno.

—Es la sugerencia más deprimente sobre mi carácter que he escuchado. Y, creedme, he escuchado bastantes.

Ella bajó la vista. La intensidad de su mirada le recordó lo indefensa que estaba.

—Os he traído aquí —dijo él en voz baja—. Sabía qué se decía sobre vos. Podéis quedaros todo el tiempo que gustéis.

—¿Cómo ama de llaves? —preguntó en tono desafiante.

Esbozó una sonrisa.

—Eso es lo que convenimos. No negaré que os deseo. —Le cogió la mano—. Pero os prometo que la elección será vuestra.

Indefensa, sí. Pero el contacto de su mano la puso sobre aviso de que seguía deseándola. La sensualidad tal vez fuera una de sus armas más potentes, a menos —y eso era altamente improbable— que lograra hacerle perder la cabeza con sus habilidades como ama de llaves. Estaba ante un duque joven, magnético, persuasivo y artero, que sería el sueño de cualquier cortesana. Sería difícil resistirse a sus encantos. Imposible negarse a ser protegida por él, puesto que no tenía adonde ir.

Estaba vinculada a él por un año. Había accedido a las condiciones de un contrato que debería haber leído. ¿Qué derechos le habría otorgado?

El duque separó la mano para deslizarla hacia su cintura. Su aroma era irresistible. Rendirse sería fácil. Aunque solo fuera por una noche. Ladeó la cara hacia él. Con cautela. Estaba en su poder. Su cuerpo deseaba ser tomado, llenado, consolado por el suyo.

—¿Teméis por vuestra vida? —le preguntó, la mano deteniéndose—. De ser así, os juro que en mi casa estaréis segura.

Su garganta emitió un gemido. El deseo se agitaba en su interior, un latido tenue e insistente. La preocupación que demostraba le hizo bajar la guardia. Nadie había pensado en preguntarle aquello. Nadie la había creído, y mucho menos considerado el riesgo que corría relatando la verdad. La otra mano de Samuel acarició la cascada de rizos que se derramaba sobre su hombro. La besó con prolongada atención. Ella imaginó que su pacto no estaría sellado del todo hasta que le hubiera dado placer sexual.

¿Sucumbiría? Tal vez. Lo que estaba haciéndole en aquellos momentos le producía una sensación de dicha inesperada.

Sus labios le prendieron fuego al deslizarse por su cuello, regresando a continuación a su boca. Su aliento era un cálido señuelo, su lengua un tizón. Sabía dónde acabarían conduciéndole aquellos besos. Se bamboleó hacia él. Era su destino.

Era la verdad. Aquella parte de ella que se había fortalecido después del fracaso de su enlace sentía una afinidad inexplicable con aquel hombre. ¿Un granuja o un romántico? ¿Un radical o un visionario? ¿Quién mejor para ofrecer refugio a una dama que había caído en la ruina? ¿A quién acudir mejor que a un hombre experto en el pecado? Retiró entonces la mano de la cintura.

Sus labios la acariciaron de nuevo.

—Un trato es un trato, Lily.

Su voz grave cautivaba sus sentidos. ¿Una promesa de posesión o de protección? Se escuchó responder con una firmeza que traicionaba el latido desenfrenado de su corazón. Experimentó una oleada de sexualidad, un hambre equiparable a la de él.

—Cumpliré nuestro contrato, excelencia.

La miró a los ojos.

—Aceptaré todo lo que me ofrezcáis y esperaré más.

Capítulo 22

Samuel tomó asiento a oscuras detrás de su mesa de despacho y cruzó los brazos por detrás de la cabeza. En una de las estanterías que tenía a sus espaldas, se apoyaban un mellado escudo y una oxidada lanza, recordatorio de que los sueños tenían un precio. Igual que, por lo visto, emplear una nueva ama de llaves.

Sonrió, rememorando su interludio con Lily. Le había lanzando una mirada de recriminación cuando se había armado del valor suficiente como para soltarla. A primera vista podría perfectamente parecer una codiciada amante capaz de elegir al amante que le apeteciera. Pero Samuel sabía muy bien lo que podía ocultarse detrás de una pose.

Había vivido disfrazado mucho tiempo. Y pese a su seductora compostura, Lily le parecía una mujer perdida que se esforzaba por no derrumbarse. La emoción contenida de sus ojos despertaba su carácter protector.

La deliciosa chica ganso que le había embelesado en Londres había desaparecido para siempre. Pero la princesa dorada en que tenía que convertirse era un misterio conmovedor y tal vez una tentación mayor de lo que era capaz de soportar.

Tenía claro que su enamoramiento era unilateral, un hecho que debería haber desalentado el condenado atractivo de Lily, pero el efecto era justo el contrario. Por mucho que hubiera perdido el rumbo, él sería fiel a su palabra y la cogería bajo su protección. Al fin y al cabo, la habría tomado como esposa.

Necesitaba una mujer como ella en su vida. Una mujer que defendiera la verdad.

Era categórica y fuerte. Se había negado a desmentir la verdad, jugándose con ello la reputación. Si no se hubiese enamorado de ella la noche del baile de disfraces, lo habría hecho ahora. Ojalá hubiera podido cortejarla. Habría preferido tener un idilio con ella hasta que Lily no hubiera podido resistirse a él.

¿Era menos valiosa porque un supuesto caballero la hubiera arruinado? Samuel refunfuñó. El sentimiento de culpa que pudiera tener por haberla llevado hasta allí a base de engaños empezaba a disiparse. Y por su vida juraría que la dama no había perdido la cabeza, por mucho que los chismosos afirmaran lo contrario.

Y aun habiéndola perdido, lo mismo habían dicho de él, y encajaría bien con el resto del personal.

Con suerte, el tiempo iría borrando su atractivo o acabaría ofreciendo solaz a sus necesidades sexuales. No había tocado a otra mujer desde la noche del baile de disfraces. Lo más cerca que había estado del lecho de una dama había sido en el mundo imaginario de *Wickbury*, donde Juliette había ofrecido su virtud a un villano a cambio de la vida de aquel gallardo benefactor.

Observó a regañadientes su entrepierna. Estaba duro como una roca. No imaginaba qué pensaría Lily de un hombre que esperaba seducirla sin tener la cortesía de despojarse del cinturón de la espada. Lo que enlazaba con un problema mayor aún que su prolongada erección: su otra identidad.

El duque de Gravenhurst había jurado a Lily que podía confiar en él. Y lo había dicho en serio. Pensaba hacer pedazos a cualquiera que le diera motivos para llorar.

Pero ¿podía lord Anónimo confiar en *ella*?

Descruzó los brazos para rascarse la frente. Samuel necesitaba escribir, aunque solo fuera para explotar sus demonios creativos antes de que acabaran consumiéndolo. Cierto, un duque no tenía necesidad de ganarse la vida entreteniendo a desconocidos con su oscura imaginación. De hecho, llevaba escribiendo escabrosas historias desde los siete años de edad, cuando su padre lo envío a pasar el verano con su tía pensando que le ayudaría a mejorar su delicada salud.

Un niño que tenía prohibido jugar con otros niños por temor a que pudiera enfermar de gravedad tenía que buscarse problemas en otras partes. Samuel había consagrado su vida a causar el máximo de problemas posible. Su familia, por desgracia —con la excepción de su hermana mayor— no había sobrevivido.

Cogió la pluma metálica y una hoja de su omnipresente pliego de papel en blanco. Escribía a menudo a oscuras, las líneas entrecruzándose, los pensamientos solapándose de tal modo que al día siguiente la mayor parte de lo que había escrito resultaba indescifrable. De diez páginas tal vez solo podía salvar una frase publicable. A veces era como sentirse inmerso en una liberación. En otras, habría sido mejor someterse a una extracción de sangre.

> Sir Renwick cogió a Juliette entre sus brazos y la besó como el hombre que bebe de un pozo después de estar una eternidad padeciendo sed. En la puerta, lord Wickbury se liberó del guardia que lo acorralaba. Un hilillo de sangre caía por el lateral de su boca. Se arrojó entre Juliette y su hermanastro, un héroe traicionado...

Samuel se quedó mirando la pluma. ¿Qué sentido tenía aquello? Le costaba imponerse disciplina con el aroma de la mujer que deseaba tan reciente aún en su cabeza. Suavidad. Inocencia deshaciéndose lentamente. Una tentación tan intensa que le abrasaba los nervios como agujas calientes.

Contempló el páramo desde la ventana, intentando unir fragmentos de información y formar una trama coherente. Lily había huido de Londres para escapar del matrimonio con un hombre que consideraba un asesino. El escándalo había sido velozmente acallado por los influyentes, aunque infames, Boscastle. De no haber manipulado la prensa él mismo en tantas ocasiones, no lo habría creído posible.

La creía.

Y en vez de ponerse a trabajar en el primer capítulo de su nuevo libro o acabar el huidizo capítulo final del actual, decidió escribir una carta a Benjamin Thurber, otorgándole poderes para poner de nuevo en marcha toda la maquinaria necesaria con el fin de descubrir qué había visto Lily aquella noche y comprender si necesitaba tomar medidas para protegerla.

Lily se despertó antes del amanecer y se preguntó por un momento dónde estaba. Y si se había despertado de una pesadilla para encontrarse en otra infinitamente peor. No. No era peor. Simplemente era peculiar. Prefería vivir como ama de llaves de un duque que como esposa de un desconocido. Podría haberse encontrado en un aprieto peor. Podría haber terminado en un manicomio, en lugar de en una casa solariega. Independientemente de lo que pasara en St. Aldwyn House, y de las indecencias que escondieran sus sombras, al menos sabía que no tendría que presenciar otro asesinato.

La posibilidad la impulsó a abandonar la comodidad de la cama. Alguien, e imaginaba que no habría sido el duque, había dejado en el sillón de la salita adyacente un delantal recién almidonado, un vestido azul de muselina, una cofia y un llavero circular con llaves de latón, junto con un plano del ala oeste. Comprendió que aquel sería su dominio: la cocina, la sala del ama de llaves, el jardín y algunos de los edificios secundarios exteriores. Se dio cuenta asimismo que desde la ventana de su habitación la vista alcanzaba más allá del jardín limitado con vallas cubiertas de rosales, y se vislumbraban las sepulturas de la colina. Cerró las cortinas, estremeciéndose.

Bajó y encontró rápidamente la sala del ama de llaves, el que sería su despacho privado. La estancia, agradablemente amueblada, contenía un escritorio, un sillón, una mesita con mantel para comer, un reloj de pie y una alacena cerrada con llave con los diversos elixires y medicamentos que ella dispensaría. Confiaba en saber qué estaba haciendo antes de que alguien cayera enfermo.

Se encaminó entonces a la gigantesca cocina, deteniéndose en el pasillo para examinar una pequeña capilla con olor a humedad. Cuando no estuviera supervisando cenas, rezaría para resistir la tentación. La cocina rebosaba actividad cuando llegó por fin, el fuego resplandeciente.

Los pinches picaban jugosas cebollas y chalotas arrancadas de las fragantes ristras colgadas de las vigas de roble del techo. El mayordomo, Bickerstaff, la saludó con un distraído gesto de cabeza y cruzó con ella cuatro palabras antes de desaparecer en su despensa para sacar brillo a la cubertería que se utilizaría en una fiesta que estaba planificada para finales de mes. Le explicó que los dos lacayos gemelos, Emmett y Ernest, compartían una habitación contigua a la cocina, donde limpiaban sus uniformes, chismorreaban acerca de los invitados y jugaban de vez en cuando a la pídola.

Un par de pinches frotaban las losas del suelo con una mezcla de cenizas y vinagre almacenada en sendos cubos. La acritud aguó los ojos de Lily. Una criada reabastecía el aparador con coñac, tarros de mantequilla y especias de importación.

Otra, que salía de la trascocina cargada con un cubo de agua sucia la saludó con una reverencia. Entonces vio a una joven que salía de una despensa con lo que parecía un jamón cubierto con un paño. Lily corrió a ayudarla.

—¿Es el jamón para el desayuno? —preguntó con amabilidad, depositando la bandeja en la mesa.

El parloteo a sus espaldas cesó de inmediato. Lily se giró y vio que Marie-Elaine y Wadsworth descendían por los tres peldaños de piedra que daban acceso al salón de los criados.

El ayuda de cámara levantó la nariz ante la bandeja cubierta.

—¿Jamón? Eso ni lo soñéis, querida. Los cerdos que viven en esta finca están cuidados como mascotas.

—¿Mascotas? —dijo sorprendida Lily.

—Cerdos, ovejas, pollos. —La señora Halford hizo una mueca—. Son nuestros amigos.

Marie-Elaine se colocó entre la cocinera y la mesa.

—Su excelencia no come carne. Y tampoco nosotros, por lo tanto.

Lily suspiró.

—Creí que lo decía en broma.

—Me temo que no —replicó Marie-Elaine.

La señora Halford retiró el paño que cubría una enorme col braseada.

—Qué poco apetecible. Confío en que no sea para desayunar. Bickerstaff salió de la despensa y volvió a cubrir la col.

—No hay ninguna necesidad de quedarse mirando eso a estas horas de la mañana. Es para mediodía. Su excelencia desayunará huevos, tostadas, mermelada y café.

—¿En qué habitación? —preguntó Lily, sin haber visto todavía ni rastro de él por la casa.

—No se ha levantado todavía —respondió Marie-Elaine, compartiendo una mirada de juguetón entendimiento con la cocinera—. Pero cuando se levanta, tiene la costumbre de comer en el ala este.

—¿El ala este? He estudiado el plano de la casa. El ala este no aparecía por ningún lado. Parece que está cerrada.

—Así es —dijo Marie-Elaine—. Por el momento, solo tenéis permiso para acceder a la parte oeste de la casa. Ahí es donde están vuestra habitación, salita y cocina.

—¿Por el momento? —preguntó Lily ante tanto misterio.

Empezó a sospechar que el duque tenía una amante escondida en algunas estancias privadas. Hizo una mueca. Imaginándoselo pasando sigilosamente de una cama a otra.

—¿Os parece correcto, señorita Boscastle?

¿Correcto? Olvidó sus ensoñaciones y escuchó la perfectamente modulada voz del duque al otro lado de la ventana de la cocina, un poni asomando el morro por encima de su hombro. Una de las criadas de la trascocina le pasó una zanahoria. Se le veía estupendamente descansado para tratarse de un hombre con aquellas inclinaciones.

—El ala este es para uso privado.

—Me parece bien —dijo Lily—. Es asunto vuestro si poseéis una colección de amas de llaves muertas que olvidaron seguir las reglas, o incluso de vivas que...

Captó el jadeo de una de las criadas. Evidentemente, Lily tardaría un tiempo en recordar que había dejado de ser una alegre dama de campo con libertad para bromear cuando le apeteciera. Ahora era una criada. Tendría que coserse la boca.

Pero el duque no parecía ofendido.

—Lo descubriréis si os quedáis aquí el tiempo suficiente —dijo.

«Y si accedéis a acostaros conmigo», daba a entender su mirada maliciosa.

Lily miró a los presentes con la esperanza de que nadie más hubiera llegado a esa conclusión. Por la risilla de Bickerstaff era evidente que había interpretado a la perfección lo que había querido decir el duque y que ella era la única que desconocía el secreto.

Capítulo 23

Y pasó su primer día como ama de llaves de St. Aldwyn House. Y el siguiente. Hasta que pasaron volando nueve días y, pese a que jamás en su vida había trabajado tan duro, tampoco nunca había encajado con tanta naturalidad entre un grupo de gente.

Se había dado cuenta enseguida de que no solo era el duque el que la vigilaba de cerca. Marie-Elaine la observaba como un halcón, y Samuel, pese a su presencia como amo y señor del lugar, había desaparecido virtualmente.

Lily empezaba a sospechar que se arrepentía de la decisión de haberla contratado. No solo parecía evitarla durante el día, sino que pasaba las horas encerrado en esa ala oeste que tenía ella prohibida. Tal vez la prohibición tuviera como objetivo provocar su curiosidad natural y, en consecuencia, confirmarla como persona de poca confianza para aquel trabajo.

Pero Lily no sentía ni la más mínima tentación de explorar otras partes de la casa. Cuantas menos estancias tuviera bajo su responsabilidad, mejor.

Jamás se había imaginado la cantidad de trabajo que exigía mantener una propiedad de aquel tamaño. Mientras que en su frívolo pasado había admirado despreocupadamente los numerosos cuadros, bustos de escayola y arañas de cristal tallado que decoraban su modesta casa en Tissington, ahora consideraba aquellos objetos como desagradables acumuladores de polvo.

El duque parecía ser un ávido coleccionista de las piezas más caprichosas que hubiera podido contemplar en cualquier museo, algunas de ellas chillonas y carentes de gracia. La mesa de velatorio irlandesa de la sala del desayuno le provocaba un escalofrío cada vez que pasaba por su lado. La armadura que había junto a la escalera matraqueaba siempre que el mayordomo cerraba alguna puerta.

Pero el manuscrito iluminado flamenco expuesto en la mesita votiva del vestíbulo de acceso al gran salón era una obra de arte. Lily suponía que eran objetos de alguna herencia, hasta que un día, tomando el té, Marie-Elaine le explicó que en su mayoría eran regalos de simpatizantes de todo el mundo. Desconocidos. Potentados. Diplomáticos.

—¿Por qué? —preguntó ella mientras ayudaba a Marie-Elaine a reabastecer los armarios con ropa de cama, jabón y velas—. Sé que el duque es una persona influyente.

Marie-Elaine bajó la voz.

—Es un hombre diferente; es lo único que puedo deciros. Y no hay mejor señor en el mundo. Gente que ni siquiera le conoce le envía regalos. Los guarda todos. Tal vez sea por lo de la política.

—¿Y por qué esa aura tan misteriosa? —preguntó Lily—. ¿Por qué esa tontería tan dramática de cerrar la otra ala? ¿Qué tiene que esconder su excelencia? Comprendo que no es de mi incumbencia fisgonear, pero es como si estuviera buscando que se lo preguntara. Me parece absurdo.

—Yo no diría que no tiene nada que esconder —replicó Marie-Elaine, callándose de repente, lo que solo sirvió para incrementar la curiosidad de Lily.

El comportamiento del duque tenía poco sentido. Parrandeaba por Londres todo lo que le apetecía. Era una figura conocida, y notoria, de la alta sociedad. Y en casa era un hombre que no solo se aislaba, sino que además daba órdenes a su personal para que hiciese lo mismo. Aunque Lily también deseaba esconderse. Su aislamiento ya le iba bien. Por mucho que no pudiera esconderse del deseo que brillaba en los ojos del duque y que ella detectaba cuando él creía que no estaba mirándolo.

Y se preguntaba por todas las amantes que supuestamente tenía escondidas pendientes aún de aparecer, una situación que no mejoraba el intimidante viaje hasta Dartmoor.

Pero después de casi una quincena como empleada, no podía negar que en St. Aldwyn había algo raro, y que fuera lo que fuese, no parecía estar relacionado con la reputación del duque.

Sin embargo, le resultaba imposible identificar con exactitud la naturaleza de sus actividades clandestinas.

Había oído varias veces a los criados riendo detrás de puertas cerradas, para encontrarse con el silencio más sepulcral en cuanto ella había entrado en la estancia, confiando en sumarse a las bromas. ¿Sería su origen de clase alta lo que la condenaba al ostracismo? ¿Les habrían alertado de que se le había ido la cabeza justo antes de su boda? ¿O acaso no le tenían respeto porque el duque no se había tomado la molestia de ocultar las intenciones que tenía de entrada respecto a ella?

Tal vez el duque practicara las artes oscuras. Lily no había olvidado que el abogado le había preguntado si temía lo sobrenatural. ¿Qué querría decir con eso?

Un extraño instinto la despertó la doceava noche de su estancia en St. Aldwyn House. Retiró la colcha y se sentó en la cama, atenta, preguntándose si estaría soplando el viento con fuerza mientras dormía. Sus intensas ráfagas solían ser más acentuadas con la quietud. Pero las ramas del avellano que se perfilaba tras la cortina estaban inmóviles.

No escuchó gritos pidiendo ayuda.

La advertencia de Marie-Elaine, que le había parecido ridícula a la luz del día, estaba ahora llena de sentido.

«Por vuestra paz mental, permaneced en la habitación cuando todo el mundo se haya acostado. No exploréis la casa a altas horas de la noche si sabéis lo que os conviene.»

Lily abandonó la cama y se acercó decidida a la ventana. Desde donde estaba, no podría haber visto ninguna cosa rara en el ala este, ni siquiera con un telescopio. Pero, para su asombro, *sí* vislumbró una figura que le resultaba familiar bailando ágilmente detrás de las rocas de la ladera de la colina.

Otro hombre —cielo santo, parecía Bickerstaff— sujetaba un farolillo y un objeto que parecía un libro.

Se le puso la piel de gallina ante tan impía visión. Pasó la palma de la mano por el cristal. El duque parecía agitado, animado, ensoñadoramente atractivo desde su punto de vista.

Recordó que la mañana del día del baile de disfraces había participado en un duelo. ¿Habría retado a su propio mayordomo? ¿Otro entreno de esgrima? ¿Una sociedad de espías que se reunía en un páramo remoto para organizar sus iniciativas clandestinas? Tal vez los gritos que había percibido en la oscuridad fueran de los prisioneros que el duque mantenía retenidos con quién sabía qué fin. Tal vez prefiriera no saberlo.

Suspiró. Nadie la creería ahora. Ya no la habían creído antes. Pero cuanto más miraba, más le daba la impresión de que el duque no blandía una espada, sino un instrumento alargado, como si estuviera realizando algún tipo de ritual.

¿Estaría ensayando o practicando un hechizo?

Negó con la cabeza. Fuera como fuese, se movía en la neblina como acero líquido y se comportaba como un espadachín de ensueño. Incluso de lejos podía apreciarse su habilidad con el sable. Y Lily se preguntó qué estaría haciendo entrenando a aquellas horas. Con un palo.

Respuesta.

Retirada.

Anticipación.

Lily experimentó una punzada de añoranza al recordar las muchas veces que había visto a su hermano practicando la esgrima junto al arroyo. Sin embargo, las habilidades de Gerald no podían competir con la destreza del duque. ¿La echaría también de menos su hermano, su familia?

Suspiró de nuevo, Samuel reclamando otra vez su atención.

Su largo cabello negro absorbía el destello de la luz de la luna. El ceñido pantalón de raso y las robustas botas moldeaban sus perfectas formas varoniles de un modo que agitaba no solo sus sentidos femeninos, sino también un recuerdo almacenado en lo más recóndito de su mente.

Juraría que había presenciado aquella misma representación en el pasado. Tal vez fuera actor aficionado. Podía tratarse de un acto de una obra famosa que había estudiado años atrás. ¿Acaso la noche del baile de disfraces no se había preguntado si sería un actor?

Unos veinte minutos más tarde, Bickerstaff y el duque desaparecieron en la neblina que cubría la propiedad. Lily volvió a la cama, aunque le resultó imposible volver a conciliar el sueño.

Por la mañana se emplearía con diligencia en su trabajo. Quitaría aquella terca mancha de vino tinto del aparador de mármol de la sala de estar principal. Estudiaría sus libros de cocina y ordenaría a las criadas que limpiaran las telarañas de la vajilla de Straffordshire del duque.

Y fingiría no haber visto la conducta de este desde la ventana. No reconocería haber estado espiándolo porque, por irracional que pudiera parecer visto desde fuera, Lily comprendía que estaba más segura aquí que en cualquier otra parte.

Capítulo 24

De acuerdo —dijo Bickerstaff, temblando bajo la niebla—, aquí tenemos la tumba de la virgen. Bajo ella yacen los huesos de Elizabeth Anne, la pobre hermana asesinada de sir Renwick.

—¿Por qué tenemos que representar esta parte? —preguntó Samuel—. Ya fue bastante perturbador escribirla. ¿Quién asistiría a una ópera sobre fantasmas?

—Estamos haciéndolo como precaución pensando en vuestros lectores, excelencia. Imagino que no deseareis que salga publicado un hechizo para levantar a una doncella virgen de su tumba en el improbable caso de que funcionara.

Samuel resopló.

—Eres una persona inteligente. ¿Qué probabilidades crees que tenemos de que sea así?

—Con los años que llevo trabajando en St. Aldwyn House, jamás se me ocurriría infravalorar vuestras habilidades.

—Deja ya de adularme.

—Nunca se sabe, excelencia.

Samuel se apoyó en el túmulo de mayor tamaño.

—Con la excepción de que *no* sabemos si aquí hay realmente enterrada una familia de la Alta Edad Media, o si tuvieron una hija, y *si*, en caso de tenerla, era virtuosa.

—Cierto —murmuró Bickerstaff, estudiando el libro de pergamino que se deshizo por la esquina inferior en cuanto giró la página—. Pero lord Anónimo tiene una responsabilidad. Imagino que no querrá que chicas inocentes vean perturbado su eterno descanso por haber revelado un antiguo hechizo en sus libros.

—Es sir Renwick quien lo hace —le recordó Samuel—. No yo. Está intentando por última vez resucitar a la hermana que asesinó con la esperanza de que ella pueda salvarle de la maldición que cae sobre él.

Bickerstaff suspiró.

—Muy romántico, excelencia. Todos sabemos que lord Wickbury renovará sus fuerzas para rescatar a Juliette, y a la desamparada hermana de Renwick.

—Pues yo no estoy tan seguro. No sé que haría cualquiera de nosotros si el esqueleto de una dama asomara la cabeza entre las piedras y nos dijera: «Dejad de una vez de intentar resucitarme. Me he ganado el descanso eterno». Creo que se desmayaría como una doncella.

—¿Acabo de leer el hechizo o no? Pasará un mes entero hasta la próxima noche de luna llena.

—Tendré que volver a escribir la escena si... —Samuel cogió a Bickerstaff por los faldones y tiró de él para esconderse detrás de las piedras—. Apaga el farolillo —dijo divertido—. Están observándonos desde la esquina del ala oeste.

Bickerstaff apagó obedientemente el farolillo y forzó la vista para ver entre la neblina.

—Su excelencia se equivoca. La... Ah, la ventana del ama de llaves.

Samuel rió entre dientes.

—Esta vez nos ha visto.

Bickerstaff cerró el volumen de hechizos antiguos y sintió un fuerte escozor en la nariz provocado por los efluvios que levantaron las frágiles páginas.

—Es evidente que su excelencia tiene otra doncella de la que preocuparse.

—Y viva, además.

Lily estaba cortando flores en el jardín a la mañana siguiente cuando vio en la verja al reverendo del pueblo. Evidentemente, ansiaba llamarle la atención. Lo habría ignorado de no ser porque empezó a gritarle hasta obligarla a levantar la cabeza y reconocer la presencia de un rostro joven y amigable.

—¡El domingo pasado os eché en falta en la iglesia! —gritó, su mano abriendo ya la verja—. Soy el reverendo Cedric Doughty. Mi esposa quiere que vengáis a tomar el té.

Lily se ruborizó, incómoda con sus botas embarradas y los cerdos siguiéndola por todas partes. No le habían dicho que podía esperar compañía.

—Estoy instalándome, señor Doughty. Tendréis que disculparme. Es una propiedad muy grande que gestionar.

—Es una propiedad de indeterminada maldad —dijo sin más preámbulos, y se quedó mirando a Lily a los ojos como si ella tuviera que derrumbarse y darle motivos para corroborar su afirmación.

Lily se enderezó.

—Maldad la hay por todas partes.

El reverendo bajó entonces la voz y miró la carretilla cargada con turba estacionada frente al granero. Lily no estaba del todo segura, pero le pareció ver un par de pies junto a la sombra de la carretilla.

—¿Habéis tenido tentaciones de participar en algún acto de pecado y os gustaría confesar? —preguntó el reverendo.

Lily se quedó mirándolo.

—¿Estáis preguntándome si me dedico a espiar las actividades personales de mi señor?

—En el caso de que tales actividades fueran en contra de las leyes de Dios, os convendría sacarlas a la luz de la salvación.

—Lo que me conviene es acordarme de sacar los huevos de entre las serraduras para poder prepararle a su excelencia la tortilla —replicó ella, mirando sin querer en dirección a la colina, donde la noche anterior el duque andaba metido en algo realmente inusual.

El reverendo pestañeó, su rostro encendido por encima del cuello de clérigo.

—Parecéis una dama decente pese a haberos descarriado.

—Os sorprendería. Para vuestra información, señor Doughty, lo que está en duda es mi cordura. El duque me aceptó porque nadie más quería contratarme.

—Vuestra cordura. —Parecía decepcionado—. Para eso sí que hay poca ayuda. Saludad al duque de mi parte. Confío en ver a toda su casa, vos incluida, en la iglesia el domingo.

Lily lo observó montar de nuevo en el poni y desaparecer.

—Ahora ya podéis salir de detrás de la carretilla —dijo, girándose y acercándose directamente a la figura inmóvil del duque.

Nunca se habría imaginado que fuera él quien estaba escondido.

—Excelencia —dijo, estremeciéndose bajo la larga y penetrante mirada que él le lanzó—. No sabía que estabais aquí.

El duque sonrió. Una repentina brisa arrugó los pliegues de su corbatín, impecablemente almidonado. El tejido blanco casaba a la perfección con la levita de color gris antracita y el pantalón ceñido.

—Siempre procuro mantenerme escondido cuando alguien confía en redimir mi alma. —La miró a los ojos—. Habéis superado su interrogatorio como una...

—¿Maestra del espionaje?

—Una analogía curiosa, pero sí.

Lily se humedeció el labio inferior.

—¿Lo habéis oído todo?

—Sí. Pensé en intervenir, pero habéis manejado la situación mejor de lo que yo lo habría hecho. Suelo confesar algún que otro pecado siempre que me aborda, para que me conceda el perdón y se largue. Pero nunca funciona, a decir verdad. Sabe que miento, lo cual ya es otro pecado de por sí.

—No me extraña que esté convencido de que estáis aliado con el diablo.

—No deberíais haberle contado nada sobre vuestro pasado a ese pío fisgón. No es asunto suyo. Dono dinero a la parroquia.

Se apoderó de ella una involuntaria sensación de satisfacción.

—No he revelado ninguno de los secretos de vuestra excelencia.

—¿Cómo sabéis que tengo algo que ocultar?

Su oscura mirada la inundó de una felicidad irracional.

—Que tengáis algo que ocultar o no, no es asunto *mío*.

Miró él en dirección a la casa, meditabundo.

—Será esta noche.

—No os entiendo.

—Esta noche vamos a celebrar una fiesta a las once en el ala este.

Lily lo miró con toda la calma de la que fue capaz. Aunque la hubiera invitado a inspeccionar el palomar, le habría parecido una aventura.

—¿A las once? Si hay algún menú que prefiráis especialmente, disponemos de poco tiempo para su adecuada preparación. Estoy... —Tuvo que controlarse—. Estoy aún aprendiendo las reglas, excelencia.

—En esta casa no observamos muchas reglas. Supongo que es por mi culpa, por ser excesivamente liberal.

—A las once —repitió Lily, eludiendo la pregunta que ansiaba preguntar—. En el ala este. Haré lo posible por tener preparada una buena mesa. ¿Cuántos invitados espera su excelencia?

Él le respondió con una sonrisa que desafiaba la decencia.

—Vais a ser mi invitada de honor, señorita Boscastle. Permitidme invertir los papeles y entreteneros la velada. Creo que ha llegado el momento de dar el siguiente paso en vuestra iniciación en nuestra casa. Siempre y cuando aceptéis. La asistencia, sin embargo, es un paso irrevocable. Si venís a mi mesa, se os desaconsejará marcharos de aquí pasada esta noche. ¿Comprendido?

Tuvo que esforzarse en mantener una conducta solemne. Era evidente que era todo un actor.

—¿Transcurrirá toda la velada de esta manera furtiva?

—Sí. —Miró la cofia—. Tenéis un vestido decente.

—Tengo varios.

No tenía ni idea de a qué podía referirse. Sonaba un poco depravado y completamente misterioso.

—A las once en punto —dijo ella—. Como vuestra invitada de honor. No me lo perdería por nada en el mundo.

Capítulo 25

Lily se moría de ganas de que llegara la noche. El suspense le tensaba los nervios. Poco después de comer, tiró al suelo el mejor cuenco de porcelana del duque. Luego se le resbalaron dos huevos de la cesta, que acabaron estrellándose contra el fregadero. Los criados —y *no* eran imaginaciones suyas— sonreían y se daban codazos entre ellos, como agentes secretos encargados de informar de todos sus movimientos. La hija de Marie-Elaine la siguió cuando salió al jardín a recoger flores de lavanda para endulzar su baño. No podía doblar ni una toalla sin que el personal detuviera toda su actividad para mirarla.

A la hora del té, sintió tentaciones de pasarse el delantal por la cabeza, coger un cuchillo de la cocina y amenazar a los lacayos en francés para que hablaran. O si no, ya sabían qué les esperaba.

Antes de que cayera la noche apareció otro miembro del personal, un caballero que no conocía y que le fue presentado como el administrador del duque. Parecía una momia y llevaba los guantes más grandes que Lily hubiera visto en su vida. Marie-Elaine se refirió a él como «el escurridizo señor Lawton», puesto que visitaba St. Aldwyn House solo dos veces al mes. El resto del tiempo estaba desaparecido ocupándose de los negocios del duque.

Llegó la noche. Se bañó a la luz de las velas y se vistió con el vestido de gasa color rosa rubor que había sido diseñado como parte de su ajuar.

Un ama de llaves jamás se atrevería a lucir un vestido como aquel. Pero esta noche Lily era una invitada de honor. Se recogió el cabello en un recatado moño a la altura de la nuca. No se puso joyas. Ver su imagen reflejada en el espejo fue un consuelo. La cofia de ama de llaves y la falda de muselina sin adornos añadían grosor a su cara y sus caderas, dos zonas que, en opinión suya, no necesitaban peso de más. Su tez había adquirido color desde que trabajaba en el jardín.

Se dio cuenta entonces de que empezaba a recuperarse de la ruptura de su compromiso. Su opinión contaba en aquella casa. Cierto, el duque la provocaba de vez en cuando, pero con un estilo seductor. Ella también le provocaba, pero intuía que a él no le importaba. Más bien al contrario. Daba la impresión de que la animaba a hacerlo.

¿Estaría la velada a la altura de sus expectativas?

¿Descubriría que el duque supervisaba una sociedad secreta de excéntricos que estaba ansiosa por sumar un miembro más a la manada? Se esforzó por mantener un porte solemne al descender las escaleras hasta él, que la aguardaba a los pies de la misma, vestido de traje negro de noche, dispuesto a escoltarla hacia el ala este. Se detuvo. Por fin.

La tierra prohibida.

Recorrieron los pasillos alumbrados por las antorchas hasta llegar a una puerta decorada con un friso de escayola donde aparecían representados dos leones bíblicos montando guardia. Lily miró hacia atrás, jadeando levemente. El reflejo del duque empequeñecía el de ella en la serie de espejos de cristal veneciano y marco dorado montados sobre las paredes. En la terraza exterior, una fuente lanzaba al aire brillante espuma, joyas líquidas.

—Estáis preciosa, Lily —dijo el duque.

Ella volvió la cabeza, desprevenida ante el resplandor de satisfacción de los ojos de él. Sintió una oleada de calor a pesar de que la neblina del páramo empezaba a filtrarse por las puertas abiertas y se enroscaba en torno a las columnas jónicas.

—Gracias —susurró.

—Gracias a vos por aceptar la invitación. Temía que cambiarais de idea.

Distintos tipos de armas decoraban los muros, había estatuas agrupadas formando escenas mitológicas, y los tapices y los frescos del techo describían fábulas francesas.

Bustos de Shakespeare, Goethe y Defoe ocupaban una galería con arcos cubierta con grandes ventanales. El lugar parecía un tributo a los grandes narradores de todos los tiempos. Al menos, lo de su amor por las artes no era ninguna mentira.

—Es increíble —dijo Lily, moviendo la cabeza con admiración.

Samuel sonrió.

—Es un alivio que os lo parezca. Confiaba en que no os sintierais abrumada.

Por él. Tal vez. Pero aquella ala de la casa...

Era su dominio, un mundo de caprichos, un lugar secreto esculpido a partir de sueños. Y él parecía su príncipe, como si acabara de salir de un cuento de hadas, su entallado atuendo de noche subrayando su esbelta elegancia. Cualquier sugerencia de delgadez desapareció en el instante en que le tomó la mano. Rozó con los dedos un torso masculino que despertó por entero su cuerpo. Él se la presionó en un gesto posesivo, estabilizándola y desconcertándola a la vez. El apretón la animó a esperar solo un poco más hasta ver la sorpresa que le tenía preparada.

Esperar. ¿Cuánto tiempo más *podría* esperar?

No le parecía el momento adecuado para pedirle explicaciones acerca de los gemidos de angustia que había oído por la noche, los gritos suplicantes pidiendo piedad, la espeluznante escena que le había visto representar detrás de los túmulos funerarios. Tal vez debería estar asustada. De no haber encontrado tanta amabilidad en aquella casa, sentiría tentaciones de dar media vuelta y salir huyendo. Pero su curiosidad la empujaba a descubrir la verdad.

¿Preferiría después no haberla sabido?

La explicación menos plausible de aquel misterio era que el duque de Gravenhurst había formado una organización clandestina de damas y caballeros maliciosos que se reunían en aquella aislada finca para hacer realidad sus deseos más indisciplinados. El jefe del grupo la fascinaba inmensamente.

Y Lily iba a ser iniciada como el ama de llaves de su atrevida sociedad. A juzgar por las obras de arte de aquel salón, sus miembros eran gente culta, aunque lasciva.

Recordó una ilustración de un libro subido de tono que había leído en una ocasión sobre el Hellfire Club y sus imitadores. En ella, una dama con el corsé a medio desabrochar y armada con un látigo aparecía de pie en una estancia iluminada por la luz de las velas, varios hombres con el torso descubierto arrodillados a sus pies. Lily sustituyó rápidamente la imagen por la de una aristócrata vestida decentemente moviendo una cucharilla de té. La imaginación la hacía viajar a veces a lugares muy curiosos.

—¿Lily? —dijo con delicadeza el duque, cuestionándose su repentina actitud dubitativa—. Creo que nuestra compañía está lista para recibirnos.

De pronto, decidió que tal vez *ella* no estuviera lista para disfrutar de la compañía de él.

El duque volvió a sonreírle.

¿Cómo resistirse?

Notó la presión de sus dedos enguantados, transmitiéndole fuerzas. Su presencia le infundía una excitación temeraria que superaba todas sus dudas. A pesar de su posición actual, la habían criado para ser una dama educada. Ya era demasiado tarde para rechazar la invitación. Los ojos del duque brillaban como humo cargado de chispitas de caos.

Se abrieron las puertas.

Respiró hondo.

Bickerstaff, vestido con una inmaculada librea, los recibió con una reverencia. Emmett y Ernest se pusieron de pie en los dos extremos de la gigantesca mesa iluminada con candelabros dorados de largos brazos. Platos de plata recargadamente ornamentados brillaban sobre el blanco puro del mantel adamascado. Los invitados se levantaron mientras el duque avanzaba con ella de la mano: Marie-Elaine, la señora Halford, Wadsworth, otros criados, el reverendo Cedric Doughty y su joven esposa, y otro caballero que le presentó como el barón Ardmore, amigo y poeta de un pueblo vecino.

Miró las bandejas que no había visto preparadas. Samuel la acompañó hasta su silla. Las figuras doradas de una dama y un caballero se abrazaron bajo la cúpula de cristal del reloj de bronce dorado que ocupaba la repisa de la chimenea. Eran más de las once.

—Sentaos, Lily —susurró Samuel, dándole un delicado empujón—. Estoy seguro de que imagináis que tengo un secreto. Ha llegado la hora de compartirlo con vos. Sé que estaréis de acuerdo en ello.

Lily volvió a mirar la mesa.

—Sí, deseo conocer la verdad.

O eso al menos creía.

La esposa del reverendo le sonrió, su aspecto demasiado recatado para pertenecer a un club amoroso. Tampoco se veían por ningún lado látigos, cadenas o altares para sacrificios. Naturalmente, en el ala este había más estancias. ¿Se adentraría ella en otro laberinto de secretos?

Su expresión reveló lo que pensaba.

—Sentaos —dijo Samuel, claramente divirtiéndose.

Sus modales, ya conocidos, la tranquilizaron.

Tomó asiento y miró al duque con ojos entrecerrados. Jamás había conocido a un caballero capaz de jugar un juego tan seductor como aquel.

—Una confesión a medianoche —dijo, controlando la voz, las manos temblorosas—. Lo reconozco. Vuestra excelencia me tiene intrigada.

Samuel levantó la copa de vino hacia ella con mordaz alegría.

—Sois un público cautivo. Ahora pertenecéis a este lugar.

Lily notó que se le aceleraba el pulso. Los demás invitados la miraban. Parecían perfectamente normales, en caso de que fuera excusable entretener a los empleados por una noche. No tenía nada que ver con la velada saturnal que temía, aunque no podía ignorar las últimas palabras pronunciadas por el duque, la expectación que flotaba en el ambiente.

Levantó la barbilla, su voz débil pero clara.

—¿Y a qué pertenezco exactamente?

Capítulo 26

Podría haber respondido «A mí».

No deseaba otra cosa que ser su protector, que reavivar la chispa que había prendido entre ellos en Londres. Pero aun así, ahora que comprendía por qué se había visto forzada a ir con él, se sentiría medio hombre de aprovecharse del refugio que había decidido proporcionarle. Lily tendría que admitir que le deseaba por voluntad propia. Y a él así se lo parecía. Rogaba a Dios no estropear aquella oportunidad revelándole esta noche su verdadera identidad. Y que ella no lo considerara un farsante a partir de ese momento.

Si ella le traicionaba lo perdería todo. Necesitaba su confianza tal vez incluso más que ella lo necesitaba a él.

Daría cualquier cosa por retenerla en su casa. Desde su llegada, había descubierto en ella una profundidad de carácter completamente seductora. Cualquier otra mujer habría considerado aceptar un puesto en el servicio doméstico como un paso denigrante, una caída al vacío. Pero Lily había aceptado su lugar con humildad. Trataba como amigos a los demás criados. No había permitido que su desgracia le robara la dignidad.

Era perfecta para él, para lord Anónimo y para St. Aldwyn House. Jamás encontraría otra mujer como ella. Ninguna de las heroínas de su creación podía competir con Lily en cuanto a provocarle tensión y emociones.

Le sonrió por encima del borde de la copa. Estaba deliciosa con aquel vestido de gasa rosa. Soltó el aire lentamente. Los ojos de Lily reflejaban bondadosa confusión, una cauta disposición a seguir el juego.

—¿Y bien? —musitó ella con cierto matiz de impaciencia, sus hombros levantándose en un gesto de encogimiento que le llevó a desear poder estar a solas con ella—. Adelante con lo que sea. Una confesión a medianoche. Me iría estupendamente un poco de diversión en mi vida.

—Bienvenida a Wickbury, Lily. No puedo expresaros lo encantado que estoy de que entréis a formar parte de nuestro mundo.

Se quedó mirándolo casi como una estúpida, los demás invitados iniciando conversaciones que la superaban por todos lados. La verdad tardó unos instantes en penetrar su aturdimiento. Los ojos de él bailaban de alegría, una mirada totalmente desvergonzada.

—Wickbury —dijo ella, oyéndose reír a carcajadas, una reacción para ocultar su perplejidad, una oleada de ansiedad.

—Creo que lo ha sabido todo el tiempo —dijo en voz baja Marie-Elaine.

La esposa del reverendo le lanzó una mirada compasiva.

—Yo tampoco me lo creía cuando nos instalamos en la parroquia. Mi esposo tardó dos años en contármelo, y solo porque me sorprendió con uno de esos libros. Entonces me vi obligada a confesar mi enamoramiento por el autor. Me gané una regañina.

—El autor. —Lily se levantó de la silla, estudiando el rostro de Samuel—. Sois...

—Lord Anónimo.

Se puso en pie, luciendo aquella hermosa sonrisa que la había cautivado la noche del baile de disfraces.

Ella negó con la cabeza, incrédula. ¿Cómo era posible que no lo hubiera imaginado? Le había dado tantas pistas que ni contarlas podría.

—Sois...

Él hizo una mueca.

—No me hagáis repetir ese absurdo apodo. No lo elegí yo.

—Y todo el mundo acusándome a mí de locura —dijo ella—. Nunca lo habría soñado. ¿*Estoy* soñando?

Volvió a sentarse, tan pasmada que apenas se dio cuenta de que los demás invitados y miembros del personal abandonaban la mesa y la estancia, a continuación. De pronto se quedó a solas con lord Anónimo. Formaba parte de su círculo más íntimo.

—Es como si hubiera atravesado un espejo —se dijo distraída para sus adentros.

—¿A qué os referís?

—Esto es el otro lado de lo que veía... o lo que queríais mostrarme. Todo el mundo parece igual por fuera, pero antes no eran más que reflejos. —No pudo evitar el matiz de censura que se apoderó de su voz—. Sois mucho más profundo de lo que al principio me pareció.

—¿Y eso os turba? —preguntó él con preocupación.

Lo miró con mala cara.

—Concededme, por favor, un poco de tiempo para decidirlo.

La llama de las velas acentuaba la engañosa vulnerabilidad del rostro de él. Ella miró a su alrededor, fijando la vista en las sillas vacías que habían ocupado el reverendo y su esposa. Sofocó un grito al caer en la cuenta.

—*Oh* —dijo, mirando a Samuel a los ojos—. Lo hicisteis para ponerme a prueba. Para que me tentara y os traicionara. Sois los dos horrendos.

—La idea fue de él.

—Eso no es excusa.

Samuel inclinó la cabeza, pero el gesto no conmovió a Lily.

—No me traicionasteis —dijo él, levantando de nuevo la vista—. Por lo que recuerdo, me defendisteis.

—Sí, sin saber quién erais en realidad. Y eso que no estabais simplemente escuchando a hurtadillas, sino esperando hacerme caer en una trampa.

La miró con ojos entrecerrados, mostrando con ello su desacuerdo.

—Esperaba justo lo contrario.

Lily no sabía qué pensar de él.

—¿Qué habríais hecho si me hubiese arrojado a sus pies y suplicado que me salvara?

—Habría sido un problema —reconoció.

—Caí de cuatro patas en vuestra trampa —dijo pensativa.

Samuel inclinó la cabeza hacia ella.

—Acercaos, os lo imploro.

—Tumbareis el vino —susurró ella, con la voz tomada—. A vuestra ama de llaves no le gustaría nada.

—En ese caso, tendré que ir con cuidado —le susurró al oído—. Lo que más deseo, por encima de todo, es ganarme su aprobación.

Acercó su silla a la de ella y tomó asiento. Sus rodillas se rozaron. Lily no podía moverse.

—¿Qué opináis? ¿Es realmente un impacto?

—Un eufemismo.

—Bebed un poco de vino.

Ella dio unos sorbos.

—¿Os ayuda? —preguntó preocupado.

Asintió por pura cortesía y miró la mano que él tenía posada sobre la mesa. Intentó imaginarse sus largos dedos enguantados cogiendo una pluma, escribiendo las oscuras historias que le habían robado el corazón. Pero lo único que lograba visualizar era aquella mano deslizándose por su espalda. El duque de la dualidad. ¿Era un impacto? Apuró lo que quedaba de vino. No sabía si era tinto o blanco. Estaba tan aturdida que ni notaba la diferencia. Ni siquiera había puesto ella la mesa.

—Jamás en mi vida había estado tan equivocada respecto a algo —dijo sin pensar.

La miró con más preocupación si cabe.

—¿A qué os referís?

—Al autor de *Wickbury*. No sois una mujer.

Sus carcajadas resonaron agradablemente en la estancia.

—Confío en no haberos decepcionado por ello.

Lo miró a la cara.

—No.

No sabía lo que sentía. Tal vez fuera euforia, curiosidad, alivio, sin lugar a dudas.

Él dijo:

—Nunca podréis imaginaros lo tentado que estuve a demostrároslo la noche del baile de disfraces.

Ella negó de nuevo con la cabeza.

—Temía que fuerais a confesarme que erais una especie de hechicero.

—¿Cómo sir Renwick Hexworthy?

—Ahora que lo mencionáis, sí.

La miró con una intensidad que Lily no podía pasar por alto.

—Recuerdo que lo preferíais por encima de Wickbury.

Notó de repente que el vino le había subido a la cabeza.

—Aunque, naturalmente, ninguno de los dos es real.

Él bajó la voz para hablarle en tono confidencial.

—Para mí lo son.

No era solo lord Anónimo. Era también Michael, lord Wickbury, el joven conde exiliado, el héroe demasiado valiente para su propio bien. Era sir Renwick Hexworthy, el villano que las damas lectoras ansiaban redimir. Vara larga. Y lord Wickbury, ancha espada. Toda presunción. ¿O estaría en realidad mágicamente dotado? La serie insinuaba siempre la destreza sexual de ambos hombres. ¿Por qué tendría que pensar en eso ahora?

Lily suspiró. De modo que *eso* era lo que Samuel y Bickerstaff estaban haciendo detrás de los túmulos la otra noche. La escena le resultaba familiar porque la había presagiado en la última novela publicada. ¿Cómo no conmoverse el corazón de una mujer con un bergante cuyo dolor lo había empujado a la ruina?

Traiciones. Rapto. Pactos secretos. Desenterrar hermanas muertas. Trampillas y alquimia. Como si con ser un duque no fuera suficiente.

Sus pensamientos se descontrolaron. Aquel hombre —es decir, el escritor— la había mantenido en vela interminables noches con sus deliciosas intrigas. Y eso antes de conocer a aquel granuja. O granujas. El demonio enmascarado de Londres que había intentado seducirla desvergonzadamente no tenía nada que ver con los personajes de su creación. Por separado, una dama podía tener una oportunidad. Combinados, su magnetismo resultaba simplemente abrumador.

Las posibilidades le intrigaban. Estaba bebiendo vino en compañía de sir Renwick. O, como mínimo, en compañía del hombre cuya retorcida mente había concebido la frustrante pasión de Renwick, sus ansias de poder y sus malignas maquinaciones.

Pensándolo bien, el duque y sir Renwick compartían las mismas características físicas: pelo negro como ala de cuervo, mirada penetrante, físico ágil y delgado... se obligó a sus pensamientos a eludir aquellos derroteros. Cerró la boca con fuerza. No le preguntaría qué le había inspirado los apodos de «vara larga» y «ancha espada».

Tal vez tendría que esperar a que escribiera un capítulo sobre un tema dedicado solo a ella.

Un hechicero. A Samuel le gustaría que fuera así. Entendía que Lily hubiera llegado a esa conclusión. Sus empleados y sus amigos la esperaban como un aquelarre a punto de librar una guerra metafísica. Tanto misterio y melodrama pocos minutos antes de que dieran las doce. ¿Qué se habría imaginado ella? Ya era demasiado tarde para retractarse de su confesión. Magia en sentido contrario. Había desencantado a su ama de llaves. Daba la impresión de no estar todavía convencida del todo.

—Sabía que había algo —murmuró Lily cuando Samuel cogió la jarra de vino—. Pero no esto. Os vi a vos y a Bickerstaff en el páramo, por cierto.

La miró.

—Lo sé.

Los carnosos labios de Lily esbozaron una sonrisa.

—¿Tengo que jurar que no lo contaré a nadie?

Volvió a llenarle la copa con galantería. Su compañía despertaba mucho más que su simple imaginación.

—Sí —dijo, dejando la jarra para reclamarle la mano—. ¿Os importa?

—Con todas las cosas que según Chloe se escriben sobre vos... —Se interrumpió—. ¿Cómo os lo hacéis para que la alta sociedad no lo sepa?

—Hay quien alberga sospechas sobre mí —respondió con una lánguida sonrisa—. Un periodista intentó sobornar a la esposa de Philbert, nada menos. Y soy el ejemplo perfecto de por qué no podemos creernos todo aquello que leemos. Por ejemplo... ¿creéis que me ha acostado con la mitad de las damas de Londres?

Lily se ruborizó.

—Si los chismorreos que compartió mi prima conmigo son ciertos, la estimación asciende a un ritmo horroroso.

—Todo eso no debería ir a ninguna parte que no fuera el cubo de la basura —dijo con certidumbre—. La mayoría de esos rumores los he inventado yo mismo.

—¿Vos?

Tosió con delicadeza para disimular un suspiro de alivio.

—Sí...

Sus ojos irradiaban una juguetona sensualidad que sugería que se había divertido mucho calumniándose. Y que no todos los rumores eran simple humo.

—¿Fue realmente necesario crearos esa mala reputación?

Él levantó los hombros en un gesto negligente.

—Al principio fue una travesura, pero luego el fenómeno llamó una atención que no iba en detrimento de mis causas.

—¿Qué causas?

—Este año fue la corrupción del clero y los bonos de guerra. El invierno pasado nos ocupamos de los bajos salarios de los trabajadores del campo.

—¿Tenéis amigos en Londres que lo saben? —preguntó pensativa.

La repasó con la mirada. Qué excitante resultaba hablar con ella así.

—Algunos, como Philbert y nuestro impresor, pueden perder mucho más que yo.

Lily bajó la vista tímidamente y murmuró:

—Os sorprenderíais. El duque de Gravenhurst es una presa atractiva. De saberse que lleva otra vida, su infamia resultaría irresistible.

—Pero en este caso, lord Anónimo tendría que dejar de escribir o retirar su apoyo a sus amigos reformistas. —Hizo una pausa, tan atraído por su indefenso candor que no pudo esconderlo—. ¿Qué intenciones tenéis para mañana por la mañana?

Lily levantó la vista, sus hombros resplandecientes a la luz de las velas.

—Me parecería más apropiado preguntar cuáles son vuestras intenciones para lo que queda de noche.

Él recorrió con el pulgar los nudillos de ella. Esbozó una mueca.

—Lo que quiero saber es si haréis las maletas para huir en cuanto os separéis de mi compañía.

—Un contrato es un contrato. Pretendo cumplir nuestro acuerdo.

Un estremecimiento recorrió la espalda de Samuel. Con la misma naturalidad con que siguió respirando, desplazó la mano hacia el codo de Lily y la atrajo hacia él.

—¿Qué tipo de pacto sellaría un poeta sin solicitar un beso?

Lily frunció los labios y lo besó con recato, los parpados bajos, aunque no del todo cerrados.

—Confiad en mí, Lily.

—También vos debéis confiar en mí, excelencia.

—He prometido protegeros. —Se obligó a soltarla—. También os prometí una cena, y tal vez deberíamos haber comido antes de mantener esta conversación.

Lily suspiró.

—Creo que necesito estar sola.

—¿Os encontráis bien?

—Sí. —Movió afirmativamente la cabeza—. Creo que sí.

—Marchaos, entonces.

Lily se levantó, lanzándole una mirada inescrutable antes de volverse. Samuel precisó de todo su control para seguirla y actuar como si la estancia no se hubiera transformado de repente en un infierno de calor y tentación. Lily tendría lo que quedaba de noche para reflexionar sobre lo que él le había revelado. Él bulliría en sus propios jugos.

Pero tal y como ella acababa de recordarle, un contrato era un contrato. La ley los vinculaba por un año. Y con todo y con eso, aquella ilusión de poder le proporcionó escaso placer cuando la vio marchar. Deseaba que Lily correspondiera la atracción que sentía, que lo encontrara tan irresistible como él la encontraba a ella.

Lily recorrió sola la galería, sorteando las flechas de luz de luna que taladraban los ventanales. Las estatuas observaban su huida desde los pedestales.

Lord Anónimo.

¿Era real todo aquello?

«He prometido protegeros.»

A buen seguro, también él necesitaba protección.

Necesitaba unos momentos para reflexionar. Para reconciliar la identidad de Samuel con el hombre que había resultado ser. Tenía que reconocer que Gravenhurst le resultaba tan maliciosamente atractivo como lord Anónimo. Se imaginó acusándolo de ser una mujer. Cómo debió de reírse interiormente.

Y cómo se había ganado su corazón. La había acogido bajo su protección y había logrado que se sintiera cómoda como parte de la casa. Todos en St. Aldwyn la habían acogido como una más. Samuel había elegido muy bien a su personal. A Lily le gustaría pensar que también la había elegido a ella por su carácter. Compatible, esa era la palabra. Ninguno de ellos era perfecto, pero encajaban fantásticamente.

Y ahora le había confesado su mayor secreto. ¿Por qué querría marcharse?

Si tomaba una amante o una esposa, ¿podría resistirlo?

Podría gestionar la casa, pero no podría influir en sus asuntos personales. Le dolería verle enamorarse de otra mujer. Pero era soltero y podía acabar pasando. Era ella la que había perjurado del romanticismo, quien había dicho que nunca se casaría.

Había viajado hasta allí para dejar atrás complicaciones de aquel tipo. Pero Samuel era la tentación más complicada que había encontrado en su vida. Tenía que reconocer que ya era demasiado tarde para hacer algo al respecto. Estaba unida a él por algo más que una simple firma.

Percibió su presencia en la puerta que tenía a sus espaldas. Aminoró el paso, escuchando, esperando que la siguiera. La fuente salpicaba entre las sombras de la terraza exterior. No oyó pasos de Samuel. Se giró y miró a su alrededor. Vio entonces una puerta que quedaba medio escondida por un tapiz. Se dirigió hacia allí, retiró el fleco con borlas y probó el pomo.

No estaba cerrada con llave. Imaginó que la pequeña antecámara a la que la puerta daba acceso conduciría a una escalera privada hasta las estancias del duque. Le había dado libertad para deambular por la casa. ¿Le molestaría que se tomara sus palabras a rajatabla? Decidió que no.

Miró las escaleras de pulida madera de roble que ascendían a su derecha. ¿Escribiría lord Anónimo en una de las oscuras habitaciones a las que había tenido prohibido el acceso hasta hoy?

Se recogió la falda y subió los dos primeros peldaños. La madera del tercero era distinta. La punta de su babucha presionó un dispositivo oculto que chirrió solo una vez antes de que un esqueleto vestido como un gallardo caballero surgiera de un escondite situado en el primer descansillo. El corazón se le aceleró al esquivar la lasciva calavera.

Con la garantía de que la expedición sería entretenida, si lograba sobrevivir a ella, ascendió a paso más lento lo que quedaba de escalera.

Capítulo 27

Lily jamás había hecho nada tan atrevido e indecoroso como invitarse a la cama de un caballero. Samuel le había ocultado su identidad, pero no su deseo. Hasta el momento de su confesión, no se había dado cuenta de que deseaba convertirse en la mujer que satisficiera sus deseos, por rudimentarios que fueran sus conocimientos en las artes carnales. Por derecho, debería haber estado en un lecho nupcial, no poseída como una mujer lujuriosa en la cama con dosel del duque.

La alta sociedad vería su conducta como una prueba más de que había quedado excluida de la misma. Y lo admitía. Era mucho más adecuada para Samuel que para el hombre con quien pretendía casarse.

Vio un libro debajo de la almohada. No había encontrado su despacho. A juzgar por la mesa del escritorio que había en la esquina, cubierta de papeles manchados de tinta, carteleras de espectáculos y mapas dibujados a mano, también trabajaba aquí.

Contuvo la respiración al oír pasos al otro lado de la puerta. Una expresión de sorpresa cubrió el rostro de Samuel cuando entró en la habitación y la vio en la cama. Lily sonrió. También él, recuperándose con la rapidez suficiente como para dejar su chaqueta de noche en una silla y cerrar la puerta antes de que ella cambiara de idea.

—¿Leéis antes de dormir? —preguntó cruzándose de brazos, con la confianza de un hombre acostumbrado a encontrarse en la cama a una mujer sin invitación previa—. Confío en que os resulte entretenido.

Lily se tragó una carcajada, literalmente.

—Hay partes que sí. Es el libro tres de los cuentos.

—¿No lo tenéis ya muy visto?

—A veces sí. Pero releyéndolo le encuentro un nuevo sentido.

Él avanzó sigilosamente, despojándose por el camino del corbatín y le arrancó el libro de las manos.

—Os habéis extraviado y habéis dado con mi habitación. Estáis en mi cama. ¿Ha sido por error?

La audacia que ella había sentido hasta el momento vaciló. La energía vital de él cargaba el ambiente. Lo miró desde las rodillas del pantalón hasta las esculpidas facciones de su cara. Aquella sonrisa arrogante le provocó palpitaciones. Samuel miró por última vez el libro antes de depositarlo encima del cofre chino que había a los pies de la cama.

—Lily —dijo en voz baja, su cuerpo proyectando de repente una sombra sobre ella—. ¿Por qué estáis aquí?

—Buscaba vuestro despacho.

—Ah.

—Pero cuando he asomado la cabeza y he visto el escritorio...

—¿Habéis decidido que queríais quedaros?

Lily se ruborizó y deslizó los pies hacia el suelo. Pero él se sentó en la cama sin dudarlo un instante e inclinó el cuerpo hacia ella.

—No os vayáis —dijo, acaparándole la barbilla con la mano—. Quedaos. Pertenecéis a todo esto, Lily. Estaba esperando que me dieseis una mínima señal.

De no haberla besado en aquel momento, ella habría pasado la vergüenza de insistir en que lo hiciera. Se echó hacia atrás, percibiendo un brazo enlazándola por la cintura. Sus labios se rozaron. Y los besos de él desovillaron sus sentidos hasta el punto que le pareció natural que con la otra mano empezara a desabrocharle el vestido. Sus hinchados pechos se derramaron en las manos de Samuel.

—Apaga la lámpara, Samuel —susurró ella, casi sin aliento.

Él interrumpió el beso solo el momento que le llevó alcanzar la mesita de noche con la mano, una acción que daba la impresión de haber llevado a cabo muchas veces en el pasado. Lily notó que la miraba a los ojos. Volvió a inclinarse rápidamente. Presionó el cuerpo contra el de ella, entrepierna contra vientre, su verga aplastándose contra su pubis. Las venas de Lily tamborileaban, cantaban con expectación. El crujido de la falda y el corpiño, de las sábanas de lino, se entremezclaba con la respiración entrecortada de él.

Se resistió a la necesidad de proteger la desnudez de su cuerpo del acalorado escrutinio de su mirada.

—Tengo la sensación de que no vamos a leer.

Le acarició los pezones, retorciéndolos entre sus largos dedos hasta que se vio obligada a separar las caderas de la cama pues le costaba respirar.

—A oscuras no. Es malo para la vista.

Ella sofocó un grito.

—No he venido aquí para escuchar un cuento antes de irme a dormir.

Él rió.

—Me lo suponía.

—Samuel. —Le acercó la mano a la cara. Él tragó con tensión y se quedó inmóvil unos instantes—. ¿Vas a desnudarte?

Volvió a reír.

—Por supuesto. —Se enderezó, cruzándose de brazos. Y a continuación, mientras se quitaba chaleco, camisa, pantalón y medias, dijo—: En palabras del maestro William Shakespeare: «Cuando cae, cae como Lucifer».

Era su demonio literario. Tenía una obligación con él de palabra y pronto sería suya por sus actos. Posesión. Placer desenfrenado. Deseaba satisfacerle. Vislumbró destellos de su delgado cuerpo sin levantar la vista. El escaso recato que quedaba en ella le impedía mirarlo fijamente.

Villano. Escritor. Duque. Se estremeció al percibir sus dedos recorriendo la parte interior de su antebrazo. Le acariciaba la piel como si estuviera degustando la textura de la seda. Quería quedarse quieta, pero aquellas manos no se lo permitían. Sus caricias eran maestras en tantos sentidos que se hacían irresistibles.

—Espera —le ordenó con firmeza, el ritmo de su respiración irregular. Era lo único que podía hacer para no empezar también a tocarlo. Debería haberse sentido vulgar, no voluptuosa, madura, ansiosa porque él terminara lo que ella había iniciado—. Vuelve a besarme —susurró.

—¿Dónde?

No sabía qué responder. Jamás se le habría ocurrido que hubiera otros lugares que pudieran besarse más allá de la boca de una mujer.

Samuel se recostó sobre el codo.

—¿De abajo arriba?

Un calor abrasador le recorrió la espalda. Él se incorporó un poco más. Y ella bajó la mirada más allá de su torso. Vara larga, efectivamente. También ancha espada. Incluso la oscuridad le permitía confirmárselo. Cerró los ojos. La voz descarada de Samuel susurró entonces:

—¿Qué te parece si te beso al azar y me avisas cuando llegue a un punto especialmente sensible?

—¿Para que pares?

—¿Tú qué piensas?

No podía pensar.

Su seducción era tan potente que Lily empezó a tener la sensación de que su cuerpo estaba fundiéndose. Contuvo la respiración cuando la boca de Samuel se deslizó hacia abajo y acaparó un pezón entre los dientes.

—Un buen lugar para besar. —Y a continuación—: Y aquí tenemos otro buen punto —susurró, abandonando el sensible pezón para mordisquearle el vientre.

—Samuel —musitó ella—, ¡ahí no!

—¿Aquí, entonces?

Se arqueó y se estremeció pensando en tan escandalosa búsqueda. Tanteó con la lengua el capuchón de su sexo. Gimió ella, tensa por dentro. Tensa y más tensa hasta que se relajó y se movió contra su boca sin vergüenza alguna. Estaba volviendo lentamente al mundo terrenal cuando él acercó su esculpido cuerpo al suyo. Percibió aquel grueso miembro empujando entre sus muslos. Juntó las piernas con fuerza. Él se las separó con delicadeza. En otras circunstancias estaría prácticamente dentro de ella, donde más le dolería.

—Yo no...

Él sostuvo el peso de su cuerpo con los brazos y la silenció con un profundo y delicioso beso, penetrándola con la lengua. *Oh, sí.* El cuerpo de ella se humedecía, se resistía, hasta que se rindió al instinto y olvidó toda contención. Pura reacción. Él la guiaba. ¿Hacia dónde? A su mente le daba igual. Hacia un lugar de rojas brumas y dolorosas delicias. Liberación.

—Estoy perdida —musitó, el pánico y el placer entrelazándose.

—Yo te he encontrado.

—Después de esto no podré casarme nunca con nadie, aun queriéndolo.

—Nunca te casarás con nadie más, querrás decir.

Sus miradas se encontraron.

—No me parece que fuera a ser muy buena amante.

Samuel sonrió.

—Estoy seguro de que sí.

Tenía la impresión de desearla desde hacía una eternidad. Era la escurridiza heroína de todas las historias que había escrito. Era la mujer que le redimiría transformándolo en el hombre que tenía que ser. Los profundos sentimientos que albergaba hacia ella eran sobreexcitados y románticos. Pero en aquel momento, en un plano más inferior, su miembro palpitaba como si fuese a estallar. Había esperado una eternidad, y aquel órgano de anarquía e impulsos no se comportaría como es debido hasta que el pacto estuviera cerrado. Ansiaba desesperadamente la plenitud.

Extendió su melena sobre la almohada, liberándola de las horquillas. Ojalá pudiera ver mejor en la oscuridad. Estudió la simetría de sus hombros, sus pechos generosos y sus distendidos pezones, los rizos donde se unían sus muslos. Por muy a menudo que hubiera imaginado su desnudez, era más bella de lo que jamás hubiera soñado, lujuriosa, concebida para placeres eróticos. Contornos suaves para acunar entre ellos al hombre. Piel tentadora como la nata.

Sabía que se había bañado para aquella noche. Había visto la procesión de baldes de agua caliente con destino a su habitación. Habría preferido su fragancia natural. Era un hombre que cuando hacía el amor lo hacía con los cinco sentidos. Su dulce aroma resultaba embriagador.

—Levanta las piernas y crúzalas por encima de mi espalda, Lily —dijo, inspirando con dificultad al verla obedecer al instante.

Se arrodilló sobre ella, desinhibido, animándola a seguir sus impulsos. Le acarició el vientre y sujetó a continuación su palpitante sexo para guiar su entrada. Controlarse de aquel modo resultaba casi doloroso. Se frotó contra ella. Provocándola. Un poco más. Cuanto más excitada estuviera, más placer sentiría él. Gimió, un sonido que acabó con toda su fuerza de voluntad. Todavía no. Arqueó ella la espalda, proyectando sus pechos hacia él. Deliciosa.

Se abrió paso entre sus pliegues. La tentación de penetrarla se volvió irresistible. Deslizó una mano por debajo de sus nalgas para aprisionarla con un delicado abrazo. Se sacudió ella sin poder evitarlo y se tensó para levantarse hacia él y aceptar en su interior la punta de su sexo. Gimió al sentir la temblorosa musculatura cerrarse en torno a él.

—Lily —dijo desesperado—. No hagas nada de esto a menos que quieras que yo...

—Lo quiero —musitó como réplica—. Sea lo que sea, por favor, lo quiero.

No tuvo que pedírselo dos veces.

Sujetándola por las nalgas, se introdujo un par de centímetros más y empujó. Experimentó una emoción primitiva de dominio, de posesión. A partir de aquel momento era suya. Su cuerpo tomó las riendas. Su mente se vació. Empujó con más intensidad, como si pretendiera empalarla en la cama. Era imposible evitar aquello, ni siquiera cuando rompió su virginidad y lo engulló por completo. El placer alcanzó su cumbre anticipadamente, sus músculos soltándose, convulsionándose con una fuerza incapaz de contener. Más y más. *Santo Dios*.

Sosiego entonces. La sangre le aporreaba la cabeza, la entrepierna, hasta transformarse lentamente en un persistente latido. Empezó a centrarse, fragmentos de ideas moviéndose como en un calidoscopio.

Las piernas de Lily abandonaron la húmeda espalda de Samuel para reposar en la cama.

Él se quedó mirándola, intentando respirar, controlar el triunfo viril que amenazaba con superar la preocupación que sentía por ella.

Estaba extasiada, ruborizada, satisfecha por cómo él se sentía. Y ahora pertenecía a aquel lugar. Exhaló el suspiro más grande de su vida.

—El acto está hecho —dijo, sin ocultar su satisfacción y estirándose junto a ella—. Y bien hecho, si se me permite decirlo. —La besó en la boca y susurró—: Lily, no sé cómo decirte lo maravillosa que eres.

—El acto —dijo ella bromeando, acurrucándose contra su pecho, una mujer cálida, encendida—. Suena como algo que diría Renwick.

Él le acarició el cabello.

—Y lo dijo. *Wickbury*, libro tres, último capítulo.

—Samuel —musitó ella—, eres un hombre de lo más entretenido. Ojalá te hubiera conocido antes.

—Ojalá te hubiera conocido antes yo también, Lily.

Ella cerró los ojos.

—Todo habría sido muy distinto.

—Sin duda.

—¿Lo será ahora? —preguntó en un murmullo.

—Será lo que tú quieras que sea. Lo que tú permitas. No te limitaré en ningún sentido.

—Cuentacuentos —musitó—. No puedes inventar nuestras vidas.

—¿Por qué no? —preguntó, deslizando la mano de la nuca hacia sus hombros.

—No lo sé. —Levantó la cabeza para sonreírle—. Inténtalo.

Capítulo 28

Lily se despertó justo antes del amanecer. Se descubrió en una habitación llena de sombras de mobiliario gótico desconocido y vio al duque, completamente vestido, avanzando sigilosamente hacia la puerta. Tuvo tentaciones de hundirse bajo el edredón y fingir que seguía dormida.

La noche encantada había tocado a su fin. ¿Qué traería consigo el nuevo día?

Se obligó a sentarse. Le dolía un poco la espalda. Tenía piel de gallina. En la chimenea brillaban todavía las ascuas, pero las pantallas protectoras que protegían el hogar impedían que el calor se propagara por la estancia. Le pasó por la cabeza que con tantos libros que cubrían hasta el último espacio disponible, a Samuel le preocuparía que pudiera prender una chispa y lo redujese todo a cenizas.

—Lily —dijo él en voz baja—, ¿estás despierta?

—Sí. ¿Adónde vas?

—Tengo que trabajar.

—¿Qué? Si ni siquiera ha amanecido.

—Tendría que haber entregado ya el séptimo libro de *Wickbury*. No puedo pedirle a Philbert que me conceda más prórrogas. Si termino el octavo libro para Navidad, tiene pensando realizar una nueva tirada de toda la serie. Pero no consigo encontrar un final para el séptimo libro que sea de mi agrado. Y me parece que en parte es por tu culpa.

—¿Por mi culpa?

—No te lo tomes a mal. En realidad es un cumplido. La atracción que provoca en ti la maldad me ha obligado a considerar a Renwick bajo otro punto de vista.

Lily hizo un mohín. Qué romántico. Ni siquiera unas dulces palabras de amor al oído. O un golpecito cariñoso en la cabeza.

—¿Lo entiendes? —preguntó Samuel—. Me quedaré contigo si quieres. Simplemente pensaba en escribir un poco mientras dormías.

Lily lo miró frunciendo el entrecejo. Su cabello negro enmarcaba sus facciones con una perfección natural. Se le aceleraba el corazón aun teniéndolo en el otro extremo de la estancia.

—Lo entiendo —dijo pensativa.

Samuel se acercó a la cama, recogiendo por el camino la ropa que con tanta indecencia le había quitado hacía tan solo unas horas.

—No pienso salir de tu alcoba con ese vestido —dijo mortificada—. Me moriría de vergüenza si alguien me viera saliendo de aquí.

—Nadie en esta casa se atreverá a decir nada en tu contra —declaró él con un toque de arrogancia ducal en la voz.

—Pero yo tengo ciertos valores, si no te molesta —replicó ella—. Por mucho que anoche no hiciera gala de ellos.

Samuel acertó una silla a la cama y tomó asiento con jovial seriedad.

—Es evidente que tú y yo no podemos seguir jugando al señor y la criada.

—Y con eso estás sugiriéndome que nos convirtamos en señor y amante.

—No he sugerido nada por el estilo.

—Lo que sucedió anoche lo sugiere.

Samuel esbozó lentamente una sonrisa. Lily tragó saliva para aliviar la dolorosa tensión de su garganta.

—Di algo —susurró enojada.

—¿Qué?

—¡El escritor eres tú, Samuel! ¿Te has quedado sin palabras?

La sonrisa se acentuó.

—Podría ser.

Samuel juntó las manos. Lily se fijó en las manchas de tinta de la camisa. Parecía más un poeta guerrero que un calavera que daba por sentado que podían alterar su acuerdo como consecuencia de un bello acto.

—¿Quieres cambiar los términos del contrato? —preguntó ella, cubriéndose un poco más con la colcha al ver la dirección de su mirada.

Él levantó la vista y tosió para aclararse la garganta antes de hablar.

—Sí. Por supuesto. Haremos pedacitos ese condenado papel. Es incongruente.

—¿Incongruente?

—En Londres redacté otro contrato pensando en nosotros.

—Oh. —Se quedó inexpresiva—. De modo que, según tu famosa imaginación, en el baile de disfraces ya me viste como tu futura amante. Veo que estuviste maquinando algo más que tu siguiente libro de *Wickbury*. Plasmaste mi seducción en papel. Y parece que te sientes muy orgulloso de ello.

—El tipo de contrato que preparé *no* es ese —afirmó, claramente molesto—. Redacté una propuesta formal con la intención de presentársela a tu padre. Mi intención era cortejarte como es debido y, transcurrido el intervalo de tiempo adecuado, proponerte en matrimonio. Creo que a estas alturas ya te habrás dado cuenta de que soy un hombre de medidas extremas.

Un cortejo como es debido.

Un matrimonio.

Y creía que la había desconcertado revelándole su identidad.

—¿Por qué no fuiste a ver a mi padre? La aristocracia siempre le ha impuesto mucho respeto.

—Porque la mañana después de la fiesta descubrí que estabas

comprometida con otro hombre. Tu primer amor. ¿Quién era yo para arrancarte de los brazos de otro? Me pareció que había malinterpretado tu reacción en el baile de disfraces. Pertenecías a otro, y pensaba que estabas destinada a ser mía.

—Todo eso era mentira —replicó ella rápidamente—. Podrías haberlo intentado. Me gustaría que lo hubieras hecho.

—Lo hice. —Frunció los labios—. Pero incluso entonces tuve que esperar el momento adecuado para hacerme contigo. No podía renunciar a ti. Pero con las circunstancias que rodearon la ruptura de tu compromiso, temía hundir aún más tu nombre en el fango.

Lily suspiró.

—Creo que podrías haberme persuadido de que lo abandonara. Después de nuestro encuentro pensé a menudo en ti. Esperaba que llegara una carta siguiendo a esas preciosas flores que me enviaste. Busqué tu cara en los palcos del teatro. Pero luego, todo se desmoronó.

La firme mirada de Samuel le provocó un estremecimiento.

—Nunca sabremos lo que podría haber llegado a hacer de haber recibido la bendición en el altar. Tenía diversos planes en marcha, todos los cuales me habrían hecho quedar como un rematado villano.

—Después de tu breve temporada como cochero, no dudo de tu capacidad para la maldad. Tienes una mente diabólica.

—Gracias —dijo, enarbolando su sonrisa irónica.

—No estaba elogiándote.

—Sí, lo estabas.

Lily se tapó los ojos con la mano. Estaba desnuda de todas las maneras posibles. En cuerpo y en espíritu. Había perdido su virtud con lord Anónimo hacía nada, y ahora el duque estaba sentado en la cama a su lado en una decadente escena. Le retiró la mano. Un destino maravilloso.

Estampó deliciosos besos en su muñeca, y dijo con tranquilidad:

—Lily, hay otra cosa que debes saber. No puedo hacer nada debidamente, y mucho menos discutir nuestra boda, hasta que haya producido diez páginas decentes del libro. Cuando haya terminado, tendré la cabeza lo bastante despejada como para proponértelo tomando una copa de champán y dedicarte toda mi atención.

Ella negó con la cabeza.

—Me prometí que nunca me casaría. Y que jamás volvería a creer en los finales románticos.

—Realizaste tus promesas bajo coacción. En el futuro, seré yo quien se encargue de decidir por ti en lo referente a estos asuntos.

Ella contuvo una sonrisa.

—Eres completamente...

—... tuyo. Aunque no hasta más tarde. Está amaneciendo. He perdido las horas del silencio.

—¿Cómo se supone que debo comportarme ante los demás criados? —dijo cuando recuperó la voz.

—Sospecho que no será ninguna sorpresa para ellos.

—¿Y entretanto quién soy? ¿Un ama de llaves o...?

—Eso depende de ti. Mi hermana vendrá a visitarnos a finales de mes. Es una persona importante para mí. Una quincena después, recibiré un librero, varios compañeros de Cambridge y amigos que solo veo una vez al año.

—¿Saben quién eres? —preguntó.

—Dos de ellos, sí. Nada me complacería más que presentarte a ellos como mi futura esposa. Podríamos casarnos con una licencia especial; el reverendo sabrá cómo obtenerla del arzobispado. Por el bien de la decencia, supongo que preferirás permanecer en tu actual habitación y mantener el puesto hasta el momento de las amonestaciones.

—¿Decencia? Me parece que ya es un poco tarde para tener eso en cuenta. Sin perjuicio de la ceremonia de la boda, ¿cómo, te pregunto ahora, voy a salir de esta habitación con el vestido con el que me vio anoche todo el mundo?

Samuel le dio un nuevo beso en la mano, como si el gesto sirviera para perdonar una infinidad de pecados, y se levantó.

—Busca por mi vestidor. Creo que hay un manto azul que podría servirte para cubrir el vestido. Póntelo y sal de la habitación como si tuvieras todo el derecho a hacerlo.

Se incorporó, horrorizada.

—¿Guardas ropa en tu vestidor para las mujeres que te llevas a la cama?

—Por supuesto que no —dijo riendo, soltándole la mano para levantarse de la silla—. Es el manto de Juliette. Tengo disfraces para todos los personajes de *Wickbury*. Me permite imaginármelos con más claridad.

Lily movió la cabeza, quedándose sin habla al ver que se dirigía a la puerta.

—Hay una cosa más sobre la que debería alertarte —dijo, corriendo el cerrojo de la puerta.

—Santo cielo. ¿Más?

—Esto *no* es una casa solariega normal y corriente.

—Por increíble que parezca, Samuel, de eso ya me he dado cuenta yo sola.

—El ritmo de la casa gira en torno a mi escritura. Hay momentos en los que me parece que el cerebro ha abandonado mi cuerpo. Otros, en los que lo que podría parecerte una conducta extravagante, podría ser mi medio para superar una piedra en el camino del relato.

—Oh.

Lily intentó que no se notase que estaba totalmente embelesada.

—Tal vez te pida tu opinión de vez en cuando. Será muy útil que fueses mi lectora antes de conocernos.

Dicho esto, desapareció con el legendario aplomo de lord Wickbury, dejándola con la pregunta de qué sucedería cuando se tranquilizase lo suficiente como para girar página y seguir adelante.

Capítulo 29

Cómo no había comprendido quién era?

La pregunta la obsesionó durante las horas posteriores a su escapada del ala este para volver a su habitación.

Samuel le había lanzado pistas desde la noche de su primer beso. Qué superficial debió de parecerle al ver que, impresionada como estaba por el brillo de la alta sociedad, no había podido descubrir qué escondía debajo de su falsa armadura.

El duque había vuelto a engañarla. Pero Lily se lo perdonaba, de sobras.

Todo en él era una ilusión. Se había ocultado tras un escudo para que nadie pudiera ver que era él quién se escondía debajo: el protector supremo. ¿Cómo no amarlo? ¿Por qué querría ella abandonar aquella casa?

Ahora lo entendía todo. Si le hubiera confesado su identidad en el baile de disfraces, no habría podido mantener la boca cerrada. No habría tardado ni cinco minutos en confesárselo a Chloe. Y, aunque solo pensarlo la ponía enferma, también se lo habría contado a Jonathan.

Pero Samuel no era el único de la casa con algo que esconder. Aquella misma mañana empezó a descubrir que prácticamente todos los miembros del personal habían sufrido algún tipo de escándalo. La sociedad los había considerado indignos a todos ellos.

Pero ¿qué pensarían de ella?

No era ni chicha ni limonada, no estaba segura de cuál era su lugar. Los demás criados debían de estar al corriente de lo que había pasado anoche. Si tenía que convertirse en duquesa, ¿no debería establecer cierta distancia con ellos? ¿O serían ellos quienes trazarían la línea?

Lo descubriría en cuanto entrara en la cocina.

Bajó las escaleras, percatándose de lo silenciosa que estaba la casa. Y entonces detectó cuchicheos en la galería superior. Se le encendió la cara. Ya estaban hablando de ella. Levantó la vista, dubitativa, preparada para cualquier cosa... aunque no para unas sábanas caídas del cielo, o de la barandilla.

—¿Qué...?

Extendió los brazos para defenderse y esquivó el ataque por medio centímetro. Marie-Elaine y dos de las doncellas reconocieron entre risotadas que habían apostado por quién de ellas sería la que daría justo en el clavo.

—¿Y si hubiese sido un invitado perdido por los pasillos? —cuestionó Lily con indignación.

—Vuestra reacción habría sido más rápida —replicó Marie-Elaine con un candor inquebrantable—. Cualquier huésped autorizado a pasear por St. Aldwyn House espera entretenimiento durante su visita.

Viva el desdén y el falso respeto.

Lily se agachó para hacer una enorme pelota con las sábanas. Se alegraba de haber deshecho la cama de Samuel antes de salir de allí y de haber escondido las sábanas en su habitación. Los aromas entremezclados de su jabón, la suave colonia de él y una prolongada sesión de amor se combinaban para crear una fragancia excesivamente incriminatoria como para pasar desapercibida.

Pero la colada era la menor de sus preocupaciones. Tenía aún pendiente enfrentarse con el resto del personal. Y actuar como si no hubiera pasado las últimas horas en la cama del señor.

Tendría que comportarse con toda la dignidad de la que fuera capaz de hacer gala. Viendo que Bickerstaff la recibía con su acostumbrada reverencia, experimentó una oleada de alivio. Se comportaría como había hecho hasta entonces. Y, por suerte, también seguiría haciéndolo el personal. Sin ínfulas.

—Ahora, señorita Boscastle —dijo el mayordomo con una solemnidad que llevó a la criada de la trascocina a poner los ojos en blanco—, sois una de los nuestros.

Marie-Elaine bajó corriendo por la escalera, resoplando ante el anuncio.

—No, no lo es. Nunca lo fue.

—Sí lo soy —dijo Lily con la voz firme de un ama de llaves.

Sabía que Marie-Elaine era su mejor aliada en la casa. Una tarde, compartiendo un té y unas tostadas, Lily se había enterado de que aquella mujer había sido seducida por su anterior señor y había tenido que sacar sola adelante a su hija. El duque le había dado trabajo justo después de que diese a luz a la desparpajada niña que la había recibido con flores descabezadas el día de su llegada.

Emmett y Ernest se habían escapado de un orfanato con trece años y habían vagabundeado durante cinco años antes de que Bickerstaff los contratara. Bickerstaff había estado cuatro años en la cárcel, un joven empleado de banca que había sido acusado de robo después de que su superior se apropiara indebidamente del dinero. La señora Halford había gestionado un hotel en Sussex hasta que sorprendió a su marido en la cama con una huésped casada. Había dejado a aquella imbécil sin sentido con la gran plancha de cobre que ocupaba un lugar de honor sobre el hogar de la cocina.

Lily movió aquel día la cabeza con preocupación.

—No creo que después de esto pueda volver a comer sus tortitas con el mismo entusiasmo —reconoció.

Marie-Elaine le sirvió otra taza de té.

—El duque está enamorado de vos. Y pronto estaréis por encima de todos nosotros. Jamás volveremos a hablar con tanta sinceridad.

—Es posible que solo esté enamorado durante lo que dure el romanticismo —dijo Lily—. Hay que tener en cuenta sus historias.

Marie-Elaine se limitó a encogerse de hombros.

—A mí poco romanticismo me queda, aunque tal vez sí tenga una historia que contar.

Lily sonrió.

—El duque tiene la cabeza en las nubes.

—Una bella cabeza, por cierto. —Marie-Elaine suspiró—. Aunque por su arte hace cosas de lo más extrañas.

—¿Cómo?

—No debería estar hablando así.

—Ahora tenéis que contármelo.

Marie-Elaine recolocó su cofia.

—En una ocasión, sumergió la pluma en veneno y luego se pinchó el pulgar con ella para estudiar el efecto.

—¿En serio? —cuestionó Lily, riendo—. Qué extremista.

—No es hombre de medias tintas.

—Sí —dijo Lily—. Ya me estoy dando cuenta. ¿Hay algo más sobre él que debiera saber?

—Preguntádselo vos misma. En su día firmé un contrato de confidencialidad.

Lily resopló de forma insultante.

—Nadie lo diría de oíros.

—Tampoco podría decirse de vos que tengáis los labios cosidos.

—Ya *se lo preguntaré* yo —dijo Lily.

Y lo habría hecho de haberlo visto aquella mañana. Durante la comida, la señora Halford confirmó que Samuel tenía la costumbre de encerrarse cada día en la biblioteca y no salir de allí hasta haber completado un mínimo de diez folios. Lily se moría de ganas de espiarlo mientras trabajaba. Impertérrita ante la advertencia de la cocinera, preparó una bandeja de té como excusa, pero Bickerstaff la interceptó en el pasillo.

—No, señorita Boscastle. No ha terminado aún. Interrumpirlo

está castigado con la pena de muerte. Dejará de trabajar en cuanto los relojes den las cuatro. Su temperamento se enciende como la yesca si se le molesta antes.

Lily solo había visto una muestra de su temperamento el día lluvioso que la condujo a la posada.

—¿Relojes, decís? Deben de estar parados. No los he oído jamás.

—Los carrillones no paran si uno se halla casualmente en el ala este a esa infortunada hora. El estruendo es ensordecedor. El duque se ve obligado a terminar para huir de allí o sufrirlo como el campanero de una catedral.

La revelación picó más si cabe su curiosidad. Prefería ver a Samuel trabajando que hojear manuales de economía doméstica que explicaban cómo preparar un picnic para veinte personas o la importancia de contratar un lacayo con buenas pantorrillas.

Lily jamás se había parado a observar las piernas de los lacayos. Siempre había dado por hecho las fiestas aristocráticas a las que asistía cuando era una dama. Pero como ama de llaves, estaba tan solo empezando a comprender la labor invisible que había detrás. Trabajaba hasta media tarde en su sala de estar copiando menús y memorizando los platos preferidos de Samuel. Para ser vegetariano, pensó distraídamente, era muy viril…

En la lista de invitados solo aparecía el nombre de una dama. Alice, lady St. Aldwyn.

Lo subrayó tres veces.

Su hermana. La visita sería a finales de mes, pero Lily quería empezar ya a preparla. Samuel le había mencionado lo importante que era para él.

Se preguntó si confirmaría su compromiso a su hermana a su llegada o lo guardaría como un secreto más. Era reservado hasta extremos realmente peculiares. ¿Habría tenido anoche intenciones de proponerle matrimonio o sería la vergüenza lo que le había empujado a hacerlo? Aunque, por otro lado, le *había* contado lo de aquel otro contrato que había redactado en Londres. Por lo que sabía de él, era un hombre de honor. No tenía motivos para mentirle. Y habían compartido ya algo más que la cama.

Era algo más que pasión y obligación. Era confianza.

Casada con lord Anónimo. Su corazón se llenó de una alegría indescriptible. La esposa de Samuel.

Miró desde su mesa hacia la ventana que dominaba el jardín. Las sombras de última hora de la tarde caían sobre la pérgola emparrada con rosas. Era casi la hora del té. ¿Le vería entonces? ¿Qué se dirían? ¿Le pediría disculpas? ¿Lo haría ella?

La que había instigado el encuentro amoroso de anoche era ella. Y desconocía la existencia de un protocolo posterior a aquello.

Se levantó y se dirigió por instinto hacia el ala este. No tenía intenciones de interrumpir su trabajo. Pero si estaba destinada a ser duquesa, bien debía de aprender la disposición de la casa.

El repentino clamor de carrillones, péndulos y campanas resonando por la totalidad del ala interrumpió sus pensamientos.

—Santo cielo —dijo Bickerstaff apareciendo de pronto en el pasillo—. No lo ha conseguido. Preparaos, señorita. Qué Dios nos coja confesados.

Lily se cuadró de hombros.

—¿Debería intervenir?

—¿Intervenir? Yo me escondería en la cripta si la tuviéramos. No tenéis ni idea de los actos que nos hemos visto obligados a representar en nombre de la literatura. Decapitaciones, apuñalamientos y otros que no podría describir ante una señora como vos.

De hecho, Lily se lo imaginaba. Y se sentía más entusiasmada ante la posibilidad de ampliar esta área de su formación de lo que estaba dispuesta a reconocer.

Capítulo 30

Llevaba el día entero sin escribir una sola página digna de ser publicada. Qué iluso había sido pensando que después de hacerle el amor a Lily y haber saciado sus instintos carnales, su mente se tranquilizaría. Pero no podía concentrarse. La voz de ella tentaba sus pensamientos.

Lo quiero.

Sobreexcitado.

Sentimental.

Basura.

Y, la verdad, no solo ella era de esa opinión.

Acababa de leer de nuevo la carta más reciente de su editor. Philbert se interesaba por su estado de salud. Dios quisiera que no cayera muerto antes de finalizar el libro. Philbert aludía también a las últimas críticas de París que colmaban de elogios a los hermanos Grimm. A continuación, se disculpaba esquivamente por un editorial publicado en el *London Review* que pregonaba un aumento de la promiscuidad en autores desvergonzados como lord Anónimo.

Que, según añadía el editor, escribía con la desbocada pasión de una repugnante solterona.

No era muy propio de Philbert recurrir a aquel tipo de tácticas. De hecho, Samuel habría hecho pedazos la carta de no ser por la tentadora posdata que había añadido y que mencionaba la oferta recibida por un libreto del siguiente libro.

Guardó la carta en el cajón. Se levantó y empezó a deambular por la estancia.

Las palabras inundaron su cerebro en cuestión de segundos. Con rapidez. Con rapidez excesiva. Corrió hacia la mesa. Localizó enseguida su pluma metálica favorita. Aquello se convirtió en una carrera para capturar sus pensamientos antes de que desaparecieran.

Se formaron imágenes.

Wickbury hablaba con voz furiosa. Pero de repente, el heroico conde dejó de hacerlo para sus lectores, para dirigirse directamente a él, de personaje a creador, intentando dar sentido al caos en que se había visto inmerso.

—¿Cómo es posible que me haya vuelto a pasar? Exijo otra oportunidad para luchar por Juliette. Qué me aspen si un ejército vuelve a ser capaz de encerrarme en otra cárcel dejando a mi dama indefensa entre los brazos de mi enemigo.

«De acuerdo —pensó Samuel—. Libra entonces tú mismo la batalla, ridículo mequetrefe».

—Tal vez lo haga.

Samuel movió la cabeza en un gesto de preocupación. Se estaba volviendo loco.

Miró de reojo el reloj de pie situado entre un par de sillones orejeros. Quedaban cinco minutos.

Cinco minutos para buscar a Lily por la casa, a la dama que había abandonado como si fuera uno de sus personajes.

Su futura duquesa.

Su desposada oprobiada.

No se arrepentiría de unirse para siempre a él y olvidarse ese bastardo que no solo la había perdido, sino que además la había desgraciado. Samuel le haría olvidar que algún día conoció a su capitán. En cuanto hubiera terminado el libro que pendía sobre su cabeza como la espada de Damocles.

Como caballero, Samuel estaba obligado a preguntarse por qué el capitán Grace no la había defendido y reconocido lo que había hecho. Ningún hombre decente sometería a la mujer amada a tal humillación con tal de salvar el pellejo.

Como bribón, sin embargo, intuía que la conexión del capitán con ella no estaba rota del todo.

No comprendía cómo Grace podía haberla dejado ir.

Algo había en toda aquella historia que no tenía sentido. Motivación. Falta de carácter. Había más de un hilo suelto. Faltaba una escena completa. Otra perspectiva. Cuanto más pensaba Samuel en ello, más le embargaba la preocupación. Pero no lograba identificarlo.

Pero la respuesta llegaría. Siempre acababa llegando.

Lily encontró un mensaje de Samuel debajo de la puerta cuando subió a cambiarse de vestido. Le preguntaba si le apetecería realizar un recorrido por St. Aldwyn con él cuando hubiera terminado su jornada laboral. De modo que había estado dando vueltas por la propiedad hasta la hora de la cena, ordenando a los jardineros qué rosas y ramilletes de flor de zanahoria silvestre había que cortar para adornar la mesa de su excelencia. *Pyramus* y *Thisbe*, los cerdos que Samuel criaba como mascotas, se dignaron a seguirla pisándole los talones durante su recorrido por los caminos que rodeaban los graneros y demás edificios secundarios. Los dos cerdos le olisqueaban constantemente las medias y la miraban como preguntándole si iban a salir de aventura.

Gallinas, pavos, patos. Ninguno de ellos destinado a convertirse en cena. Lily movió la cabeza en un gesto de preocupación. Samuel se creía capaz de proteger a toda la creación. La verdad es que ella también había sido un ganso en su día. Estaba acercándose a una zona de pasto vallada. Asomó la cabeza por encima para acariciar un poni.

—Ese es *Bucephalus*, señorita —gritó la hija de Marie-Elaine, sentada en un carro cargado de heno en compañía de un criado.

—*Bucephalus* —repitió Lily, mirando con una sonrisa el poni de largo flequillo que pacía en una zona de trébol—. De modo que este es el corcel de lord Wickbury, el bravo semental que no permite que ningún otro jinete se le acerque.

Una voz profunda habló entonces a sus espaldas.

—Se hace difícil creer que haya cargado contra cadalsos y verjas de castillos.

Lily se giró, obligándose a hacer una reverencia, aunque fuera tan solo para recuperar el aliento. La emoción que iluminaba los ojos de Samuel desbarató su compostura. No fue necesario que pronunciara palabra para recordarle lo que le había hecho la pasada noche, y para anunciarle que quería volver a hacerlo. No le costaría mucho convencerla. Vestido con levita con botones de ébano, corbatín, camisa de lino y pantalones ceñidos de color beige hasta la rodilla, era la tentación personificada.

—¿Cómo estás, Lily? —le preguntó en voz baja.

Ella tragó saliva ante aquella sonrisa tan íntima. A veces, su aspecto era tremendamente malicioso. Otras, resultaba encantador e ingenioso.

—Bien —respondió—. ¿Y la jornada de vuestra excelencia...?

—... una absoluta pérdida de tiempo. No he podido dejar de pensar en ti. —La rodeó, apoyando las muñecas a ambos lados de la cerca, el corbatín jugando entre el suave valle de sus pechos—. ¿Aceptarás mi propuesta formal?

El corazón de Lily latía con fuerza.

—No estaba segura de que hablaras en serio. Siempre se ha aconsejado a las mujeres no creer en promesas hechas a oscuras.

Puso cara de ofendido.

—¿Crees que te mentiría para atraerte a mi lecho?

—Bien, en realidad ya estaba en tu lecho. Y sé que te gusta contar cuentos.

—Eso no me parece justo. No podía contártelo todo hasta estar seguro de poder confiar en ti. De no haber tratado de comportarme con decencia por una vez en mi vida, me habrías acompañado a casa aquella noche en Londres y tal vez allí hubiera acabado todo. Por lo que parece, mi fallo estuvo en tratar de iniciar un cortejo como es debido.

—¿Besándome hasta provocarme casi un desmayo en los jardines de Philbert? —replicó ella en tono guasón.

—Lily. En aquel momento no pude contenerme. Y tampoco puedo ahora. En la mayoría de aspectos de la vida, poseo una robusta autodisciplina.

—Pero ¿quién eres tú? ¿Un duque con terrible reputación o lord Anónimo? ¿A quién de los dos me entregué anoche?

—Confiaba en que pudieras responder por mí a esa pregunta. Soy ambos; no soy ninguno.

Era un hombre ingenioso, compasivo, desinhibido en la cama. Generoso. Arrogante. Bellamente formado.

Le acarició el hombro. Un escalofrío le recorrió la piel. Deslizó entonces la mano por su espalda. Inclinó luego la cabeza y la besó, importándole un comino que los vieran. Ella se apoyó en la verja, sorprendida, sin aliento, y susurró:

—¡Nos están viendo los demás criados!

—Supongo que tendrán que acostumbrarse. Vas a ser mi duquesa, y no una de esas diosas de escayola que adornan los pasillos. ¿Has aceptado mi propuesta?

—Nunca albergaste ni la más mínima duda. Empecé a enamorarme de ti la noche del baile de disfraces. Sí, por supuesto que acepto.

Samuel sonrió.

—Te amé incluso antes de saber tu nombre.

—Y yo amo... todos tus nombres.

Él rió a carcajadas.

—Entonces, perfecto.

—Y ahora debería ir a la cocina —musitó ella—. Se está haciendo tarde.

—No te molestes en preparar una gran cena. Voy a pedir ayuda al personal esta noche. Si tienes el corazón valiente para aguantar peleas y cierto sentido de la dirección escénica, súmate a nosotros, te lo ruego. Si no, enciérrate en tu habitación y tápate la cabeza con una almohada.

Capítulo 31

Que me encierre en mi habitación y me tape la cabeza con una almohada —les contó a Marie-Elaine y la señora Halford en la cocina quince minutos más tarde—. ¿Oísteis alguna vez un consejo de ese estilo?

La señora Halford bajó el cuchillo y empezó a picar la menta fresca destinada a incorporarse a un frasco de vinagre con azúcar para formar una salsa.

—Reconozco que no.

—No —dijo Marie-Elaine desde el vestidor—. Pero yo no lo hubiera hecho, de todos modos. Colaborar en las representaciones del duque es mejor que jugar al whist con Bickerstaff.

—Acabo de oír eso, señora Halford —dijo el mayordomo desde la despensa—. Lo recordaré, y también durante la cena, si acaso conseguís prepararla.

—No habéis oído bien, viejo excéntrico —dijo la señora Halford, su cuchillo volando—. No era yo la que hablaba. Era Marie-Elaine.

—Paz —dijo Lily, levantando la mano—. A comportarse todo el mundo.

El duque no había ordenado más que una ensalada y una patata hervida con salsa de menta para cenar, y fresas con crema de champán como postre. Había pedido que dejaran la comida en una bandeja delante de la puerta de su despacho. Lily no volvió a verlo hasta que llegó la hora de acostarse.

Siguió el ritual nocturno de los demás criados: apagar velas y chimeneas, dejar los animales fuera, correr cortinas. Cuando hubo terminado sus deberes, el silencio se había apoderado de St. Aldwyn House. Era como si el resto de la casa hubiera desaparecido detrás de las paredes.

¿Por qué tendría que encerrarse en su habitación?

Se preguntó si estarían gastándole una broma entre todos. Se había iniciado tan solo anoche y era posible que quisieran poner a prueba la fortaleza de sus nervios tendiéndole algunas trampas. Dio vueltas por la casa buscando puertas secretas, pero después de una hora de ir de un lado para otro, decidió que no deseaban contar con ella y que era mejor irse a la cama.

A su habitación.

Escuchó entonces sigilosos susurros, copas brindando, acero contra acero, y la voz de Samuel, ronca e impaciente.

—¿Estáis seguros de que adivinará dónde estamos?

—Lee vuestros libros, excelencia —dijo en voz baja la señora Halford—. Dará con nosotros.

—Sobre todo si nos delatáis —replicó Bickerstaff, picado aún por la disputa de antes.

Lily se detuvo delante de la puerta de su habitación. ¿Sería esta noche tan interesante como la anterior? Se armó de valor, preparada para cualquier cosa.

Giró el pomo y entró en su salita de estar. Estaba oscura con la excepción del rectángulo de luz que dejaba entrever la puerta de acceso a la alcoba.

Detectó un crujido de papeles y el ruido de pasos. Se humedeció los labios. Los muy bellacos estaban esperándola. ¿Debería hacerse la sorprendida, la consternada o...?

Abrió la segunda puerta y se quedó mirando, la risa escapándose poco a poco al reconocer al grupo de sinvergüenzas reunidos allí a la luz de las velas.

—Sois... sois...

Marie-Elaine se incorporó, tocada con una peluca negra y el disfraz de brocado de un paje, apoyó un hombro en la pared y empezó a leer una narración a su pequeño público.

—«De manera que aquí, damas y caballeros, tenemos a nuestro héroe, Michael Francis, lord Wickbury, heredero del condado de Wickbury, que ha sido confiscado por las fuerzas de Cromwell. Se cree que el viejo conde y su gentil esposa, los padres de lord Michael, fueron ahogados en el mar por su malo, *malísimo* hermanastro, sir Renwick Hexworthy, que rinde culto a la oscuridad y codicia todo lo que Michael protege, incluyendo su magnífico caballo, *Bucephalus*, y la dama que se comporta como una moza de taberna de baja cuna…»

—¡Basta! —exclamó Samuel, avanzando hacia el centro de la estancia dando grandes zancadas.

Con la salvedad de que Samuel no era Samuel. Era el conde de Wickbury de la galería, un héroe vestido con camisa de lino desabotonada, casaca de raso de color carmesí y pantalones rectos sumergidos en botas de montar de cuero. De la manga izquierda colgaba un mechón de pelo enlazado con una cinta negra.

La mirada de Lily se desplazó desde su cuello desnudo hasta el sombrero de caballero tocado con pluma blanca que ocultaba su rostro. Siempre se había preguntado cómo se lo haría lord Wickbury para que no se le cayera en el transcurso de sus aventuras. Pero Samuel lucía muy bien aquel deslumbrante disfraz… tan bien, de hecho, que fue necesario que Marie-Elaine tosiera discretamente para despertarla de sus ensoñaciones.

—¿Continúo? —preguntó la criada, sus ojos brillando de malicia.

Samuel miró a Lily.

—Si a la señorita Boscastle no le importa.

Lily asintió.

—En absoluto.

—«Según nuestra historia concluye, una vez más —prosiguió

Marie-Elaine—, en el castillo de ese villano hechicero, sir Renwick Hexworthy», que como ya he mencionado resulta que es el hermanastro de lord Wickbury, pese a que sus orígenes nunca han sido explicados con cierta lógica...

—Basta de comentarios al margen, por favor —le espetó el duque, enfundando la espada.

Lily tomó asiento en el taburete, sorprendida de descubrir a Bickerstaff detrás del biombo vestido con la túnica de un *roundhead*. Dos figuras con vestimenta similar asomaron la cabeza detrás del espejo de pie. ¿Emmett y Ernest? ¿Y la mujer con delantal de tabernera instalada torpemente en la cama de Lily? ¿Podía ser la señora Halford representando el papel de Juliette? Negó con la cabeza, tan intrigada que casi se pierde la conclusión de la narración de Marie-Elaine.

—«... y a pesar de que lord Wickbury comprende que ha caído víctima de otra añagaza, está dispuesto a sacrificarse para salvar la vida de lady Juliette». —Hizo una pausa—. Así como su supuesta virtud.

El duque le lanzó una nueva y sombría mirada.

—Preferiría que leyeras el manuscrito textualmente. Jamás he hecho esa referencia.

—Pero la verdad es que uno se lleva esa impresión —apuntó Lily con valentía.

Samuel se volvió para mirarla en el silencio que siguió a su observación. Lily se obligó a sostenerle la mirada. Había sido lectora de Wickbury antes de convertirse en su amante. ¿Qué sentido tenía todo aquel melodrama si no podía expresar su más sincera opinión? ¿Se suponía que debía quedarse sentada y limitarse a ver la representación?

Samuel dio por finalizado el silencio. De haber ofendido su temperamento artístico, no estaba dispuesto a comentarlo.

—Responderemos a la cuestión de la virtud de lady Juliette, o de la ausencia de la misma, en un próximo capítulo.

Lily juntó las manos en su regazo y escuchó con atención

Samuel continuó:

—El problema que tengo, o que Wickbury tiene, es cómo combatir contra nueve soldados en el parapeto de un castillo.

—Wickbury siempre gana cuando lucha con la espada —dijo Lily.

—He escrito esta escena una docena de veces —le informó Samuel—, y Wickbury siempre acaba gravemente herido o pudriéndose en el calabozo.

Marie-Elaine tosió para aclararse la garganta y tomar la palabra.

—O en la bodega de la taberna, según se le antoje al capricho del autor.

—¿No era en el último libro que lo ayudaba a escapar otro prisionero? —preguntó Lily, pensativa.

Samuel sonrió con tensión.

—Esta vez es distinto. Lord Wickbury está dispuesto a renunciar a todo por amor. Y también Juliette. Está dispuesto a colgar la espada y asentarse, aunque ello suponga su muerte.

El señor y los empleados de St. Aldwyn House representaron el vigoroso episodio durante cinco noches seguidas y el duque seguía insatisfecho. Juró y volvió a jurar que para cada nueva representación había realizado cambios drásticos en el manuscrito. Por lo poco que le había dejado leer a Lily, creía que solo había cambiado un par de palabras.

En un momento dado, Bickerstaff sugirió una pelea de espadas para despertar al lector del letárgico efecto inducido por la tendencia de Samuel a la poética exaltada. Pero este argumentaba que de seguir su consejo, se quedaría sin un solo personaje vivo al final del libro o con supervivientes lisiados recitando quejumbrosos soliloquios.

Por extraño que resultara, Lily empezó a percibir en la ceñida prosa algunas lagunas que previamente había pasado por alto debido a su excitación por conocer «Cómo se lo hará lord Wickbury para superar este obstáculo». O tal vez fuera que nunca sería capaz de volver a leer sus escritos con una mirada objetiva.

Pero la sexta noche, Samuel le leyó una página que la mantuvo clavada en la silla.

—«En el último momento, una fuerza invisible intervino e impidió que Renwick violara a la mujer que yacía en su cama. En la habitación había otro espíritu. Un poder que se alzaba a sus espaldas y...»

Samuel hizo una pausa. Su voz retumbó en el silencio.

—No pares ahora —dijo Lily, angustiada—. Se me han dormido los pies y las manos de tanto suspense. ¿Qué poder podría impedir la autodestrucción de Renwick? Ha renunciado a Dios. El demonio se lo ha llevado al infierno y lo ha devuelto a la Tierra un centenar de veces.

—¿Quieres saberlo? —preguntó Samuel tan tranquilamente que Lily le habría estrujado muy gustosa el cuello—. Me refiero a si crees que de verdad he captado la atención del lector. ¿Dejarías el libro llegado este punto para echar una cabezada o preparar el té?

—¿Qué tipo de fuerza hay en la habitación? —preguntó Lily entre dientes.

—Su hermana —respondió Samuel—. Ha salido de la tumba para vengarse.

Lily se estremeció.

—Tienes una mente muy retorcida.

—¿Y te parece mal?

—¿Qué si me parece mal? A menos que haya sangre de por medio, no puedo seguir esperando.

De hecho, ¿quién se habría imaginado que la señorita Lily Boscastle se mediría con lord Wickbury en un combate de esgrima? ¿Qué este la perseguiría escaleras de caracol arriba a punta de espada? ¿Y que ella se calzaría los zapatos con hebilla de sir Renwick y se defendería de sus avances con una varita mágica? Los embelesados criados, en el pasillo de abajo, se habían convertido en los soldados de Cromwell.

¡Por los clavos de Cristo! ¡Vive Dios!

Como era de esperar, Lily nunca llegó a ganar esos duelos. Samuel siempre acababa empujándola con su florete hasta la oscura galería y exigiéndole que se desarmara. Un mes atrás, no habría tenido el aguante necesario para seguir su ritmo. Pero las labores de la casa, entre otras cosas, le habían reforzado el brazo, aunque dudaba que llegara algún día a igualarlo como maestro espadachín.

—Seis noches —dijo protestando, dejando caer la varita de madera de avellano en la alfombra—. Comprendo que estés consagrado a tu obra, pero esto es llevar la autenticidad demasiado lejos.

Samuel esbozó una lenta sonrisa.

—¿Me culpas de intentar entremezclar algún hilo de verdad en esas historias?

—La verdad —dijo ella finalmente, cuando logró recuperar el aliento—, es que eres un truhán desvergonzado que pretende aprovecharse de su ama de llaves en esta galería.

Samuel echó un vistazo al grupito congregado a los pies de la escalera.

—Te recuerdo que, a efectos de la trama, esto no es ninguna galería, sino un parapeto.

—¡Un parapeto! Pues en este caso, es posible que ahí esté el problema. ¿Te has planteado alguna vez representar este capítulo en el paseo de ronda de un castillo de verdad?

Él replicó con firmeza:

—No tengo un castillo a mi disposición.

—Sí lo tienes. Pasamos por él el día que me trajiste aquí. Me dijiste que eras su propietario, a menos que fuera otra de tus invenciones.

Él se apartó, su expresión tensa.

—No lo era. Pero un incendio destruyó su interior hace dos décadas y se llevó consigo a toda mi familia, excepto a Alice y a mí. No sé si es un lugar muy seguro. Si quieres que te sea sincero, hace años que no consigo armarme del valor suficiente para visitarlo.

—No lo sabía —musitó ella.

—¿Y cómo podías saberlo?

—¿Y esos rumores de que el castillo está encantado? ¿También son de *tu* invención?

Sonrió con pesar.

—Fue una forma de ahuyentar a los morbosos. Maleficios, fantasmas levantándose de la cripta para vengarse. Ha funcionado, hasta cierto punto. Al menos, yo no he tenido tentaciones de volver a pisar de nuevo ese lugar. Empecé a escribir un relato sobre su historia, pero nunca pude acabarlo. —Negó con la cabeza—. ¿Cómo hemos llegado a hablar de este tema, Lily?

—Ha sido por mi culpa. Te he distraído.

—¿Estás segura de que no te he agotado en exceso?

—Mañana por la mañana estaré algo dolorida.

Aunque era más probable que fuera ella quien pudiera hacerle daño a él. Samuel dominaba demasiado la espada como para cometer una torpeza.

—¿Cómo un hombre que pasa años sentado escribiendo ha llegado a convertirse en tan buen espadachín?

Samuel le respondió con su típica modestia.

—Estuve años estudiando con un maestro de esgrima.

—¿Angelo?

—No. Se llama Christopher Fenton.

—Nunca oí hablar de él.

—Mi predicción es que llegará a hacerse famoso. Está muy bien considerado entre los caballeros de la alta sociedad que se ponen bajo su tutela.

Los ojos de Lily se iluminaron.

—Creo que mi hermano lo mencionó alguna vez.

Samuel se apoyó en la barandilla, evaluando su alegría.

—¿Te ha dicho alguien alguna vez lo atractiva que estás con un manto negro de seda?

Antes de que le diera tiempo a responder, estaba entre sus brazos, despreocupados ambos del público que los observaba desde abajo, de que los besos de él eran más peligrosos que el duelo que acababan de mantener.

—Tú —le susurró, arrastrándola por el pasillo con una mano, la otra deshaciendo los lazos de su corpiño— eres la que me forzará a doblegarme.

Una oleada de vértigo se apoderó de ella al llegar a la puerta del dormitorio. Samuel la presionó con su cuerpo. Reconoció su calor, la dura curvatura de su erección. Sus besos le provocaron el malicioso impulso de levantarse las faldas y darle placer allí mismo, de pie. La iniciativa lo sorprendió. La miró a los ojos con despiadada expectación.

Exasperante. Fascinante. ¿Héroe épico o villano clásico? En privado, en el mejor de los casos, el duque de Gravenhurst era ambas cosas.

Capítulo 32

Durante los días que siguieron, Lily llegó a la conclusión de que Samuel era un demonio, un demonio que seguía los dictados de su conciencia, pero un demonio de todos modos. Exigente a veces. Sacrificado otras. Estaba consagrado a aquello en lo que creía y tendía a rechazar cualquier opinión que fuera en contra de la suya. Sus sentimientos eran profundos. Amaba y trabajaba con una intensidad inhumana que ella se esforzaba por comprender. Le había mostrado el contrato de matrimonio que su abogado había redactado en Londres. Lily no encontró en el documento nada que quisiera cambiar.

Aprendió a interrumpirlo aun corriendo peligro por ello. Su despacho era la cueva de las maravillas, con su encanto y su desorden distraía de tal modo la atención que le parecía increíble que pudiera escribir una sola frase estando allí.

Cuatro sillas con el respaldo en forma de lira ocupaban las esquinas de la estancia, decoradas con paneles de madera de estilo rococó. El bien conquistaba al mal en los frisos decorativos de mármol y la yesería que coronaba las estanterías abarrotadas de poesía y tenebrosos libros. No le habría sorprendido descubrir en el interior de aquella infernal chimenea gótica que jamás estaba encendida, una puerta secreta que diera acceso a otro reino.

Tal vez, con el tiempo, dejaría también de sorprenderle que cuando llamaba a la puerta para llevarle el café, su única respuesta fuera: «Ahora no. Estoy en pleno asesinato» o «Si una criada quisiera descuartizar a su señor o a su señora, ¿cómo lo haría?»

Las preguntas de este estilo se convirtieron en algo normal. Solía implicar a la casa entera en sus divagaciones sobre el libro. Por suerte para sus delicados lectores, pocas de aquellas horripilantes reflexiones acababan llegando a imprenta. O tal vez sí lo hicieran y Lily había aprendido a saltarse esos párrafos.

La preocupación por su salud, sin embargo, superaba su miedo a molestarle. Comía poco. Trabajaba con las ventanas abiertas aún reinando la neblina, descalzo, con una camisa fina y el pelo con frecuencia húmedo por su costumbre de poner la cabeza bajo la bomba de agua para estimular las ideas. A veces sospechaba que se pasaba la noche entera en vela trabajando y había llegado a la conclusión de que eso era lo que le daba ese aspecto embrujado.

Después de días de observar sus hábitos, una mañana lo encontró dormido con la cabeza apoyada en la mesa. Posó la mano en su hombro y lo zarandeó dubitativa.

—Samuel, ¿has llegado a acostarte?

Abrió los ojos y la miró con una sonrisa indolente.

—No me acuerdo.

La reconocía, al menos.

—Has cambiado de lugar todas las sillas —dijo Lily, consternada—. Y tu cara... —Oscuros ángulos. Depresiones masculinas. Una vulnerabilidad que haría cualquier cosa por sanar—. ¿Qué sucede? ¿No será de nuevo esa escena?

—No. Me he obligado a saltármela. Pero intuyo otro personaje por los aledaños.

—¿Amigo o enemigo?

—Enemigo —respondió, frunciendo el entrecejo.

—¿Y qué hará Wickbury?

—Matarlo. —Sonrió—. ¿Qué si no?

Lily sintió un escalofrío. Se preguntaba por qué le gustaría tanto escribir sobre asesinatos y actos de venganza. Ella siempre pasaba por alto las partes más sangrientas de sus libros. Partes que, sin embargo, deleitaban a otros lectores. Empezaba a comprender cómo funcionaba su mente, y le asustaba.

Aun así, había determinados aspectos de su conducta que jamás lograría comprender. Por mucho que hubiera llegado a aceptar limpiar los mapas, libros y cachivaches que rodeaban el escritorio, los corazones de manzana y los desechos de animales eran otra cosa. Había gritado como una histérica la tarde que descubrió un rastro de excrementos de rata que se extendía desde el despacho hasta la biblioteca contigua. No tuvo el valor suficiente como para recoger con la mano aquella asquerosidad. De manera que, a modo de solución temporal, apartó de un puntapié aquellas pelotillas para acercarlas a la pared.

Cuando retrocedió, estremeciéndose, pisó una montañita que había pasado por alto y volvió a gritar. La casa entera apareció corriendo en el acto: las criadas, bajando de las escaleras que estaban utilizando para limpiar los cristales, y también los criados que las sujetaban desde abajo.

Samuel se abrió paso rápidamente entre la melé con uno de sus estoques italianos en la mano, el arma más inútil contra los excrementos de roedores que Lily hubiera podido ver en la vida.

—¿Qué pasa? —le preguntó Samuel, convertido en un guerrero quijotesco y decidido que despertó en ella el instinto de lanzarse a sus brazos y suplicarle protección.

Era todo elegancia, salvaje y desgreñada, su espada presta a defenderla. Se sintió la mayor estúpida del mundo cuando por fin le explicó que se había puesto histérica.

Pocas cosas la aterraban.

Se obligó a hablar, sirviéndose además de las manos para describir el asqueroso descubrimiento.

—Esas cosas repugnantes están por todas partes, de verdad, como si el rey de los ratones liderara un desfile hacia la biblioteca. Esas... esos... bueno, la verdad es que no se qué hacen los ratones, pero es posible que a veces luchen entre ellos como seres humanos. Es como si hubieran montado una formación. Y un horroroso montículo que casualmente he pisado.

Samuel hizo una mueca.

—Los ratones no han montado ninguna formación. Fui yo. Eran los caballeros uniendo fuerzas contra los *roundhead*. El montículo eran las balas de cañón de los realistas. Has conseguido no solo destruir ambos ejércitos, sino también horas de duro trabajo.

—¿Tú... tú... has puesto en formación...?

—Semillas de manzana. Los soldados eran semillas de manzana, no excrementos. La inspiración no me permite andar por la casa buscando objetos que la capturen. A veces me siento como... Scheherazade. No puedo permitirme que se me escape ni una sola idea.

Lily lo entendió pero no dijo nada. Dios no quisiera que la acusara de decapitar una obra maestra en ciernes. Samuel había publicado con éxito sin que ella interfiriera en su trabajo y así tenía que seguir haciéndolo.

Su educación sobre el concepto de St. Aldwyn House no había hecho más que empezar. Lo que antes le parecía misterioso, ahora cobraba sentido. Samuel daba largos paseos a solas por el páramo para despejarse la cabeza. Lo había visto charlar con la gente del lugar desde la ventana.

Subvencionaba con sus donaciones la pequeña parroquia, aunque solo acudía a la iglesia un domingo al mes. Tenía un bancal reservado para su uso privado. La mitad de las fieles se pasaba la misa lanzando impotentes miradas de refilón a su bien torneada cabeza. Y él fingía no darse cuenta.

Cualquiera pensaría, de hecho, estudiando su oscura figura arrodillada, que estaba orando y arrepintiéndose de sus anteriores semanas de pecado. Pero no fue hasta el camino de vuelta a casa a caballo que Marie-Elaine le reveló la verdad: su excelencia se arrodillaba para tomar notas siempre que se le ocurría una idea intrigante. Teniendo en cuenta el número de veces que había hecho la genuflexión, Lily estimó que un sermón prolongado sería capaz de inspirarle otra serie.

Las amonestaciones de la boda se anunciarían en el pueblo a principios de mes. Hasta que llegara el momento, Lily no compartiría el banco de la iglesia con Samuel, por mucho que ella, y ninguna otra mujer, compartiera ya sus secretos y su cama.

Aquella misma noche compartió de nuevo su cama.

Y su sueño más atrevido se hizo realidad.

Ser seducida por sir Renwick Hexworthy.

Capítulo 33

Después de una cena ya bien entrada la noche, Samuel insistió en representar su problemática escena desde la perspectiva del villano. Le explicó a Lily que en la iglesia, durante el sermón, se había dado cuenta de que su error radicaba en haber intentado reprimir el punto de vista de Renwick.

Por mucho que no le gustaran las críticas a su trabajo, le confesó que escuchaba todas las sugerencias y que consideraba cualquier opinión que le pareciese razonable.

Subiendo las escaleras que conducían a los aposentos de Lily, imaginó que nada bueno le esperaba. Tal vez Samuel se hubiera puesto ya en el lugar de sir Renwick. Y su corazonada resultó ser acertada. La salita de estar estaba vacía. En la chimenea de la alcoba ardía un leve fuego de turba. Sería una representación privada.

Observó, traspuesta, que Samuel cogía el estoque que había sobre el sofá. Se fijó entonces que iba sin afeitar. Estaba diabólicamente irresistible. Cuando le habló, lo hizo con un tono ronco que presagiaba peligro.

Era una voz que reconoció enseguida desde lo más profundo de sus deseos no confesables.

El estoque cortó las cintas de su hombro izquierdo y cruzó en dirección al derecho sin rasgarle la piel. Los hilos de su vestido, camisola y corsé cedieron al ataque.

—Eso —susurró Lily, levantando la mano en señal de protesta—, no ha sido ni mucho menos un acto sutil.

—Sir Renwick no es un hombre sutil —replicó él sin ánimos de disculparse—. Y aun siéndolo, es demasiado tarde para solicitar su cortesía. Ha llegado a un trato.

—¿Qué trato? —cuestionó ella, sus manos corriendo a sujetar el tejido que se había deslizado hasta la altura de sus caderas. La mirada de él siguió aquel movimiento—. Creía que ya habíamos llegado a un acuerdo.

—Samuel y Lily han llegado a un acuerdo. —La enlazó por la cintura, presionándola contra su duro cuerpo—. Ahora somos otros personajes. Y no soy fácil de complacer.

Lily tembló, extasiada, fingiendo querer apartarse. Pero él reaccionó, su abrazo estrechándose hasta que el cuerpo de ella se sintió atraído como por un imán. El estoque seguía en su mano. Notaba la frialdad del acero a través del tejido de la falda.

—¿Por qué debería complacerte? —susurró.

Samuel se echó a reír. Deslizó la mano por su nuca en dirección a su espalda desnuda. Sofocó ella un grito por la sensación. La besó entonces, su boca dura, su voz burlona al ver que ella le posaba las manos en los hombros.

—Así está mejor. Te sientes impotente, ¿verdad?

Reprimió un gemido.

—No del todo.

Samuel deslizó entre ellos la otra mano. Acarició sus pechos desnudos.

—¿No querrás que pare?

—Tienes el corazón malvado.

—No sabes hasta qué punto. —Hizo una pausa, consciente de la avidez inexplicable que asaltaba a Lily—. Pero pronto lo sabrás.

Mordisqueó sus labios. Ella se quedó sin aliento. Arqueó el cuerpo, ofreciéndose a él, su vergüenza esfumándose. Se hacía con ella con extrema facilidad.

—Voy a dejar el estoque —susurró él, pegado a su boca—. No lo necesito para lo que voy a hacerte a continuación. —Sonrió—. Para eso tengo una varita mágica.

Ella se derrumbó. Y él la cogió antes de que se doblegara por completo. Incluso entonces, siguió cubriéndola de besos. La llevó a la cama. La habitación estaba totalmente a oscuras. La despojó de lo que le quedaba de ropa, luego se desnudó él. Lo atrajo hacia ella. Lo deseaba dentro. Su cuerpo sabía que solo él podía calmar su anhelo.

—Te ataré a los postes de la cama —dijo él con voz ronca—. Por el bien de la autenticidad, espero que lo comprendas.

Lily sintió una punzada de tentación.

—Me parece más bien una licencia artística. Si estoy atada, no voy a poder tocarte —musitó.

Le acarició la espalda a Samuel, su gesto explícito. La erección aumentó con el contacto de sus dedos. Pero Samuel permitió solo un instante de caricias. Entonces, respirando con dificultad, la cogió por las muñecas y las ató a la cama por encima de su cabeza.

—Si quebrantas nuestro pacto, te castigaré con placer toda la noche.

Lily suspiró.

—Por lo que parece, no tengo otra elección.

—No hasta que me quede satisfecho y vea que te has rendido a tu héroe.

Lily lo miró a los ojos.

—Complácete como te plazca.

Él inclinó la cabeza y se deslizó entre sus muslos. Su verga abrasó la piel de su vientre. Levantó una rodilla, una descarada invitación.

—Todavía no —dijo él con una sonrisa, incorporándose para provocarla, para que le suplicase.

Lily se estremeció, sus manos tensándose contra su inquebrantable abrazo hasta que, sin previo aviso, la soltó. Pero incluso así, seguía cautiva. Deslizó las manos por debajo de sus caderas. La miró a los ojos. Los pensamientos de Lily se ofuscaron cuando empezó a chuparle los pechos. Erosionó con la lengua los sensibles pezones hasta que, en el momento en que su boca empezó a deslizarse hacia abajo, se amainó a la espera de lo que estuviera por llegar.

—No... no puedo respirar si... ¿Cómo puedes respirar *tú* en esta posición?

La risa le hizo vibrar la voz al responder.

—Tal vez porque estoy respirando el perfume más dulce que la tierra haya conocido jamás.

—Lord Wickbury acabará interviniendo. —Se mordió el labio inferior—. Siempre lo hace.

Él levantó la cabeza para esbozar una oscura sonrisa.

—Esta noche no. Hay que sufrir algo de suspense. El lector necesita motivos para odiarme.

—Villano —gimió Lily.

—«Acepta la noche» —dijo con una carcajada.

Los conocidos rituales de la escritura lo consumían.

La presión para terminar el libro tenía prioridad por encima de todo lo demás. Su cerebro hervía como un caldero. La sustancia ascendía a la superficie. Pero, por desgracia, también la espuma sucia. Necesitaba un tamiz para cribarlo. Pasó tres días seguidos sin apenas pronunciar una palabra cortés. Por las noches, mientras la casa dormía, paseaba por el páramo.

Escribía a frenéticas ráfagas.

Y siempre, en los márgenes de su mente, era consciente de *ella*. Sabía que entraría en la estancia, seguramente para comprobar que seguía con vida. Nunca hacía comentarios sobre el desorden que lo rodeaba. Pero la notaba encogida y moviendo la cabeza con preocupación cuando se marchaba. A veces, pensar en ella rompía su concentración y deseaba encadenarse a la mesa.

El placer podía esperar. En cuanto hubiera satisfecho sus demás obligaciones, se casaría con Lily. Tal vez viajarían, pero ni siquiera eso podía prometerle. Lo más probable era que volviera a comprometerse con Philbert y que el horrendo proceso de escribir un libro volviera a repetirse.

Aunque ahora Lily lo sufriría con él.

Lily estaba segura allí.

Y él...

Infierno y maldición.

Se quitó las gafas y miró exasperado hacia la ventana, abierta para ceder paso a la estimulante brisa.

Oyó cascos de caballos sobre la gravilla del camino de acceso. Un visitante sin invitación. Los buhoneros que pasaban una vez al mes por el páramo nunca utilizaban la entrada principal. Dudaba que su hermana Alice hubiera decidido viajar a caballo. Maldijo con rotundidad y confió en la intervención de Bickerstaff. Pero en aquel momento recordó que después de desayunar había echado a todo el mundo de casa, incluyendo al mayordomo, y los había enviado a hacer recados al pueblo durante el resto del día.

Retiró la silla, haciendo caso omiso a una repentina punzada en las sienes, y esperó a que el desconocido se marchara. Pero el martilleo en la puerta siguió hasta que, con incredulidad, escuchó pasos en el pasillo.

Cogió la vara y la espada que reposaban junto a la silla. Al menos, le daría un susto de muerte al intruso. Se levantó, se dirigió hacia la puerta y anunció:

—Voy a mataros, quién quiera que seáis, a menos que vuestra invasión esté respaldada por una condenada buena razón.

—Creo tenerla —replicó el capitán Grace cuando Samuel lo interceptó en el pasillo.

Capítulo 34

Samuel se quedó mirándolo con franco desdén.

—De toda la gente que pretendo matar antes de morir, os aseguro que ocupáis el primer lugar de la lista. ¿Cómo os atrevéis a venir a esta casa?

—Por el bien de Lily.

Samuel hizo retroceder a ese hombre, más fornido que él hasta el pie de las escaleras.

—¿Qué arma preferís?

—No he venido aquí a batirme.

Cerró en el puño los guantes de montar. Samuel no permitió que aquel movimiento nervioso alterara su atención. El estoque y la espada seguían en su mano.

Aquel miserable cobarde no solo había disparado contra un hombre delante de Lily y había negado haber cometido el acto, sino que además invadía su intimidad. El asunto terminaría con un derramamiento de sangre.

Empujó a Grace por el pasillo, con la espada en una mano y el estoque en la otra. Aquel insecto merecía ser colgado de los tapices de la pared.

—¿Qué queréis?

Grace tragó saliva, pero se negó a bajar la vista.

—Necesito hablar con…

—No.

—Independientemente de que sea o no vuestra amante, su vida corre peligro, excelencia.

—No tanto como la vuestra.

—Escuchadme. He viajado hasta aquí no solo para confesar mis actos, sino también para alertar a Lily. Es verdad que vio morir a un hombre de un disparo aquella noche al salir de la fiesta. Jamás debería haberla llevado allí, para empezar. Fue Kirkham quien insistió en que fuéramos.

—Debilidad de carácter —reflexionó Samuel en tono despiadado—. ¿Quién lo habría imaginado? ¿No tuvisteis agallas para negaros?

—Tenía una deuda con él.

—¿Tan grande era que por ella fuisteis capaz de deshonrar a la mujer que supuestamente teníais que proteger?

—Era también una deuda en el sentido más literal del término —dijo Grace, sus claros ojos examinando con atención a Samuel—. Una deuda que habíamos contraído tanto Kirkham como yo. El hombre que nos abordó nos exigió el pago que le habíamos prometido. Kirkham extrajo su pistola antes de que me diese tiempo a caer en la cuenta de lo que pretendía hacer. —Negó con la cabeza—. Intenté detenerle, pero tiene un carácter violento, y ya era demasiado tarde.

Samuel había contado tantas historias en su día que sabía muy bien cuándo alguien podía conseguir engañar a otro.

—Terminad —dijo.

—Le disparó y le ayudé a esconder el cuerpo en la caja de un carromato. Aquella misma noche, Kirkham pagó a sus criados para que se ocuparan de los restos. Mentí a todo el mundo, incluida Lily.

—Maldito seáis —dijo Samuel en voz baja—. Sois un gallina, pero no tenéis huevos.

—Temía por mi futuro.

—Pobrecillo —dijo Samuel—. Vamos a buscar un balde donde podáis derramar vuestras lágrimas.

—Kirkham me salvó la vida en una ocasión.

—En este caso, deberíais haber aprendido el valor del sacrificio. Lily necesitaba vuestra protección. Entregadme vuestras armas.

El capitán Grace se quedó blanco y se llevó la mano a la pretina.

—¿No lo entendéis? Kirkham ha huido a Calais. Tengo intención de darle caza.

—¿Y escapar vos de paso?

Grace depositó las pistolas con llave de chispa en el último peldaño de la escalera.

—Habría confesado a las autoridades antes de venir a veros, pero de haberlo hecho habría salido de nuevo a relucir el nombre de Lily.

—Vaya alma valerosa estáis hecho. —Samuel pasó el estoque a la mano derecha, junto con la espada, y cogió el par de pistolas—. Adelante, chico valiente, convertiros en héroe. Si alguna vez vuelvo a veros, os haré pedacitos como una morcilla. ¿Queda claro?

Grace asintió con rigidez.

—No tenéis ni idea de lo cerca que estáis en estos momentos de perder mucho más que a una mujer que jamás os merecisteis —dijo Samuel—. No sé muy bien si es mejor dejaros marchar y saber que pasareis el resto de vuestra huida convertido en fugitivo, o acabar ahora mismo con vuestras miserias.

Grace parecía resignado.

—No os culparía por querer zanjar esto como una cuestión de honor. Y no pretendía insultar a Lily cuando me he referido a ella como vuestra amante. Yo...

—Se me está agotando la paciencia. No quiero que Lily os vea.

—¿Puedo tener vuestra palabra de que le contareis la verdad?

—Os prometería solo aquello que pudiera afectar a vuestro futuro. Si es que lo tenéis. —Recorrió el brazo de Grace con la punta del estoque—. Marchad.

El capítulo podría haberse cerrado aquí. Samuel se habría empleado con la pluma con desdén. Una confesión escrita para un correcto final. Pero el mundo real se negaba a avenirse con sus ideales literarios.

—Daría lo que fuera por deshacer lo ocurrido —dijo Grace—. No sabía que era jugador hasta que llegué a Londres. Antes de eso era simplemente un inocuo pasatiempo rural. Tal vez parezca inverosímil, pero es como si una mano invisible me hubiera hecho caer en la tentación y tramado mi desgracia.

A Samuel le habría encantado poder atribuirse el mérito de la ruina del capitán. De hecho, incluso le había concedido a Grace carta blanca para jugar con su dinero. Pero no se arrepentía de lo que había hecho. En cualquier caso, habría actuado más agresivamente si cabe para ofrecerle a Lily su protección.

El reloj de pie del pasillo dio las cuatro. Un instante después se puso en marcha una cacofonía de relojes dando la hora. Ignorando el clamor, Samuel empujó a Grace hacia la puerta.

Samuel se encaramó a su túmulo favorito, estoque en mano. Era aquí que sir Renwick había vendido su alma al diablo a cambio del poder para derrotar a su hermanastro de noble cuna. Samuel experimentó una repentina y extraña oleada de cariño por el lugar que había engendrado tan incorregible personaje. Tal vez fuera porque desde aquella atalaya podía vislumbrar los restos del castillo donde había vivido y muerto su familia. Aquí había bramado de cólera durante el duelo. Había sido la época más negra de su vida.

Pero aquello era el pasado. El futuro estaba sentado en un carromato que avanzaba a trompicones hacia él por el antiguo camino de los frailes mendicantes. Un rato antes, había visto desaparecer al capitán Grace en dirección opuesta.

Observaba como un poseso a Lily acercándose. Cuando por fin ella se percató de su presencia, le indicó con un gesto a Bickerstaff que detuviera el carromato. Bajó de un salto. Samuel dejó el estoque en el suelo y corrió para ayudarla a subir la pedregosa pendiente.

—He comprado de todo —dijo Lily, entregándole una cesta de mimbre antes de que pudiera cogerla entre sus brazos.

Pero lo hizo igualmente y la cesta cayó, cintas, té, pan y paquetes de hilo cayendo a sus pies. Le acarició la espalda, sus manos perdiéndose entre los pliegues del vestido. La agarró con fuerza por el trasero y ella sofocó un grito en la boca de él.

—Hoy debes de haber escrito veinte páginas como mínimo —dijo Lily—. Hace días que no te mostrabas tan cariñoso.

—No he escrito ni una sola palabra decente. —La condujo hacia un lugar protegido entre las rocas salpicadas por el liquen. Regresó un momento a recoger la cesta y sus contenidos—. Hemos tenido visita. Una visita desagradable.

Lily se quedó mirándolo.

—¿Es por eso que pareces tan agobiado... es por eso que no estás bien?

—Te contaré lo que ha pasado de vuelta a casa. Es posible que reconozcas algunos hitos por el camino.

Miró más allá de él, comprendiendo lentamente. Se fijó en el puente en ruinas cubierto de yedra que cruzaba el arroyo que corría detrás del túmulo.

—¿Es *esta* la perversa guarida de sir Renwick?

Samuel consiguió esbozar una sonrisa. La confesión de Grace había contaminado su estado de ánimo.

—Una de ellas. Y me temo que si permanezco más rato aquí, acabaré sucumbiendo a su influencia.

De camino a casa, se levantó el viento. Lily no sentía el frío. Estaba aturdida por los sucesos que se habían producido durante su ausencia.

—¿No mencionó que quisiera verme? —preguntó, con la mirada clavada en el desolado paisaje del páramo.

Samuel se sirvió de la punta del estoque para lanzar algunos cantos rodados a las aguas oscuras del estanque que brillaba junto al camino.

—Sí. Lo mencionó. Pero me negué a permitírselo. —Se volvió repentinamente hacia ella—. ¿*Querías* verle?

—No. Pero...

La miró a los ojos.

—Creo que habría merecido la pena haber oído personalmente cómo me exculpaba.

—No he querido correr ese riesgo —replicó él sin alterarse—. De haberme desafiado, lo habría atravesado.

—¿Y piensas atravesarme a mí también?

Frunció él el entrecejo.

—¿Qué?

Señaló el estoque que Samuel mantenía alzado.

—Mi protector —dijo ella con una sonrisa—. Preferiría ser tu criada durante lo que me queda de vida que ser tu esposa, ni que fuera solo por un día.

Capítulo 35

Marie-Elaine zarandeó a Lily para despertarla aquella misma noche. Llevaba solo una hora dormida, puesto que le había costado conciliar el sueño pensando en la confesión de Jonathan. Ojalá hubiera podido enfrentarse a él cara a cara. Pero Samuel se había puesto furioso con solo insinuárselo. Se preguntaba, no obstante, si aquello la redimiría a los ojos de su familia. ¿Conocería siquiera Jonathan el nombre de la víctima? Estaba exonerada, pero después de caer en la deshonra, era una victoria vacía.

—Su excelencia tiene fiebre —dijo Marie-Elaine, sacando ya un vestido del armario.

Lily se tapó los ojos con la mano. La luz de la luna se filtraba entre las cortinas e iluminaba las ramas del exterior.

—¿Qué? ¿A estas horas de la noche? Mejor que espere a que se haga de día. Me da igual el número de páginas que pueda perder. Estar despierto a estas horas carece de toda lógica, ni siquiera por el bien del arte.

—Es fiebre de verdad. Le sucede casi cada año. Se pone gravemente enfermo.

—¿Y por qué no me lo habíais dicho antes?

—Odia que la gente sepa que tiene también sus puntos débiles.

Lily retiró la colcha y se cubrió con una gruesa bata de lana.

—Confío en que hayáis mandado llamar al médico.

—Sí. —La criada hizo una mueca—. Pero lo más probable es que no llegue hasta de aquí a dos o tres horas.

Lily reprimió una aguda punzada de pánico. Tal vez Samuel no estuviera tan enfermo como Marie-Elaine suponía. Todo el mundo en aquella casa tenía una clara tendencia a la exageración. Pero cuando entró en su alcoba unos minutos después, vio que parecía una efigie de cera. En la chimenea ardían a fuego fuerte hierbas aromáticas. El olor le irritó la nariz. La señora Halford estaba humedeciendo su torso desnudo con un trapo empapado en alcanfor y aceites aromáticos. Samuel la miró con los ojos entrecerrados.

—Vete.

Lily corrió hacia la cama. Samuel se incorporó y retiró la mano de la señora Halford.

—Nunca debería haberte traído aquí.

—¿Por qué no? —preguntó Lily indignada.

Samuel negó con la cabeza.

—Soy una persona indecente. Estabas prevenida. Juliette está en el balcón. Una mujer jamás debería tocar una espada. Philbert tenía razón.

—Está delirando —susurró Marie-Elaine—. Cuando tiene fiebres empieza a divagar.

Los surcos que escoltaban su boca se hicieron más marcados.

—Los fantasmas no están felices —prosiguió, como si estuviera conversando y cerrando poco a poco los ojos.

—¿Qué fantasmas? —preguntó Lily presa del pánico, aunque fuera solo para impedir que perdiera el conocimiento. Si hablaba de comunicar con los espíritus estando tan enfermo, ¿significaría que estaba adentrándose en otro mundo?—. Los fantasmas no existen —añadió.

Y entonces, sin pensarlo un momento, acercó la cabeza a su pecho para escuchar el latido.

La señora Halford gritó horrorizada.

—No, no. No podéis...

Lily, en el peor momento de su vida, pensó que se había ido. Y fue entonces cuando vio la cicatriz que se iniciaba en el esternón, atravesaba su caja torácica y finalizaba en su vientre. Un par de manos firmes intentaron separarla.

—Está delirando, señorita —dijo en voz baja Emmett por encima de su hombro.

—¿Qué son estas marcas? —preguntó con perplejidad. No se las había visto nunca haciendo el amor. Aunque, a decir verdad, siempre habían estado a oscuras. Parecían quemaduras—. ¿Por qué tendría que avergonzarse de ellas?

Nadie respondió.

Se giró en redondo para mirar a Marie-Elaine.

—¿Por qué lo mantiene todo en secreto? No está bien. Es...

—Las cosas que dice cuando se pone tan enfermo nunca tienen mucho sentido —observó la señora Halford, interrumpiéndola—. Antes me daban escalofríos cuando se ponía a hablarles a las sombras.

Lily ansiaba saber más, pero en aquel momento se abrió la puerta y apareció un hombre enorme cubierto con una capa negra, con un pelo pelirrojo cano y despeinado que hablaba por sí solo de la precipitación de su llegada.

—¿Qué os dije a todos hace ya tiempo? —dijo con consternación—. Al paciente no le hace ningún bien teneros pululando alrededor de su cama como cuervos. Salid de aquí, todos. Salid de aquí para que pueda ponerme a trabajar.

—Nos necesita —dijo Lily sin entender nada.

—Traedme una jofaina. —El médico extrajo un bisturí de su maltrecha caja de instrumentos—. Marie-Elaine, ¿queda aún por la casa un frasco de sangre de dragón en buen estado?

Lily retrocedió hasta topar con el cálido pecho de la señora Halford.

—¿Sangre de dragón?

—No es más que una planta, señorita —dijo Emmett, girándose para no ver la sangradera.

—Y traedme, por favor, todo el láudano que tengáis a mano —añadió el médico.

Samuel se incorporó con la mirada vidriosa.

—Nada de opio. Jamás. No puedo escribir con el cerebro entumecido.

—Tampoco podéis escribir desde la tumba, excelencia —dijo el médico con un ensayado tono de autoridad.

Lily no quería apartarse de Samuel, pero los demás criados la arrastraron con firmeza hacia la escalera. Tropezó al bajar los peldaños y Emmett y su gemelo corrieron a la vez a socorrerla. Estiró el cuello para echar un último vistazo a la alcoba del duque. La cara redonda y pálida de la señora Halford flotaba sobre la barandilla como una luna melancólica.

—Voy a buscar el láudano —dijo Marie-Elaine por detrás de Lily—. En el aparador hay tintura de verbasco, en la estantería del medio, detrás del licor de menta.

Lily asintió, pero cuando llegaron a los pies de la escalera para seguir caminos distintos, murmuró:

—¿Son quemaduras esas cicatrices que tiene el duque en el torso?

La criada bajó la vista.

—Sí. Son resultado del incendio del castillo.

—Pero ¿por qué tiene que ser esto también un secreto? Él y yo, bueno, nosotros... Nunca ha hablado del tema. ¿Se siente culpable de lo sucedido?

—No recuerda nada —respondió Marie-Elaine con un suspiro—. Su mente borró por completo la tragedia. No recuerda cómo sufrió esas cicatrices.

Capítulo 36

El posadero de Plymouth acercó una copa de vino a la magullada boca de su cliente. La sirvienta que había encontrado al caballero en el suelo de su habitación había creído de entrada que estaba muerto. Había explicado con lágrimas a su jefe que el atractivo capitán le había dado una generosa propina para que lo despertara a las cuatro de la mañana.

Tenía una venganza que cumplir en Calais, pero no sabía cuál.

—Dijo que por su culpa otro hombre le había robado a la mujer que amaba y que pensaba demostrarle a la dama lo mucho que lo sentía.

Se retorció las manos y apartó la vista cuando el capitán empezó a gemir.

El posadero movió la cabeza en un gesto de compasión.

—Nadie ha visto quien le ha atacado, pero los ancianos de la habitación contigua dicen haber oído una discusión.

—¿Creéis que el atacante volverá?

—Si se trataba de alguna rencilla de carácter privado, supongo que es posible. No es bueno para el negocio. Lo sé.

—Pero no podemos meterle en un barco y desearle *bon voyage*.

—En cuestión de un día o poco más estará mejor... o habrá muerto —dijo con firmeza el posadero—. Hasta entonces, podríamos revisar sus pertenencias por si encontramos mención de algún pariente o lugar de residencia para notificar a la familia esta desgracia.

La sirvienta se aplicó en la tarea e inspeccionó con discreción la ropa y la maleta de viaje del capitán.

—He encontrado un mapa de Dartmoor, señor. —Alisó con la mano las arrugas del documento—. Y veo que aparece un nombre escrito. Un duque, nada menos. Echad un vistazo vos mismo. ¿Creéis que podría ser la persona responsable de la paliza que ha recibido este caballero?

—Con la aristocracia todo es posible —respondió el posadero encogiéndose de hombros—. Aunque no estoy seguro de que nos interese tener líos con un duque. La nobleza está por encima de la ley.

La fiebre del duque amainó la tercera noche.

La enfermedad había agotado las reservas emocionales de su personal. Lily pasó el día entero echando cabezadas en cuanto comprendió que iba a reponerse. La cocinera quemó una olla de sopa y fue Bickerstaff quien, olisqueando a chamuscado, corrió a la cocina y apagó las llamas con su mejor chaqueta de pañería fina.

—¡Dios tenga piedad de todos nosotros, mujer! —exclamó—. ¿Acaso no imaginas lo que pensaría el señor de haberse despertado y olido a humo?

La señora Halford rompió a llorar.

—Estaba a medio levantarme de la silla cuando me habéis casi tumbado al suelo con tanto dramatismo.

—Eso es mentira, señora Halford. —Se quedó mirando la pobre chaqueta—. He oído vuestros ronquidos desde la despensa.

—Donde estabais echando una siesta —dijo una de las chicas desde la trascocina, que podía permitirse regañar al mayordomo, pero no a la cocinera que con tanta generosidad la alimentaba—. La habéis apartado de un empujón del hogar. Lo he visto. Y testificaré ante los tribunales si es necesario.

—¿Ah sí? —cuestionó él—. Y entonces, ¿por qué no vigilaste el fuego, perezosa negligente?

—Señor Bickerstaff —dijo la cocinera, rodeando a la chica por los hombros—. ¡Qué cosas endemoniadas decís!

—Hablando de lo cual —observó una voz chistosa desde la puerta con arco—, me atrevería a decir que el infierno de Dante debe de estar más tranquilo que esta casa. ¿Cómo, pregunto, se supone que puede trabajar un hombre con tanto jaleo?

Los ojos de Lily se iluminaron. Qué dramaturgo. Pero su intenso sentido de la tragedia hacía que lo quisiera aún más.

Se contuvo viendo que se apiñaba allí todo el personal. La señora Halford pestañeó para disimular las lágrimas y se ofreció para prepararle una buena comida al duque. Bickerstaff suspiró y le indicó a Emmett con un gesto que acercara una silla a su excelencia. La chica de la trascocina cogió una escoba y barrió las cenizas del hogar.

Y Samuel se limitó a sonreír, más incómodo por el revuelo que su presencia causaba que por otra cosa, mirando a Lily a los ojos con una intimidad y un agradecimiento que le atravesaron el corazón.

Lily saltó de una situación de pánico a otra.

Quería causar una buena impresión a la hermana de Samuel. Lady Alice era su única pariente con vida. En compañía de la señora Halford preparó una serie de delicias gastronómicas, como suflé de champiñones, manzanas fritas con natillas y crema de zanahorias. Sacudieron los tapices gobelinos hasta el último centímetro de su tejido. Las criadas, siguiendo órdenes de Marie-Elaine, se atrevieron incluso a infiltrarse en la biblioteca para limpiar las telarañas enganchadas entre los volúmenes de vitela ordenados desde Abelardo hasta la vida de Zaratustra. Las semillas de manzana que aparecieron fueron movidas con suma cautela y colocadas de nuevo en exacta formación en los alféizares de las ventanas del despacho del duque.

Nada de esto complacía a Samuel que, recuperadas las fuerzas, acudía al lecho de Lily estando ella demasiado agotada y preocupada como para protestar. Había recuperado su vigor a una velocidad sobrenatural.

—No podrás seguir tomándote estas libertades cuando tu hermana esté bajo tu mismo techo.

—¿Por qué no? —preguntó con pereza después de despojarla del camisón, desnudos ambos en pecado, sus dedos acariciándola con un ritmo sereno e imperturbable.

Lily deslizó las manos por su espalda hasta alcanzar sus firmes nalgas. No se puso tenso cuando le rozó las cicatrices.

—Porque quiero crear una buena...

La penetró lentamente, flexionando la espalda.

—Continúa —dijo él, su atención evidentemente superficial, su penetración tan bienvenida que Lily perdió enseguida el hilo de sus pensamientos.

—Pararé si insistes —concedió él con un susurro, retirándose de ella como si fuera una cortesía, no una tortura intencionada.

Lo atrapó por el tobillo.

—Tengo que levantarme antes de que amanezca...

—También yo.

—... para atender a mis deberes de ama de llaves.

Le susurró las palabras que su poco convencional corazón más ansiaba escuchar.

—Al diablo con el ama de llaves, Lily. Eso no aparecía mencionado en los términos del primer contrato. ¿Crees que me importan las telarañas en los rincones?

—Yo... —Se arqueó sobre el colchón y separó las piernas para atraerlo de nuevo hacia su interior, musitando—: En este momento, tampoco me importan mucho a mí.

Samuel le recorrió con la lengua el lóbulo de la oreja. La sangre se revolucionó en los rincones más escondidos de su cuerpo.

—¿Y a ti qué te importa? —preguntó, rodeándola por la cintura.

Alteró ella la postura, consciente de que la voz de Samuel se había vuelto más ronca por la tensión de su cuerpo.

—Solo tú —dijo antes de que sus miradas se encontraran, y Samuel se sumergió en ella tan profundamente, que Lily exhaló un grito de sorpresa.

—Dímelo si te parece demasiado brusco.

—No lo es —replicó ella, casi sin aliento.

Él se inclinó para besar sus inflamados pezones. Los implacables golpes que la empalaban le aceleraron el corazón. Deseaba sentirlo empotrado en ella. Se revolvió para colocarse arriba, sobre él, buscando más, hasta que percibió una tensión en su vientre. La insoportable tensión de la liberación inminente.

Huidiza. Ansiosa. Gimió cuando la besó con una ternura tan intensa y devastadora que la dejó temblando.

—Samuel —dijo con desesperación—. No aguanto más este tormento. Creía que eras bueno.

—Y lo soy.

Comprendió entonces lo que pretendía, comprendió que estaba prolongando, aumentando su placer.

—Eres cruel —susurró, y dejó que siguiera tentándola, más y más, hasta que se liberó y quedó hecha añicos.

Continuó antes de que ella se recuperase. La concentración contrajo las arrugas de su cara. Su cuerpo exigía el mismo gozo que él le había dado. Amortiguó sus embestidas, animándolo simplemente con obedecer su propio instinto.

Se movía con la seducción desatada por su insistencia. Lily se preguntó si a la mañana siguiente podría moverse. Por un épico momento, sus miradas se cruzaron. Y vio, más allá de aquella sensualidad, las intensas emociones que Samuel se esforzaba por ocultar al mundo. Estaba llamándola por señas para atraerla hacia su oscuro vórtice, revelándole su vulnerabilidad sin decir palabra.

Comprendió entonces cuánto la necesitaba; no era un hombre que compartiera fácilmente su forma de ser.

—Me importas mucho —dijo con una voz ronca que le taladró el corazón—. Me importas tanto que haría cualquier cosa por mantenerte siempre a mi lado.

Emitió un profundo gemido y la penetró una última vez, el impacto dejándola sin respiración. Incluso así, le emocionó sentirlo palpitar en su interior. Cuando se retiró, tuvo la sensación de estar volviendo muy lentamente a este mundo.

Samuel se derrumbó a su lado, acariciándole el hombro, descendiendo por el brazo hasta alcanzar su muñeca. Lily se sentía incapaz de reunir la fuerza de voluntad necesaria para moverse. Le bastaba con absorber el calor de su bellamente formado cuerpo.

—No le esconderemos la verdad a mi hermana —dijo cuando el corazón de Lily empezó a recuperar su ritmo habitual.

—¿Lo sabe todo sobre ti? —preguntó ella con curiosidad.

—Lo sabía hasta que te conocí. Ahora le contaremos juntos que he encontrado la felicidad.

Capítulo 37

Lily sintió simpatía por la hermana de Samuel en el momento en que el duque las presentó en el gran salón. Lady Alice era infinitamente más cariñosa y sencilla que su carismático hermano. Tenía una refinada belleza más sutil que la de Samuel. Su porte aristocrático y su elegancia natural le recordaron la posición que en su día ella había dado por sentada. Sintió una dolorosa punzada de anhelo por su familia. ¿Volvería a verlos en alguna ocasión? ¿Les impresionaría el título de Samuel?

—Ahora entiendo —dijo en voz muy baja Alice cuando Lily se incorporó de su reverencia—, por qué Samuel se retrasa tanto en contestar a mis cartas. Y no volváis a hacerme una genuflexión. Seréis mi cuñada y no os criasteis para la sumisión.

—¿Puedes volver a repetirlo? —murmuró Samuel antes de dejarlas solas con la excusa de unas galeradas que había recibido con el correo.

—Demos un paseo por el jardín, Lily —sugirió lady Alice, enarcando una ceja al ver la espada que Samuel había dejado olvidada en la escalera—. Me duelen los huesos del viaje en carruaje hasta aquí.

—Lo entiendo *perfectamente* —replicó ella, riendo. Después de todo el trabajo realizado con su ayuda y la del personal, sería delicioso poder relajarse unas horas. Y enseguida quedó claro que lady Alice se negaba a reconocerla como un ama de llaves. Desde el primer momento la estaba tratando no solo de igual a igual, sino también como una amiga.

Lily no tardó nada en caer bajo su encanto y en retroceder, sin darse cuenta de ello, a su posición como dama de la nobleza.

—Me alegro de que mi hermano os encontrara —dijo lady Alice cuando llegaron a la rosaleda—. Estuve comprometida con el único hombre que amaré en mi vida. Stephen resultó herido defendiendo sus tropas en Ligny. Su última petición fue volver a casa para casarse conmigo ante la muy probable posibilidad de que acabara muriendo. Samuel y el personal de la casa me ayudaron a cuidarlo durante tres meses antes de que el Señor se apiadara de él. —Se giró hacia un enrejado cubierto de rosas—. Nunca llegamos a casarnos.

—La guerra fue execrable —dijo Lily, moviendo la cabeza en un gesto de preocupación—. Fue odiosa.

—Pero tenía que suceder —dijo Alice con un suspiro.

—¿No os sentís sola? —preguntó Lily.

—¿Sinceramente? No, en realidad no. Mis amistades insisten en que encontraré otro caballero maravilloso, un viudo, tal vez. Pero ¿para qué? Samuel me paga las facturas. Entre los dos me daréis sobrinos y sobrinas que mimar... y, además, con veintisiete años que tengo ya, estoy demasiado habituada a mi independencia para ponerme a practicar ahora el juego del amor.

—Todo eso no lo habría entendido antes de marcharme de casa —reconoció Lily—. Estaba convencida de que jamás volvería a amar a nadie.

Alice se echó a reír, mordiéndose el labio.

—¿No sabíais lo persuasivo que puede llegar a ser Samuel?

Lily recordó la advertencia de Chloe la noche del baile de disfraces.

—Supongo que tenía que descubrirlo por mí sola.

La misma noche de su llegada, Alice visitó el despacho de Samuel. Nunca le había tenido miedo. Habían conspirado conjuntamente contra la anciana tía que los había criado desde que tenían cinco años.

Samuel se obligó a dejar las páginas en las que estaba trabajando y le indicó con señas que entrara.

—Pasa y siéntate... si es que encuentras un rincón donde hacerlo. Lily se desespera con tanto lío. No sé por qué.

Una montaña de soberanos de oro se derrumbó sobre la mesa, chocando contra el tintero. Alice y él contuvieron la respiración. El tintero resistió.

—Lily no se crió para ser ama de llaves —dijo Alice. Movió con cuidado los folios que había sobre el sofá para tener un espacio donde sentarse. Tenía en la mano un joyero negro con cierre dorado—. ¿Qué pasó exactamente?

—La conocí en un baile de disfraces.

—Muy romántico.

Samuel suspiró.

—Sí, desde mi punto de vista. Hice redactar un contrato de matrimonio aquella misma noche.

—Y entonces, ¿por qué no estáis ya casados?

—Porque había un obstáculo que me pasó por alto. Otro hombre la había solicitado primero.

—Me sorprende que eso te detuviera.

A Samuel le brillaron los ojos.

—No me detuvo.

Relató entonces la cadena de acontecimientos que devolvieron a Lily a su vida. Destacó el papel que había jugado Grace en su caída y restó importancia a ciertos matices del papel jugado por él. Ya se encargaría Alice de cubrir por sí misma aquellas lagunas. Lo haría. Había crecido al lado de Samuel y sabía que su hermano menor había sido un astuto sinvergüenza. De pequeños se peleaban muchísimo.

—Tengo algo para ti. —Se levantó y le entregó la caja—. O más bien, para que se lo des a Lily el día de tu boda. Perteneció a nuestra madre.

Samuel abrió el cierre del joyero.

—¿Su collar de perlas y diamantes? —dijo sorprendido—. Sé lo mucho que significa para ti.

—Nunca me lo he puesto, y las perlas tienen que lucirse o pierden su brillo. Es como si cobraran vida cuando te las pones. Se dice que captan la vitalidad de quien las porta. El artista eres tú, Samuel. No es necesario que describa lo cálidas que lucirán sobre la piel de Lily.

—Gracias —dijo Samuel, conmovido por el regalo—. Tienes razón. Estas perlas son uno de mis recuerdos más intensos.

—Crearás otros, Samuel.

Él se recostó en su asiento.

—También tú.

—Tardé años en dejar de tener pesadillas relacionadas con el incendio —dijo ella—. No sé cómo ni cuándo fue, pero al menos ahora aquello se ha convertido en un dolor más soportable.

Samuel asintió.

—Durante muchos años pensé que volvía a vivirlo. Oía gritos u olía a humo. No sé muy bien si era solo producto de mi imaginación. —Le sonrió—. No te preocupes por mí. Siento su presencia a menudo, y eso me consuela.

—Sí —replicó ella en voz baja—. Te entiendo.

Lily entró en la sala de estar para servirle a Alice el ponche de whisky que había solicitado antes de acostarse. Ella le sonrió desde su sillón, luciendo todavía el vestido de noche de seda de color ciruela. Se había descalzado y tenía los tobillos desnudos cruzados sobre un escabel.

—Deberíais tomar también uno —sugirió Alice, cogiendo la taza.

—En esta casa tengo que mantener siempre mis cinco sentidos.

Alice se echó a reír.

—Me lo imagino. De pequeño, Samuel era un auténtico demonio. —Cerró sus delicados dedos en torno a la taza—. O, como mínimo, lo era hasta antes del incendio. Supongo que estáis al corriente.

Lily dudó. Estaba dividida entre el instinto de proteger la intimidad de Samuel y la necesidad de saberlo todo sobre él. ¿Quién lo comprendería mejor que su propia hermana?

—Ha hablado un poco del tema. Pero cuando sufrió aquellas fiebres tan terribles, vi...

Negó con la cabeza.

—¿Las cicatrices de las quemaduras? —apuntó Alice, dejando la taza en la mesita situada entre los dos sillones.

—Sí.

—Tenéis derecho a saberlo —dijo Alice.

—¿Cómo pasó todo? —preguntó Lily.

—Mi padre estaba pintando un retrato de nuestra madre y una tía nuestra cuidaba de mis dos hermanas pequeñas. Nadie sabe exactamente cómo pasó. Faltaba un mes para Navidad. En la casa solariega siempre había una chimenea encendida y teníamos bellos y antiquísimos tapices colgados en las ventanas. —Soltó el aire—. Pintura al óleo, trementina y una chispa, me contaron.

—Pero ¿Samuel y vos no estabais presentes?

—Éramos demasiado movidos y teníamos tos. No podíamos estarnos quietos posando para un retrato —explicó Alice—. Estábamos abajo, en la sala de guardia. Oímos los gritos de tía Leona desde lo alto de la escalera particular. Creíamos que pretendía que subiéramos a posar y de entrada no le hicimos ni caso. Y entonces Samuel dijo haber oído golpes.

Lily no dijo nada.

—Samuel no recuerda haber corrido escaleras arriba. Pero solo llegamos a la mitad. Las llamas se habían extendido por la totalidad del salón y el humo nos impedía continuar. Lawton fue el que nos salvó.

Lily arrugó la frente.

—¿El administrador que siempre anda fuera de la casa ocupándose de diversos asuntos?

—Nuestro abnegado Lawton.

—¿El caballero silencioso que siempre luce esos guantes tan grandes?

—Para ocultar las quemaduras —explicó Alice—. Apagó las llamas de las mangas de mi vestido y de la chaqueta de Samuel con sus propias manos. Luego nos sacó de allí y ordenó a la cocinera del castillo que nos vendara las heridas y nos llevara a St. Aldwyn House, donde vivía nuestra abuela.

—Pensaba que Lawton era simplemente antipático. —¿Cuándo aprendería a no juzgar a las personas por sus apariencias?—. En una ocasión estuve a punto de pedirle que se quitara esos guantes.

—Es el único sirviente de la vieja casa que sigue con vida —reflexionó Alice—. Vive en Gravenhurst para guardar el lugar y porque ese ha sido su deber desde tiempos inmemoriales. Incluso ha entablado amistad con un grupo de gitanos que echa maleficios a los periodistas o cazadores de fantasmas que sorprende de vez en cuando fisgoneando entre las rejas.

—Lo siento mucho más de lo que podéis llegar a imaginaros —dijo Lily—. Y agradecida de que los tres sobrevivierais.

—Deseé durante mucho tiempo haber sido yo la que no pudiera recordar nada. Ahora... tengo mis dudas. Da lo mismo la infinidad de veces que le he contado a Samuel lo que sucedió. No consigue recordarlo. Pero él sufrió quemaduras y yo no. Teniendo en cuenta su carácter, creo que no recordar nada es mucho mejor para él.

El grito exigente de Samuel resonó profanamente en aquel melancolico instante de respiro.

—¡Salid! ¡Salid de dónde quiera que estéis! Necesito voluntarios para ponerme un par de esposas y encerrarme en la despensa. Las damas no están excluidas de participar.

Alice cogió su whisky.

—Es así desde el día que nació —susurró—. No cambiará nunca.

—Espero que no —dijo Lily, levantándose—. Me he acostumbrado a tener entretenimiento a todas horas.

Capítulo 38

Al día siguiente, durante el desayuno, Alice se quejó y dijo que Lily no podía seguir actuando como el ama de llaves de St. Aldwyn's. Pronto se convertiría en duquesa de Gravenhurst. Samuel se mostró de acuerdo con ella. Aunque, a aquellas alturas, se habría mostrado de acuerdo prácticamente con todo lo que cualquiera de aquellas dos mujeres le hubiera planteado, porque en realidad prestaba escasa atención a sus peticiones.

Tenía planificado acabar la revisión en los próximos días y enviar a Philbert una parte del libro en el que estaba trabajando junto con el famoso último capítulo, con el que aún no se sentía del todo cómodo. Juró no comprometerse a escribir más ejemplares de *Wickbury* hasta pasada la boda. Tal vez incluso hasta después de la luna de miel.

Con Lily y Alice entreteniéndose mutuamente, podría encerrarse para sacar una buena cantidad de trabajo adelante. Ni siquiera se percatarían de su ausencia. Pero entonces, mientras tomaban ya su segundo café, Alice dijo:

—Siempre has sabido lo que pienso con respecto al castillo, Samuel.

—Que te gusta visitarlo de vez en cuando —replicó este distraídamente, preguntándose si habrían llegado ya el papel y las plumas que había pedido. Siempre empezaba la semana con una nueva pluma de cuervo y papel para estrenar. Era un ritual que llevaba años observando.

—Quiero vivir allí —dijo Alice—. En el castillo.

Samuel dejó la taza en la mesa.

—¿*Vivir* allí?

—Sí —confirmó ella, sin encogerse ni un ápice.

—Es un lugar inhabitable —replicó él, con el entrecejo fruncido.

Lily intervino entonces.

—Alice ha comentado que Lawton ha restaurado gran parte de lo que quedó dañado con el incendio.

Samuel se quedó mirándola.

—¿Y qué pasa con los fantasmas? *Nosotros* sabemos que no existen, pero los demás no. Todo el mundo la tomará por una excéntrica.

—En algún lugar debe vivir, Samuel —dijo Lily—, y el castillo está mucho más cerca que Lynton. Así estaríamos más cerca.

Samuel refunfuñó.

—Supongo que tendré que ir a echar un vistazo, para asegurarme de que es un lugar seguro.

—¿Podré venir? —preguntó Lily—. Tengo cierta experiencia como ama de llaves.

Samuel se dio cuenta de que estaba atrapado en una inteligente trampa femenina. Lily sabía que no iba a dejarla sola después de la confesión de Grace. De hacerlo, sería solo para dar caza a Kirkham y llevarlo ante los tribunales.

Alice sabía también que nunca le negaría la posibilidad de tener un hogar. Sin embargo, deseaba asegurarse de que el castillo estuviera en condiciones y no fuera el mausoleo en que su imaginación lo había convertido.

—¿Os parece bien si nos vamos mañana? —preguntó Alice, sin conseguir disimular una sonrisa.

—¿Tan pronto? —cuestionó Samuel—. Necesitaré más de un día para cargar el carruaje y preparar todos mis utensilios de escritura.

—Nosotras nos hemos encargado ya de empacar lo indispensable —reconoció Lily, mordiéndose el labio—. Por si acaso accedías. El personal puede traer luego todo lo que necesites.

—Mujeres malvadas —dijo Samuel con resignación—. ¿Qué sería de mi vida sin ellas?

El carruaje del duque siguió la antigua pista hasta un determinado punto. Un menhir, que según los lugareños era el primer diente del diablo, marcaba el camino que ascendía hasta el castillo. Solo la gente del páramo, los gitanos y algún que otro jinete lo utilizaba últimamente. De vez en cuando, el cochero tenía que detenerse para unir fuerzas con él y los lacayos para retirar las rocas que obstaculizaban el paso.

Al atardecer, el carruaje empezó a descender la escarpada ladera. Lily contempló el castillo a través de la ventanilla para no tener que mirar a Samuel. La última vez que había viajado en aquel vehículo había confiado en poder olvidar el pasado. Y había tenido tremendas tentaciones de estrangularlo.

Pero ahora viajaban juntos para reencontrarse con el pasado de él y tenía tentaciones de hacerle cosas, de hacer cosas *con* él, que jamás habría imaginado posibles en aquel primer viaje.

El brillo de los ojos de Samuel, cuando inevitablemente sus miradas acabaron cruzándose, prometía que tenía muchos otros sueños en mente. La mirada que ella le devolvió le decía que ella era algo más que un juego.

—¡Veo a Lawton en la barbacana oeste ondeando el estandarte de los Gravenhurst! —exclamó lady Alice. Se apartó de la ventanilla y se abanicó con los guantes—. De repente hace un calor terrible, ¿verdad? Qué alegría cuando por fin podamos salir de aquí y respirar un poco de aire fresco.

De cerca, el castillo de Gravenhurst presentaba un aspecto imponente que intimidaba a cualquiera que llegase al lugar sin invitación previa. Una manada de perros lobo merodeaba por el patio interior. Sus terribles aullidos le pusieron a Lily los pelos de punta. Levantó lentamente la vista. La bruma del atardecer envolvía las oscuras torres. Los dientes del rastrillo de hierro de la puerta de acceso sonreían como si estuvieran dispuestos a destrozar a los invasores de un solo mordisco.

—Santo cielo —le dijo a lady Alice mientras el duque lideraba la comitiva a través del crujiente puente levadizo—. Creo que Samuel tenía razón. ¿De verdad os veis capaz de vivir aquí? Tiene una atmósfera singular.

Alice volvió la cabeza hacia el páramo y respiró hondo para tonificarse. Los criados de St. Aldwyn, rezagados, arrastraban el carruaje por la cuesta, sus farolillos parpadeando como luces encantadas.

—En el mundo no existe otro lugar como el castillo de Gravenhurst.

Lily miró hacia delante, poco dispuesta a llevarle la contraria. Entonces vio por el rabillo del ojo a Samuel, que avanzaba cubierto con su capa. De pronto, unos siete perros de caza se materializaron entre la niebla para rodearlo. Tiró de su pequeña maleta para apartarla de su babeante bienvenida y rió a carcajadas, dándoles indicaciones por encima del hombro a ellas dos para que lo siguieran.

—Voy a entrar yo primero —dijo cuando Lawton abandonó corriendo la barbacana para recoger a los perros.

—¿Creéis que deberíamos dejarlo entrar solo? —le susurró Lily a Alice.

—¿Por qué impedírselo? —cuestionó esta en voz baja.

Lily pasó un instante sin responder. Apenas distinguía la figura de Samuel entre la niebla y la oscuridad, aunque daba la impresión de que sabía dónde iba. De repente sintió un escalofrío, la conciencia de que en el ambiente había algo maligno.

Levantó la vista. Una sombra siniestra se movía en el pasadizo que unía las dos torres de la puerta fortificada. Pestañeó. Qué tonta. No era otra cosa que el estandarte de los Gravenhurst.

Las historias sobre los fantasmas que rondaban el castillo eran simple invención de Samuel. En Gravenhurst no había nada más amenazador que los recuerdos pendientes de sanar, que ya eran suficiente perturbadores de por sí. Perdida en sus pensamientos, lo vio de repente delante de ella.

—¿Qué sucede? —preguntó, cogiéndola de la mano.

El calor retornó a sus venas en una agradecida oleada.

—Nada. Qué no sé hacia dónde ir, eso es todo.

—De día todo se ve distinto.

Intentó quitarse de encima aquella sensación de turbación. Tener miedo con Samuel a su lado era muy difícil.

Capítulo 39

El interior del castillo no era tan aterrador como Lily se esperaba. Las antorchas de las paredes proyectaban cálidas sombras en dirección a las vigas de roble del gran salón y sobre los paneles heráldicos de debajo. Fuera lo que fuese lo que Samuel sentía mientras Lily y él seguían a Alice de una estancia a otra, no lo reveló. Alice evitó la escalera de caracol, que Lily imaginó que conduciría al solar.

La miró solo de reojo. Cualquier daño que hubiera causado el incendio no se veía desde donde estaba ella o bien había sido reparado. Levantó la vista y sorprendió a Samuel a su lado con expresión resignada.

—Recuerdo haber jugado allá arriba —dijo, tirando de ella del brazo como si quisiera protegerla de una amenaza invisible—. Y poco más.

Alice la cogió del otro brazo.

—Teníamos una familia de grajillas que se instalaron en la chimenea cuando todo el mundo se fue —dijo—. Lawton nos contó que le resultó casi imposible sacarlas de allí.

—Eso es porque las grajillas cuando encuentran pareja la conservan toda la vida —dijo Samuel. Bajó la cabeza, sus labios rozando la oreja de Lily—. Y, por cierto, los St. Aldwyn hacemos lo mismo.

Dos horas más tarde, el carromato de los criados cruzaba el puente levadizo y depositaba al personal en el patio, proporcionando con ello la interrupción que Samuel necesitaba para explorar por su cuenta. Subió la escalera de caracol y llegó directamente al solar. Recordó de repente escenas agridulces de su vida antes del incendio. Los perros acostados delante de la chimenea, sus músculos agitándose nerviosamente. Su padre rogándole que prestara atención al tablero de ajedrez mientras su madre le leía cuentos de hadas de Perrault a Alice y a sus dos hermanas pequeñas.

Cerró la puerta y bajó despacio la escalera. Al llegar al último peldaño, se giró y miró de nuevo hacia arriba. Había hecho las paces con sus escurridizos recuerdos del incendio. No soportaba pensar en el sufrimiento de sus familiares. Pero tal y como le había dicho a Alice, sabía que, de un modo u otro, estaban a salvo.

Un día, cuando estuviera viejo y cansado, subiría las escaleras una última vez y encontraría a todos los que creía haber perdido para siempre esperándole para compartir con ellos el descanso eterno.

Hasta que llegara ese momento, el mundo terrenal, con su trabajo y su juego, con sus problemas y sus alegrías, era la prioridad. No podía dejar a Lily sin protección. Su historia en común estaba aún por escribirse. Con suerte, sería un cuento fabuloso que poder transmitir a sus hijos.

Después de la cena, Samuel consiguió escabullirse hacia la torre este de la puerta amurallada con la intención de trabajar. Le dolía haber perdido tiempo con el viaje hasta el castillo y tener que prescindir de las comodidades de su despacho en St. Aldwyn House. Pero la familia era lo primero. Al menos, la torre le proporcionaba aislamiento. Tenía además una galería donde poder tomar el aire y jugar a novelas de capa y espada con sus personajes cuando necesitara ejercicio.

Por fin había encontrado el silencio perfecto.

Encendió una lámpara y tomó asiento en una incómoda bancada de roble. Aquí sería imposible dormirse. Hojeó el último capítulo de su tan retrasado manuscrito. «Silencio», pensó distraídamente.

«Demasiado silencio.»

Unos minutos más tarde, los perros lobo del castillo empezaron a aullarle a quién sabe qué. Samuel se levantó de su asiento, papeles en mano, y descendió la escalera de caracol que conducía al pasadizo. Una luz iluminaba la ventana de la torre de vigilancia opuesta. Lily, Alice y Marie-Elaine se habían ofrecido a instalar allí una biblioteca temporal para aplacar sus quejas.

Las risas femeninas rompían la quietud. Combatió la tentación de sumarse a la camarilla. Pero de hacerlo perdería lo que quedaba de una noche de trabajo.

Tentación.

¿Acaso no terminaría nunca?

Probablemente no, ahora que Lily formaba parte de su vida. Que era toda su vida, en realidad.

Lily envió a Alice y Marie-Elaine a la cama, prometiéndoles que no se quedaría mucho más rato en la torre oeste. Sospechó que adivinarían que su verdadero motivo no era otro que estar cerca de Samuel. No lo habría negado de haberse visto acusada de ello. Necesitaba sentirlo cerca. Le gustaba también sumergirse en los libros que había traído desde St. Aldwyn House.

¿Cómo resistirse a hojear las páginas de un libro titulado *Los principios invisibles de Satanás*? ¿Conseguiría descubrir cuál de aquellas obras, en caso de que así fuera, había inspirado a lord Anónimo? Sería divertido intentarlo. Un reto.

Y la torre oeste necesitaba una limpieza en profundidad. Lawton, el cetrino administrador, y el personal que tenía a su servicio, tres gitanos, habían mantenido el castillo lo mejor que les había sido posible. La torre del homenaje, donde viviría Alice, estaba decorosamente habitable. Con el tiempo, ella ya contrataría más criados e invitaría a sus amistades a que la visitaran.

Por el momento, y hasta que llegara la fecha de la boda, Lily no pensaba renunciar a su puesto de ama de llaves. Tal vez, si Samuel seguía generando desorden, siempre tendría tentaciones de irle detrás limpiando.

Barrió un poco. Desembaló la mayoría de los libros y, después de organizarlos en lo que le parecía una clasificación lógica, se dio cuenta de que había perdido tiempo y energías. Antes de la hora del desayuno, Samuel ya los habría desordenado. De todas maneras, en la torre no había estanterías de ningún tipo. Tendría que apañárselas con un par de mesas de caballete y un viejo baúl.

Clasificó una caja de documentos antiguos. Por un vertiginoso momento creyó haber tropezado con el borrador original de los primeros *Cuentos de Wickbury*. Pero no era más que una colección de cartas de sus ávidos lectores, la mayoría de los cuales eran mujeres y escribían a Samuel para confesarle su imperecedero cariño. Al final, tomó asiento en un taburete para empezar a leer un manido ejemplar de *Don Quijote*.

El inicio le provocó una sonrisa y le hizo olvidar el triste final. Estaba tan enfrascada con el relato, que cuando escuchó pasos en la escalera de la torre, su corazón dio un brinco instintivo de miedo.

Aquello era horroroso. ¿Se pasaría la vida sufriendo de los nervios? ¿Cuándo conseguiría olvidar lo que había visto en Londres? Lady Alice y Samuel se habían recuperado de su desgracia. Pero ambos habían cambiado como consecuencia de ello.

Solo podía tratarse de Samuel que venía a ver cómo estaba. Se levantó y dejó el libro en el taburete.

—¿Vas a dejarlo por esta noche? —gritó al vacío de resonante oscuridad del hueco de la escalera—. Está haciéndose tarde. Y hace frío. Deberíamos acostarnos pronto.

No respondió. Estaría perdido de nuevo en sus pensamientos, supuso.

—¿Samuel?

Confiaba que fuera Samuel. En aquella parte del castillo podía tratarse también de una rata o de un tejón. Aunque de gran tamaño, para haberla distraído de la lectura de *Don Quijote*.

Bajó la escalera de la torre despacio y con cautela. Estaba muy oscuro. Tendría que haber cogido la lámpara. Se vería obligada a subir de nuevo a buscarla. La falda de su vestido se arrastraba sobre las antiguas losas del suelo.

—¿Samuel? —repitió, ya exasperada—. ¿Te importaría no esconderte entre las sombras?

Los perros del patio iniciaron un barullo de aullidos. Se habría asustado de no saber que su ferocidad camuflaba un temperamento amistoso.

Tal vez hubiera leído demasiados libros de Samuel sobre la Escocia feudal y las incursiones a medianoche. Tenía la sensación que le dolían los huesos como un mal presagio. Aunque más probablemente fuera por permanecer sentada tanto rato en aquel taburete de patas desiguales.

Sus nervios se relajaron algo cuando llegó a los pies de la escalera y salió al pasadizo. Observó desde allí los desolados riscos del páramo, cubiertos casi por la bruma.

Detrás de los menhires o en las cavidades del horizonte podía esconderse cualquier cosa. Un ejército entero podía estar listo para el ataque tras las colinas del brezal. Había tanta niebla que era difícil ver más allá de la pista de acceso al castillo. Pero por el momento, estaba a salvo de miembros del clan armados con espadas de dos filos e incluso de criaturas nocturnas que acecharan por los alrededores, a menos que contara a Samuel entre ellas.

Vio luz en la torre donde él seguía trabajando. Sabía que no se había puesto la chaqueta más gruesa. Sabía que no se había tomado ni una gota del chocolate caliente que Emmett le había subido, chocolatera de plata, taza y cuchara chocando entre ellos como grilletes y cadenas.

No le habría importado en absoluto que en aquel momento la acompañaran un par de lacayos. Pero imaginaba que Samuel habría prohibido cualquier cosa que le molestara.

Tampoco lo haría ella. Esperaría que viniese a su cama. ¿Acaso no estaba resignada a pasar el resto de la vida esperando, sintiéndose amada aunque ignorada? Suspiró al vislumbrar su delgada figura junto a la ventana de la torre. De acá para allá. Otro combate de sables. Se apoyó con los codos en una almena dispuesta a observar.

El estoque de sir Renwick estaba efectuando una danza mágica que la dejó embelesada. De hecho, daba la impresión de que su villano iba a ganar la pelea. Lo que significaba que el futuro de *Wickbury* aportaría a su mente un material delicioso. Decidió ir a importunarle. El arte estaba muy bien. Pero no tenía ninguna intención de ser ignorada *todas* las noches de su vida.

Además, el aire empezaba a ser gélido. Samuel iba muy ligero de ropa, como era habitual. Se acaloraría y luego cogería frío. Su deber era proteger su salud. Y desear su presencia.

Sabía cómo moverse por St. Aldwyn House. El castillo de Gravenhurst era un misterio que no le importaba resolver sola. Poseía una imaginación lo bastante enfermiza como para poder evitar que un perro lobo quisiera entablar amistad con ella a aquellas horas.

La verdad era que se sentía de nuevo dominada por la poco probable idea de que un peligro fantasma estaba aguardándola en la oscuridad. Era una sensación tan fuerte que empezó a superar la fascinación que ejercía en ella la representación de Samuel. Aminoró el paso.

Estaba segura de que la sombra que había visto a su lado en aquel momento era otra fantasía suya. Se giró. La cara cruel del hombre que avanzaba hacia ella le confirmó lo que la lógica había intentado negar.

Capítulo 40

En cuanto Samuel recortó una nueva plumilla y sumergió la pluma en el tintero, sus pensamientos alzaron el vuelo. Era demasiado tarde para trabajar. Necesitaba la otra pluma. ¿Haría mal si recorría el pasadizo y perdía un ratito ayudando a Lily? Se encogió solo de pensar en el caos que aquella mujer crearía en su biblioteca. Sabía también que un ratito acabaría convirtiéndose en lo que quedaba de noche.

«Trabaja, tonto enamorado. Escribe aunque sea solo una frase más.» De no hacerlo bien, los cabos sueltos acabarían tensándose y formando una horca. Que lo colgaría por la lengua.

Lucidez. «Sácalo de tu pura esencia. No fuerces ni una palabra.» La intuición triunfaba sobre el intelecto. Podía pasar a la clandestinidad y esconderse. Philbert daría con él. Entablarían un juicio a perpetuidad. Bien. Mejor que su editor acabara con él y no los lectores.

Ser anónimo era una bendición, aunque eso no impedía a Lily señalar todos los errores que lord A. hubiera cometido. Juraría que le encandilaba descubrir hasta su error más minúsculo. Tal vez debería pedirle que le ayudara a transcribir sus páginas para mantenerla ocupada. Pero de hacerlo, se dedicaría a alterar la puntuación.

Bastaba para inhibir sus impulsos creativos. Pero no por mucho tiempo. A veces pensaba que si no estuviera siempre al borde del abismo, se moriría de aburrimiento.

Y por lo que a la muerte se refería, había dejado al pobre Wickbury languideciendo en el calabozo y con un sacerdote a punto de llegar para administrarle los últimos sacramentos. Sir Renwick reivindicaba la victoria. La celda de su rival era infranqueable. El cáliz de la comunión de Wickbury contenía veneno suficiente para frustrar una improbable fuga. Moriría como mártir de la causa realista, igual que el decapitado rey Carlos I.

La banda de andrajosos partidarios de Wickbury había sido capturada o asesinada. Nadie podría liberarlo de aquella trampa.

Aunque una mujer de excepcional valentía sí podría hacerlo.

El escritor siempre *tenía* que dejar al lector con cierta esperanza.

Lady Juliette Mannering había sido en todo momento algo más que un pecho generoso contenido por un corpiño de terciopelo negro. O por los atavíos de un sacerdote, tal y como podría describirse su actual atuendo. Se había cortado el pelo para representar el papel de rescatadora de Wickbury. Los detalles de la liberación se pulirían en el siguiente libro. Samuel confiaba en que, por entonces, sería capaz de alejar a Lily de su cabeza lo suficiente como para que Juliette volviera a ser ella. Y en que de una vez por todas habrían terminado aquellas extrañas visiones en las que Wickbury le hablaba.

A todo esto, le parecía una ironía de lo más adecuada que Juliette se hubiera enfundado un disfraz religioso para salvar a quien le había permitido *a ella* escapar del velo. Naturalmente, habría críticas que acusarían a Anónimo de escenificar un nuevo acto inmoral.

Y tal vez tuvieran razón.

Kirkham la enlazó por la cintura con el brazo izquierdo. La presión era tanta que pensó que acabaría partiéndole las costillas. El instinto de gritar se esfumó en cuanto percibió el filo de acero de una espada pegado al cuello.

Su voz sonó ronca junto a su oído:

—Voy a callaros para siempre, Lily. Y Jonathan no podrá hacer nada al respecto. Nadie podrá. Mirad lo bajo que habéis caído. La prostituta de un duque. Una criada. Nadie os echará en falta.

Lily levantó la cabeza para tragar saliva. La hoja le pinchó la tráquea. Notó unas gotas de punzante calor acumulándose en el hueco de la clavícula. Kirkham acercó la mano izquierda a la herida y olisqueó la sangre. Lily era menos consciente del dolor que de la rabia. Se debatió un instante hasta liberarse, pero él la atrapó de nuevo.

—Se supone que las damas —dijo en un susurro burlón—, deben mantenerse en silencio.

—Muerte a Wickbury —había proclamado sir Renwick, alzando su estoque hacia la noche. O hacia el techo de la torre, en realidad.

A Samuel le sorprendió que aquella posibilidad le pusiera tan sentimental. ¿Tanto hacía que se había sentido tentado a terminar con el héroe popular? Matarle acabaría con la serie. ¿Podría rehabilitarse como partidario de Michael? ¿Reconocer que creía en la gazmoñería? Santo cielo. Era cierto. No podía despedirse para siempre de su héroe. ¿Cuándo y por qué había perdido la fe en Michael?

Apoyó el estoque en la pared. Deseaba llorar y pedirle perdón a Wickbury. Absurdo. Era como si este estuviera hablándole de nuevo. ¿Se le habría aflojado algún tornillo? Sus pensamientos se habían vuelto delirantes. No estaba al borde del abismo. Estaba cayéndose ya del acantilado. *Dios*. No podía contraer de nuevo las fiebres.

Se llevó la mano a la frente. Fría como las piedras del castillo. En aquella torre hacía un frío que pelaba. Necesitaba ejercicio para que le circulara la sangre. Aunque también podía hacerle una visita a Lily, cuyos ojos azules tenían el mismo efecto. No debería estar levantada tan tarde.

Se incorporó y estiró los brazos.

¿Debería ir?

—Ve.

Se giró, moviendo la cabeza con preocupación. La torre estaba vacía.

—Ve —dijo Wickbury con una voz que Samuel no había oído jamás.

—Y coge mi espada.

Cuando de pequeño Samuel pensaba en aquellas escaleras, lo hacía imaginándoselas como la espiral que adorna el caparazón de un caracol. Su forma estaba concebida para ralentizar el ataque del enemigo. Era complicado maniobrar por ellas a oscuras a menos que uno supiese dónde encontrar los asideros y evitar las losas sueltas que pudieran provocar una caída.

Su mundo se derrumbó en el instante en que avistó un hombre en el pasadizo con una espada de caballería pegada al precioso cuello de Lily. Los ojos de ella captaron enseguida su mirada. Reflejaban un horror que anuló por completo cualquier impulso de bondad que pudiera albergar.

Tensó la mano sobre la empuñadura de su sable.

—Soltadla.

Kirkham la presionó con más fuerza.

—¿Por qué debería hacerlo?

Samuel dio un paso al frente y fijó la vista en la sangre que mancillaba la piel de Lily. Oscura como la tinta que firmaba la sentencia de muerte de aquel hombre. La rabia se apoderó de él.

Oyó pasos resonando en la parte inferior de ambas torres. Emmett y Ernest rara vez desobedecían sus órdenes de mantenerse alejados de él. ¿Qué instinto les habría alertado esta noche?

—He dicho que la soltéis... Al diablo con ello.

Se abalanzó hacia la pared, blandiendo el arma baja y girando sobre su eje, casi en cuclillas. Cuando se enderezó, una brillante línea carmesí recorría el muslo derecho de Kirkham y se prolongaba hasta los hombros. Había separado por fin el filo del cuello de Lily.

—Bien hecho —musitó esta, cerrando los ojos—. Pero...

Podría haberlo hecho mejor. Se arrepintió de no haber cogido el estoque de Renwick. El sable resultaba más pesado de manejar. Aunque cuando su hoja daba en el blanco, el golpe solía ser mortal.

Kirkham bajó la vista hacia la manga de su camisa y empujó a Lily haciéndola caer de rodillas. Sin esperar señal alguna por parte de su señor, Emmett corrió por el pasadizo para alejarla del peligro. Su hermano gemelo se situó en el hueco que se abría hacia la escalera de la otra torre, cubriéndole las espaldas a Samuel.

Este habló sin dejar de mirar a Kirkham:

—Llévala abajo, Emmett. Enciérrala en la torre del homenaje junto a las demás damas. Avisa a Lawton...

Kirkham levantó la espada y se abalanzó sobre Samuel antes de que este pudiera terminar la frase.

Lily gritó.

—No podemos dejarlo aquí.

Se deshizo de los brazos de Emmett cuando este estaba arrastrándola hacia el acceso a las escaleras inferiores.

—Ernest está al otro lado —dijo el lacayo, posicionándose para impedirle el paso—. Deberíais ya saber que siempre lo hacemos todo juntos.

—Pues también deberíais saber que *yo* no pienso abandonarlo. Y que siempre nos mantenemos en segundo plano para dirigir sus duelos.

—Esta vez no, señorita —dijo él con firmeza—. Me cortaría la cabeza, y le conozco desde hace más tiempo que vos.

El pánico le aceleraba el pulso. No podía perder a Samuel. ¿Cómo ayudarlo? ¿Y si su presencia solo servía para distraerlo? Observó la oscuridad en espiral de la escalera.

—Preferiría quedarme aquí y morir antes que huir como... como una vieja duquesa asustada.

Vio que Emmett dudaba. Y eso jugaba a su favor. Aprovechó la circunstancia y lo aporreó en el hombro con una fuerza que jamás habría imaginado que pudiera llegar a tener. Emmett se quedó un instante paralizado, tan pasmado por aquel ataque que tampoco ella pudo moverse, sintiéndose culpable.

Emmett pestañeó y se recuperó antes que ella.

—No, señorita —dijo, y volvió a agarrarla por el brazo en el mismo momento que ella lanzaba otra mirada frenética en dirección a Samuel.

Danzaba con una belleza funesta que engañaba el ojo ajeno. ¿Habría tejido aquel manto de niebla para hechizar a Kirkham y llevarlo a realizar un movimiento precipitado?

—Emmett, os lo suplico. No. Os lo *ordeno*.

—Las órdenes del duque son las primeras.

—En ese caso, ¿qué hacíais aquí? —gritó—. El duque quería privacidad. Le habéis desobedecido.

—Sí, pero oímos los ladridos de los perros y pensamos que quizá pasaba alguna cosa.

Lily movió la cabeza en un gesto de desesperación.

—El duque no da órdenes a nadie. Hacemos lo que él desea sin que nos lo pida porque no podemos evitarlo.

—Tengo una obligación para con él —dijo Emmett con voz dubitativa.

Lily estaba llegando al punto de ebullición.

—Y yo tengo la obligación de no volver a ser testigo de un asesinato sin poder hacer otra cosa que retorcerme las manos horrorizada.

Emmett no cambió de opinión.

Entonces Lily añadió:

—Él haría lo mismo por nosotros.

—No —dijo con la voz tomada—. No. Él tiene su honor.

—¿Y estáis dispuesto a perderlo por eso?

Emmett miró hacia el pasadizo.

Lily miró más allá.

Arriba, más alto de lo que la vista alcanzaba a percibir, estaba su paraíso, y su corazón.

Fragmentos de luz perforaban la niebla.

Y reflejaron entonces la terrible sonrisa del rostro de Samuel. Lily sofocó un grito.

El sable se izó. Emmett, paralizado, aminoró la presión sobre el brazo de ella, que empezó a correr hasta que se detuvo. No quería mirar, pero algo la atraía hacia allí. Samuel tenía un talento especial para reclamar la atención del público.

Y ella siempre sería su más devota seguidora.

El sable voló como si fuese a atravesar una estrella. La fuerza corría por sus venas, de quién o de dónde había salido ya lo pensaría después, si sobrevivía. Velocidad. Acero cruzado. Arremetida. ¿Había visto un relámpago? Esquivar los golpes de aficionado de su rival. El aire fresco le tonificaba.

Se dio cuenta de que Kirkham jadeaba entre golpe y golpe. La destreza de aquel cabrón era rudimentaria. Apúntale al pecho.

Juega un rato con él.

Casi deseaba que Lily estuviera presenciando lo que era capaz de hacer en un duelo en serio. Eso era egoísmo por su parte. Vanidad. Mejor que no viera el final de aquello.

Aunque no sabía cómo acabaría. Sin saberlo, defender a Lily le llevaba a moverse con cautela.

Tal vez Kirkham hubiera salido inmune del asesinato cometido en Londres. Tal vez hubiera matado a más gente, tal vez los hubiera eliminado con la misma indiferencia repugnante con que había eliminado al hombre cuyo asesinato había presenciado Lily. Era un acosador que maltrataba a las mujeres y se aprovechaba de sus amigos. Un adversario desesperado que luchaba por malas causas.

Jamás había combatido con la suma de fuerzas de un duque, un conde exiliado y un carismático nigromante que blandía una varita mágica.

—¿*Quién* sois? —preguntó Kirkham con la voz hueca. El sudor caía por sus sienes—. No existe condenado noble capaz de defenderse así. Esto es... impío.

—Le habéis hecho sangre a Lily.

Kirkham gruñó:

—No es más que una mujer.

—Habéis elegido muy mal vuestras palabras.

—¿Palabras? —repitió Kirkham con incredulidad—. ¿Habláis de palabras cuando pretendo mataros? Estáis loco.

—Lo sé —dijo Samuel, moviendo afirmativamente la cabeza—. Lo sé. No puedo evitarlo.

—Corren rumores que cuestionan vuestra virilidad —dijo Kirkham, provocándolo y tambaleándose al trazar un arco con su espada.

—¿Ah sí?

Samuel rió a carcajadas. ¿Los habría inventado él? Pero no lograba recordar el momento. Aunque, a decir verdad, también Lily había mencionado algo similar al respecto de lord Anónimo.

Los ojos de Kirkham eran la viva imagen del desprecio.

—Vos...

Se había quedado sin aliento. Necesitaba toda la energía que fuera capaz de reunir para defenderse. Sus hombros se desplomaron; su mirada se descentró.

También a Samuel le flaqueaban las fuerzas. Había perdido por completo la referencia de Lily. Solo existía otra espada que pretendía abrirle el pecho en dos.

Embistió una y otra vez hasta que Kirkham cayó hacia atrás, esquivando a duras penas una estocada. Entonces, este retrocedió hasta que se le enganchó el talón en una buhedera. Era el momento. Samuel lo acorraló contra el muro almenado.

Conquista la noche.
Abraza el bien.

«Jamás he matado a un hombre, salvo con la pluma», pensó. ¿*Podría* hacerlo? Sangre. Aquel hombre había hecho sangrar a Lily.

Enganchó la espada justo por debajo de la rodilla izquierda de Kirkham, perforando la articulación.

—Esto resultará doloroso —dijo con una mueca.

No le mataría, pero haría desear a Kirkham que lo hubiera hecho.

Apretó los dientes. Pero en el momento en que sacudía con fuerza la espada, anticipando la explosión de tela, carne y cartílago fibroso, Kirkham extrajo una pistola de la parte posterior de su pretina. La izó con manos ensangrentadas hasta situarla a la altura de la barbilla de Samuel.

El gesto no lo pilló por sorpresa, conociendo la afición de Kirkham a las armas de fuego. Giró la espada en la rodilla de este, la arrancó de un tirón y la empujó hacia arriba para que el filo golpeara la muñeca de su oponente e hiciera caer la pistola. Samuel la recogió al vuelo con la mano izquierda antes de que cayera al suelo. La mano de Renwick.

Se armó de valor y apretó el gatillo. Detestaba los ruidos fuertes. Le recordaban plazos de entrega incumplidos y relojes que, a diario, daban estrepitosamente la hora en su casa.

El disparo resonó entre las torres, entre las almenas y por la totalidad del páramo.

La muerte generó un fárrago que jamás olvidaría.

Apartó la vista.

Se percató entonces de la presencia de Lily mirando por el rabillo del ojo. Emmett la protegía en lo alto de la escalera. Percibió la mirada de ambos. Separó las piernas, abarcando entre ellas el cadáver, el sable asentado sobre sus caderas.

Estaba completamente seguro de que la imagen recordaba la de un predador y su víctima. Lo único que le importaba era impedir que Lily y Emmett vieran lo que había quedado de la cara de Kirkham.

Repugnante.

Tragó la oleada de bilis y sacudió con la mano las partes ternillosas que ensuciaban el frontal de su camisa. Confiaba en no tener que representar nunca más una escena de muerte con tanto nivel de detalle. Prefería el romance, la aventura, un editorial político, cualquier cosa antes que aquello.

Comprendía de repente lo que Wickbury había estado intentando decirle todo aquel tiempo. Lo que Samuel había estado intentando recordarse. El héroe siempre tenía que acabar sobreviviendo. En el mundo existían villanos que la humanidad no podía salvar. Y a algunos, como Kirkham, había que detenerlos por completo.

La crisis que había ido gestándose entre Wickbury y Renwick no había sido más que una manifestación del conflicto interno de Samuel. Había querido creer en lo mejor de cada uno. Pero, por desgracia, no todo el mundo quería ser redimido.

Aunque ya reflexionaría sobre todo aquello en otro momento.

Samuel se propuso cambiar y pasar lo que quedaba de noche con Lily entre sus brazos.

Capítulo 41

Samuel pagó el funeral del capitán Jonathan Grace en Londres. Pagó la carroza fúnebre y seis caballos negros, los carruajes que acompañaron el duelo, las capas de los integrantes de la procesión. De entrada, cuando el posadero de Plymouth le notificó el fallecimiento de Grace, no supo muy bien qué pensaría de él la familia del capitán. Al fin y al cabo, él no tardaría nada en ocupar el lugar de su hijo casándose con la mujer que Jonathan, desgraciadamente, había dejado escapar.

Se sintió aliviado —conmovido, de hecho— cuando lord Grace le sugirió si quería acompañar al hermano de Lily como portador del féretro. Lily estaba tremendamente turbada y Samuel comprendía su dolor. Jonathan Grace había cometido un error y había pagado un alto precio en su intento de redimirse.

El padre de Lily, sir Leonard Boscastle, asistió también al funeral. Luego, invitó a Samuel a una cena privada en la mansión de Park Lane propiedad del hermano mayor de Chloe, Grayson Boscastle, marqués de Sedgecroft. Era una de las casas más elegantes de Mayfair. Samuel y sir Leonard se sentaron a solas en la mesa. Lily se quedó con las demás damas de la familia, muchas de las cuales no había conocido hasta entonces. La hermana de Samuel había decidido quedarse en el castillo, amilanada por el largo viaje hasta Londres.

—Os aborrecí cuando supe de vuestra reputación y que Lily estaba trabajando en vuestra casa —dijo sir Leonard. Ni el uno ni el otro habían probado apenas la espléndida cena. A Samuel se le había revuelto el estómago cuando el criado principal del marqués había dejado en la mesa una sopera con caldo de tortuga como primer plato. Comió una ramita de perejil y bebió incontables copas de vino blanco.

Aunque sabía que no apoyaría precisamente su causa derrumbarse borracho a los pies de sir Leonard. Ni ayudaría a contradecir su reputación. Entonces, en un determinado momento del postre, se dio cuenta de que el padre de Lily estaba bebiendo dos copas de vino por cada una que bebía él.

Lo más probable era que ninguno de los dos recordara la mayor parte de la conversación a la mañana siguiente. Se despertarían con la cabeza lista para explotar. Samuel no escribiría ni una sola palabra y le echaría la culpa de ello al vino, a sus intensos deseos de causar buena impresión, al alivio que le proporcionaba que la familia de Lily le hubiera perdonado llevársela. Pero, con diferencia, el mayor alivio lo experimentó cuando el padre de Lily le pidió a esta perdón al final de la velada y reconoció lo miserable que se había sentido desde que ella se marchara de casa.

La celebración de la boda llenó a rebosar la mansión de Park Lane. Una procesión de carruajes bloqueó las calles de Mayfair durante horas. Lily se habría vuelto loca de no haber conocido recientemente qué era lo que más importaba en la vida y por qué eran los pequeños momentos y no los gestos grandiosos lo que más se acababa apreciando.

La ceremonia empezó, ella de pie, su padre entregándola, su madre secándose las mejillas con leves toquecitos. Lily estaba encantada con su vestido, otra de las inspiradas creaciones de Chloe: resplandeciente seda dorada con un velo de encaje blanco flotando sobre su espalda. Lucía el collar de perlas y diamantes que Samuel le había regalado la noche anterior. La capa nupcial llevaba adherida una coronita de plumas blancas, el conmovedor recuerdo del disfraz que llevaba el día que lo conoció.

—Lo único que irás derramando esta vez —le garantizó Chloe—, serán lágrimas de felicidad.

A Lily se le humedecieron los ojos cuando intercambió sus votos con el duque de Gravenhurst. Samuel estaba divino con sus pantalones ceñidos y frac azul oscuro. Ella reclamaba su más completa atención. En la capilla no había ni plumas, ni libros, ni manuscritos inacabados que pudieran distraerle. Sabía que volvería a perderlo de vez en cuando en cuanto regresaran a St. Aldwyn House. Pero iniciaba su matrimonio con pleno conocimiento de quién era su esposo y de la felicidad que podía depararles a ambos su vida en común.

Samuel había vacilado entre la idea de una boda íntima en casa y una ceremonia tradicional con la familia de Lily en pleno. Había ganado la tradición. El salón donde se celebraba el banquete estaba repleto de Boscastle y la familia de Lily había llenado la práctica totalidad de la capilla. Él también había invitado algunos amigos. Satisfacía sus principios saber que un miembro del Parlamento estaba sentado entre un par de nodrizas. Rió cuando, en el transcurso del desayuno nupcial, lord Philbert le preguntó si había vendido entradas para asistir a su boda.

—Podría haberlo hecho, de haberlo pensado —replicó Samuel—. Pero recordad lo que os dije en una ocasión. Esa joven dama del vestido blanco y la coronita de plumas me tiene locamente enamorado. Cuando está a mi lado, tengo dificultades para pensar.

Lord Philbert suspiró.

—Lily es encantadora. Tengo el mérito de habérosla presentado. No quiero decir con ello que esté muy convencido de haberle hecho a la dama un gran favor. ¿Comprende realmente qué significa estar casada con un escritor?

Samuel miró a su esposa, que le devolvió la mirada desde la mesa nupcial que presidía no solo con sus padres y su hermano, sino también con su prima Chloe y el vizconde de Stratfield.

—Lily me conoce mejor que nadie.

—Bien. En este caso, me dirigiré a ella cuando vuestro próximo libro vaya retrasado.

—Os doy mi palabra, Philbert. La duquesa considera su deber hacerme cumplir mis obligaciones.

—Felicidades, Samuel —dijo Philbert con un tono cariñoso poco propio de él—. Debería haber confiado desde un buen principio en vuestros instintos.

Lily le había lanzado a Samuel tantas miradas sugerentes que incluso su padre se había percatado de ello. La cogió de la mano.

—Es el hombre adecuado para ti, Lily.

Ella notó el escozor de las lágrimas.

—Ni te lo imaginas.

—¿Nos perdonas?

Lily levantó la mano que tenía libre para acariciar a su padre. Había envejecido desde su separación. Pese a que su incredulidad le había dolido, haber mantenido su postura la había hecho más fuerte. Si bien tenía que reconocer que había gozado de la ayuda de Samuel y de todos sus personajes.

—Nadie conocía toda la verdad —dijo, pensando en cómo había juzgado injustamente a Jonathan, convencida como estaba de que había cometido un asesinato. Habría llegado a testificar en su contra.

Su hermano levantó la copa aflautada de champán en una flagrante apuesta por disipar cualquier amago de tristeza.

—Esto es una boda. Todo está pasado y perdonado.

La madre de Lily rompió a llorar.

—No puedo evitarlo. Te he echado tanto de menos. Y estaba tan preocupada por ti... —Levantó brevemente la vista y vio que

Samuel se acercaba a la mesa—. Ojalá le hubiera conocido antes de que te marcharas, Lily —dijo bajando la voz—. Mi corazón de madre me habría hecho saber que estabas sana y salva. ¿Quién crees que puede tener tanta maldad como para andar propagando esos chismorreos sobre su persona?

Lily miró a Samuel, sus ojos chispeantes de placer.

—Quién quiera que sea tiene mucha imaginación.

Y todos los asistentes a la boda se mostraron encantados de dejar las cosas así.

Epílogo

Principios de verano
St. Aldwyn House

Cuál es la única religión verdadera? —leyó Samuel en el manuscrito, caminando de un lado a otro ante los *dramatis personae* reunidos en la galería.

—La compasión —respondió una voz.

Buscó con la mirada a la persona que había respondido.

—Yo *no* he escrito esa frase. ¿Quién la ha escrito? —preguntó, deteniéndose delante de Lily.

Bickerstaff se ruborizó.

—Lo reconozco, excelencia.

Samuel negó con la cabeza.

—Es...

—... brillante —dijo la señora Halford—, y eso que no suelo prodigarme en elogios.

—¿Acaso no es la verdad? —dijo Bickerstaff y se giró para dirigirse a ella—. Os lo agradezco de todos modos, señora Halford. Es un gran cumplido, viniendo de vos.

—Es una frase encantadora, señor Bickerstaff —dijo Lily, lanzándole una mirada furtiva a Samuel.

Este resopló.

—¿Podríamos continuar? Y la frase... se quedará. Por ahora.

Lily tosió para aclararse la garganta antes de tomar la palabra.

—Tengo una pregunta sobre este nuevo personaje que acabas de introducir, esa tal baronesa de Beaucoup.

—De *Beauville*.

—A menos que lo haya leído mal, hacia el final de la escena dice que la baronesa invita a sir Renwick a su lecho a cambio de una poción de la eterna juventud.

Samuel asintió.

—Eso es justo lo que dice.

—Pero... —Lily echó un vistazo a las hojas que tenía en la mano—. La dirección de escena indica también que entran en una habitación de una taberna y no salen de allí hasta la mañana siguiente. Dos líneas más abajo, hablas de un castillo.

—¿Y qué? —Samuel se encogió de hombros, restándole importancia al asunto—. El escenario siempre puede cambiarse. Hay que tener en cuenta que esto es para un libreto, no solo para llenar una biblioteca.

—Y Wickbury ha lanzado por los aires su espada.

—Es un gesto dramático —replicó Samuel—. No entiendes la naturaleza de la creatividad.

Lily puso mala cara.

—Lo que tú no entiendes es la ley de la gravedad. *Bucephalus* está abajo en el patio. Igual que tu escudero.

—Cambia las instrucciones, Wadsworth —ordenó Samuel a su ayuda de cámara, que lucía un pendiente de perla en la oreja izquierda y un estoque al costado—. ¿Te encaja ya mejor, Lily?

Lily frunció la boca en un mohín.

—De acuerdo. Sir Renwick puede acostarse con la ramera que le venga en gana. Pero me pregunto, de todas formas, por qué le has dado a Marie-Elaine el papel de la baronesa. Me encantaría ponerme una peluca francesa de esas tan altas y andar sobre tacones de diamantes en lugar de tener que aguantar esta engorrosa vestimenta de sacerdote o lucir un corpiño que lo enseña todo.

Samuel suspiró agotado.

—Marie-Elaine es de ascendencia francesa y se comporta a veces con una arrogancia gala que le cuadra perfectamente al papel. Creo además que tiene más experiencia en...

—... en todo —remató Marie-Elaine—. No os preocupéis, excelencia —le susurró a Lily—. La baronesa acabará mal. No creo que pase del próximo acto.

Lily suspiró también.

—Debería habérmelo imaginado.

—No —dijo tajante Samuel—. No tendrías por qué. Y tampoco yo estoy haciéndolo bien. ¿Cómo lo *sabes*, Marie-Elaine?

—Vi las notas de su excelencia desparramadas ayer por la alfombra —contestó esta—. Y las recogí. Naturalmente, volví a dejarlas tal y como las encontré en cuanto me di cuenta de qué era.

—Naturalmente —dijo Samuel arrastrando la voz y apoyando la cabeza en la barandilla.

—La baronesa es una farsante, una asesina a sueldo de uno de los rivales metafísicos de Renwick —añadió Marie-Elaine.

—Eso está mucho mejor —dijo Lily entusiasmada.

Marie-Elaine se encogió de hombros.

—Si preferís el papel, no me importaría intercambiároslo.

Todos miraron entonces a Samuel, que seguía cabizbajo.

—No —dijo Lily, esbozando una sonrisa—. Seguiré siendo Juliette. Los personajes deberían ser consistentes.

—Gracias a Dios. —Samuel se enderezó, recuperando su habitual energía—. Empezamos desde el principio de la página.

Marie-Elaine tosió entonces para aclararse la garganta.

—Era una noche de tormenta. Las aguas del foso no cesaban de estamparse contra los muros del castillo.

—¿Por qué —preguntó Lily, dejando de mirar de nuevo sus hojas— siempre tiene que ser una noche de tormenta? ¿Por qué, se pregunta esta lectora, no podría ser una noche despejada y estrellada por una sola vez?

Samuel se acercó a ella.

—Me gustan las noches de tormenta y el autor soy yo. Las noches de tormenta se prestan al drama y a que los caballeros sean reclamados como guardianes.

—Sí —dijo Lily después de un breve momento de duda—, pero volverá a confinarla en el torreón y es obvio qué sucederá después.

Samuel enarcó una ceja.

—Una edición más y tendré que tratar este asunto contigo en privado.

Dio media vuelta y agitó el manuscrito para indicar que continuaran.

—En ese caso —dijo rápidamente Lily—, permíteme incluir unas pocas y minúsculas correcciones más, por si luego se me olvida mencionarlas. La referencia a la batalla de Worcester tiene un desfase de unos nimios treinta años. Un error menor. Y ya sé que es un detalle sin importancia, evidentemente, pero el sol sale por el este. No se pone por allí.

La mirada de Samuel se oscureció.

—Además —continuó Lily—, hay un punto en la página... —Se interrumpió para olisquear el ambiente—. Huelo a alguna cosa. ¿Estarán Renwick y la baronesa quemando hierbas para realizar algún tipo de encanto místico que sirva para debilitar a lord Wickbury?

—En esta escena no hay ningún fuego —dijo Samuel, alarmado.

El grupo se desintegró. Wadsworth corrió a verificar la chimenea del otro extremo de la galería, Marie-Elaine abrió todas las puertas cerradas y la señora Halford bajó corriendo las escaleras en dirección a la cocina. No encontraron nada excepto a una de las criadas de la trascocina tratando de eliminar el fondo negro quemado de una cacerola.

Samuel se quedó a solas con Lily en la galería, moviendo la cabeza con resignación.

—Lo que has olido han sido seguramente los fétidos miasmas de este manuscrito. Es evidente que no estoy captando el interés de ninguno de vosotros, puesto que, de ser así, nadie se habría largado con tanta rapidez.

Lily le cogió la mano.

—Vamos a preparar una edición particular. La escena estará mucho mejor después de otra revisión.

Lily estaba acostada junto a Samuel en su cama, enredando los dedos entre su pelo. Quedaban aún los últimos resquicios de luz del día. El páramo estaba bañado por un resplandor mágico.

—He cambiado de idea —dijo de sopetón.

Samuel se desperezó.

—Cuéntame.

—He decidido que prefiero un héroe a un villano.

Él se incorporó un poco hasta recostarse sobre el codo.

—¿Te refieres a que ya no estás enamorada de sir Renwick?

—Siempre conservará mis simpatías —dijo con cierta nostalgia—. Pero una cosa es disfrutar leyendo cosas sobre un personaje malvado y otra muy distinta tropezarse con él en la vida real.

Samuel permaneció un buen rato reflexionando sobre sus palabras.

—Yo no soy ni bueno ni malo. ¿En qué tipo de hombre me convierte eso?

—En un hombre excepcional.

Se giró para besarla en la boca. Lily cerró los ojos y esperó. Esperó a ser sorprendida, seducida, conducida a otro mundo. Pero cuando por fin abrió los ojos de nuevo, vio que su esposo se había marchado de su lado y estaba sentado detrás del escritorio.

—Enseguida vuelvo, te lo juro, Lily. Acabo de tener una idea... el final del próximo libro.

Ni siquiera disimuló levantando la vista del papel.

—Voy a probar un enfoque distinto. Confío que en cuanto visualice el final, todo lo demás ocupe su debido lugar por sí solo. ¿Entiendes lo que quiero decir?

—La mitad de las veces.

—¿Y la otra mitad?

—La otra mitad carece de importancia. Me gusta vagar en la oscuridad. Y...

Samuel seguía inclinado sobre la mesa, la pluma en una mano, la otra levantada a la altura del hombro para impedirle a Lily que se acercara.

—Espera un momento más, amor mío.

—Como iba diciendo, Samuel, tendremos un pequeño lord o lady Anónimo pasada la Navidad.

—Lo sé —murmuró él, asintiendo levemente—. Sí. Cuéntamelo después. Ponme luego al corriente de todas las noticias.

Después —siete horas más tarde, de hecho—, se acostó Samuel a su lado y la zarandeó con delicadeza para despertarla.

—Repíteme eso que acabas de decir.

—¡Pero si fue ayer! —exclamó Lily—. Tienes la cabeza como un colador. Hay que recargarla cada pocos minutos.

—Hemos hablado precisamente hace unos minutos.

Lily giró la cabeza y lo encontró acostado a su lado. La miraba con sus ojos oscuros.

—Soy un zopenco, Lily. ¿Es eso cierto?

—Tú médico, el de la sangre de dragón, así lo cree.

Samuel cogió la cara de ella con ambas manos.

—¿Qué nombre le pondremos a nuestro pequeño descendiente? —le preguntó.

—Lo pensaremos mientras dormimos. O tal vez cuando no estés trabajando se te ocurra. Adelante. Acaba lo que estés escribiendo. Sé que tienes el corazón allí.

—Nunca has estado más equivocada —replicó Samuel—. Con ochenta años podré seguir escribiendo libros. Pero lo que no podré hacer entonces será engendrar hijos.

—Podrás —dijo ella, pensativa—. Hay hombres que pueden.

—¿A esa edad?

—Seguro que eres uno de ellos.

—No me lo imagino. De ser así, jamás acabaría ni una sola página.

Cuando Lily se despertó a la mañana siguiente y vio la luz reflejada en el suelo, comprendió enseguida que había dormido más de la cuenta. Y que Samuel se había levantado a la hora habitual para ponerse a trabajar. Se envolvió con la sábana como si fuese una toga y abandonó la cama.

Se acercó al escritorio y vio la nota, con la tinta aún fresca, que le había dejado.

Lily,
Eres mi esposa.
Mi corazón te pertenece.
Pero deja de editar mi trabajo.
Te quiero,
Samuel.

P.D. La última frase del próximo libro será:
«La tentación no tiene por qué terminar en tragedia».
Gracias por ser mi inspiración.